**10|18**

12, avenue d'Italie — Paris XIIIᵉ

## Sur l'auteur

Colum McCann est né à Dublin en 1965. Après des études de journalisme au St Joseph's College de Dublin, il travaille d'abord comme rédacteur pour l'*Evening Herald* puis devient correspondant junior pour l'*Evening Press* de Dublin dans les années 80, avant de s'embarquer pour un tour des États-Unis à bicyclette qui va durer deux ans. C'est cette expérience qu'il raconte dans *Sisters*, son premier récit, avec lequel il remporte le prestigieux Hennessy Award pour la meilleure première œuvre et le New Writer of the Year en 1991. En 1994, il obtient le Rooney Prize for Irish Literature pour son recueil de nouvelles, *La Rivière de l'exil*. Salué unanimement par la critique et le public comme une des nouvelles voix les plus prometteuses de cette génération pour ses deux romans, *Le Chant du coyote* et *Les Saisons de la nuit*, Colum McCann vit aujourd'hui à New York.

# LE CHANT DU COYOTE

PAR

## COLUM McCANN

Traduit de l'anglais
par Renée KÉRISIT

**10** **18**

*« Domaine étranger »*
*dirigé par Jean-Claude Zylberstein*

ÉDITIONS MARVAL

*Du même auteur*
*aux Éditions 10/18*

LES SAISONS DE LA NUIT, n° 3145

7/2014

Titre original :
*Songdogs*

© Édition originale publiée par Phœnix House
© Colum McCann, 1995
© Éditions Marval, 1996 pour la traduction française
ISBN 2-264-02766-5

*Pour Allison*

« C'est ainsi que nous avançons,
barques luttant contre un courant
qui nous rejette sans cesse vers le passé. »

F. Scott Fitzgerald
*Gatsby le Magnifique*

*Juste avant de rentrer chez moi en Irlande, j'ai vu mes premiers coyotes. Ils pendaient à une palissade près de Jackson Hole dans le Wyoming. Un jaillissement de fourrure brune sur un champ de neige molle, leurs corps suspendus la tête en bas, attachés au pilier par une ficelle orange. Ils avaient deux traces de balle bien nettes dans le flanc à l'endroit où le brun se mêlait au blanc. Ils étaient complètement desséchés et puaient la décomposition. Leurs museaux et leurs pattes touchaient l'herbe et leurs gueules étaient grandes ouvertes, comme sur le point de pousser des hurlements.*

*Un rancher les avait suspendus là pour dissuader d'autres coyotes de s'approcher de son champ. S'ils trottaient aux alentours, une patte levée à hauteur de poitrail, une oreille dressée au moindre bruit, la queue en mouvement, le rancher les renversait d'où ils venaient à coups de carabine. Mais les coyotes ne sont pas aussi stupides que nous — ils ne s'aventurent pas dans des lieux fréquentés auparavant par les morts. Ils poursuivent leur route et s'en vont faire entendre leur chant ailleurs.*

# MARDI

## *La loi de la rivière*

Je me suis assis sur mon sac à dos, derrière la haie, à l'endroit où le vieux ne pouvait pas me voir ; j'ai observé le lent débit de la rivière et je l'ai observé, lui.

Même la rivière ne savait plus qu'elle était une rivière. Large et brune, quelques sacs plastique pris dans les roseaux, elle ne faisait plus le moindre bruit aux détours de son lit. Un morceau de cellophane s'était enroulé autour d'un des piliers du pont piétonnier. De l'huile flottait paresseusement à la surface, irisant l'eau dans le soleil de l'après-midi.

Et pourtant le vieux continuait à pêcher. La ligne s'est déroulée, accrochant la lumière, et la mouche s'est posée doucement. Par de légers coups secs du poignet, il lui a imprimé quelques instants un mouvement tournant, il a baissé brusquement la tête après avoir lancé, il a retendu la ligne avec le moulinet et s'est frotté l'avant-bras. Au bout d'un moment il est allé s'asseoir dans une chaise longue aux rayures rouges et blanches sous les branches du vieux peuplier. Il a tourné la tête vers la haie, sans me voir. Il s'est installé confortablement, s'est mis à tripoter la mouche accrochée au bout de la ligne, il a porté l'hameçon et les plumes à sa bouche et il a soufflé dessus pour essayer de leur redonner du gonflant. Son manteau pendouillait et son pantalon se retroussait jusqu'aux chevilles sur ses bottes en caoutchouc vert. Quand il s'est levé pour enlever son manteau, j'ai été saisi par sa maigreur — aussi mince que les roseaux dont je me servais pour fabriquer des croix en hiver au mois de février.

L'après-midi passait lentement et, par paresse, il a coincé le manche de liège de sa canne à pêche entre ses cuisses, s'est penché et a craché par terre, puis il a essuyé quelques gouttes qui lui coulaient sur le menton. De temps en temps il relevait le bord de son chapeau vers les martinets qui fendaient l'air au-dessus de lui dans le ciel, puis fixait la ligne qui flottait dans l'eau, au milieu des détritus.

Il y a bien longtemps, dans les années soixante-dix — avant l'implantation de l'usine à viande — il m'emmenait tous les matins jusqu'à la rivière nager dans l'eau vive, contre le courant. C'était un bon nageur, bâti en force, aux épaules puissantes et au cou de taureau. Même en hiver, il entrait dans l'eau en caleçon de bain rouge et s'éloignait, ses bras creusant la surface dans un mouvement régulier d'ailes de moulin. Des touffes de cheveux mouillés se collaient sur son crâne dégarni. Le courant était suffisamment fort pour l'empêcher d'avancer. Quelquefois il lui arrivait de rester au même endroit pendant une heure ou deux, sans cesser de nager. Il poussait d'énormes cris tandis que ma mère, debout sur la berge, le surveillait. Elle avait la peau mate, presque couleur de tourbe, aussi brune que la terre. Des gants de jardinage bleus lui remontaient jusqu'aux coudes. Elle avait des poches sous les yeux. Elle restait sur la rive et regardait, en faisant quelquefois des signes de la main, en tripotant de temps en temps le bout d'élastique coloré qui retenait ses cheveux argentés.

Je me maintenais dans la rivière en m'accrochant aux racines de peupliers. J'avais sept ans, et je sentais la poussée du courant sous mes aisselles, l'eau giclant sur mon visage, mon corps entraîné par les flots. Le vieux continuait à lutter à la force des bras. Quand il en avait assez, il se laissait emporter sur une courte distance, jusqu'à la courbe de la berge. Je lâchais la racine de l'arbre et je me laissais porter dans son sillage. Il mettait pied sur la rive, m'attrapait, me hissait sur le bord en m'agrippant par le haut de mon caleçon de bain. On se rhabillait et on tremblait tous les deux sur la berge boueuse ; ma mère nous appelait pour le déjeuner. Le vieux hochait la tête en regardant l'eau. C'était la loi de la rivière, me disait-il. Elle était vouée à tout emporter sur son passage.

Mais en l'observant cet après-midi, je me suis dit que s'il tentait de nager à présent, il serait tout simplement ballotté comme toute cette merde et ces détritus dans les roseaux.

Quand le soir est tombé, le ciel a pris des teintes de nicotine à l'est et de camaïeu rouge à l'ouest. Quelques nuages légers ont défilé à vive allure. Il a pris ses cigarettes, il a tapoté le fond du paquet de la paume de la main, l'a ouvert d'un geste sec du pouce, avec une patience étudiée dans le mouvement. Il a enfoncé la main dans la poche de son manteau d'où il a sorti de longues allumettes de cuisine. Même de loin, je voyais que ses mains tremblaient et il a craqué deux allumettes avant que la cigarette ne s'allume.

Il a rejeté la fumée en direction des martinets, a repris sa canne à pêche, passé tendrement les doigts sur la fibre de verre et lancé une toute dernière fois. La ligne emmêlée a touché lourdement la surface. La rivière s'est agitée. Ce fut un instant de parfaite communion. La lumière du soleil s'est accrochée aux gouttelettes d'eau et les a irisées avant qu'elles ne retombent, et alors brusquement m'est venue à l'esprit l'idée que le vieux et l'eau sont indissociables dans tout ceci — ils ont vécu leur vie en parfaite osmose, la rivière et lui ; autrefois agités de mouvements incontrôlés, bouillonnant vers de nouveaux horizons, arrachant tout sur leur passage, ils avancent à présent vers quelque ultime et inexorable océan.

Au cours de l'été 1918, une femme à la chevelure rousse qui n'avait qu'une manche à sa robe donna naissance à mon père sur l'aplomb d'une falaise dominant l'Atlantique. En ville on la prenait pour une folle — elle gardait un bras glissé à l'intérieur de sa robe, bien droit le long du corps — et personne ne fut surpris par les circonstances de la naissance. Le vent rejetait sur la falaise l'écume des vagues, et des fleurs sauvages aux teintes pourpres explosaient en prenant des formes qui auraient pu lui rappeler les bombes s'écrasant sur la lointaine contrée des Flandres. Elle venait de recevoir une lettre disant que son amant avait servi de chair à canon dans les combats de la Grande Guerre — c'était un homme de la région qui lui avait labouré le ventre sept mois plus tôt, et puis s'en était allé du comté de Mayo en uniforme de l'armée britannique. Peut-être, après avoir coupé le cordon ombilical, s'était-elle mise à exécuter une danse folle en poussant des cris de lamentation, nullement surprise par l'épaisse touffe de cheveux noirs sur la tête du bébé, par les grosses lèvres rouges, la peau très blanche, la délicatesse de ses oreilles.

Il fut trouvé par deux demoiselles protestantes qui vivaient ensemble dans une maison gigantesque au bord de la mer. Les dames faisaient leur promenade dominicale quand elles aperçurent le paquet de chair parmi des fleurs écrasées. L'une d'elles enleva son jupon, enveloppa l'enfant et elles l'emportèrent chez elles. La folle, ma grand-mère, demeura introuvable, bien que des vêtements, dont la fameuse robe à une seule manche, aient été découverts, jonchant le sol, à l'intérieur des terres du côté des collines.

Les demoiselles protestantes élevèrent mon père au milieu de tasses à thé en porcelaine, de programmes radiophoniques, de scones agrémentés de cuillerées de crème épaisse. Elles le firent asseoir devant un piano à queue, s'humectèrent les doigts et lui coiffèrent les cheveux en arrière, un épi rebelle lui retombant sur le front. On commanda ses vêtements à Dublin, pas moins, de belles chemises blanches qu'il massacra en courant à travers les tourbières, des pantalons de tweed qui furent déchirés sur les rochers, de superbes cravates bleues dont il se servit pour envelopper des cailloux qu'il utilisait comme projectiles pour atteindre les courlis. Elles le baptisèrent à l'église protestante du nom de Gordon Peters, et des années plus tard — roué de coups à l'école à cause de ce nom — il leur rendit la monnaie de leur pièce en urinant sur leurs brosses à dents.

Pourtant il les aimait d'une étrange façon, ces vieilles demoiselles aux yeux scintillants vert bouteille. Il revenait de ses longues marches avec des brassées de fleurs qu'il avait cueillies au bord de mares boueuses, des fleurs pourpres qui penchaient la tête dans des vases coûteux sur la table de la salle à manger. Il les appelait l'une et l'autre « Mammy » et rentrait à la maison en gambadant et en rapportant des galets de la plage ou en racontant des histoires de dauphins qui avaient fait des bonds hors de l'eau juste à côté de lui, le long de la grève. Un de ses amis, Manley, poussait un cri particulièrement aigu qui, prétendait-il, attirait les dauphins, et ils passaient des journées entières ensemble sur la plage à hurler, les yeux tournés vers le large. Les demoiselles descendaient leur apporter des repas froids, étalaient leurs longues robes sur les rochers et observaient leur fils adoptif.

Il devait avoir une curieuse allure dans son manteau bleu ceinturé, mon père, avec ses yeux très sombres où se lisait déjà un long avenir d'égarements et de chagrins.

A l'âge de onze ans, quand on lui raconta l'histoire de sa mère, il se rebaptisa Michael Lyons, un nom répandu dans la région, un nom qui aurait pu appartenir à son propre père. Vêtu de culottes courtes, il alla au bord de la falaise et cracha sa bile dans l'océan afin de souiller l'Angleterre pour la mort inutile de son père. A l'époque il ne se rendit pas compte que son crachat était dirigé vers l'ouest — vers le Mexique, vers San Francisco, vers le Wyoming, vers New York — où, des années plus tard, il allait bel et bien s'écraser.

Les demoiselles vinrent sur la falaise, le prirent chacune par une main et le ramenèrent à la maison en le balançant — leur visage criblé de taches de rousseur, elles poussaient dans les airs de petites chaussures marron.

Au printemps de 1934, les vieilles demoiselles protestantes décidèrent d'aller en bateau apporter de la nourriture à des îliens de l'autre côté de la baie. Mon père ne les accompagnait pas ; il était parti tirer à la fronde sur des courlis dans les tourbières, gauche dans ses mouvements depuis qu'il était entré dans l'adolescence. Le soleil inondait d'une lumière safranée l'eau

parfaitement calme. Les demoiselles quittèrent le quai
à bord d'une barque légère ; des parasols blancs protégeaient leurs têtes. Elles se mirent à ramer ; les avi-
rons formaient des cercles concentriques sur la mer,
le quai s'éloignait d'elles. Personne ne sut ce qui se
produisit alors : une des demoiselles, Loyola, avait été
une rameuse expérimentée au dire de tout le monde,
mais peut-être se pencha-t-elle pour regarder un marsouin, ou une chaussure flottant à la surface, ou une
étoile de mer, ou une bouteille qu'on avait jetée, puis
elle bascula par-dessus bord. Peut-être son amie
essaya-t-elle de la rattraper dans un mouvement spon-
tané d'amour profond ; le parasol s'envola ; une
femme aux cheveux gris vêtue d'une robe de dentelle
blanche, les bras tendus, plongea en rompant la surface lisse et bleue de la mer. Dans l'eau, elles se sont
peut-être regardées et souvenues du fait essentiel, à
savoir que ni l'une ni l'autre ne savait nager. Le parasol dériva à la surface et j'imagine les deux demoiselles coulant ensemble jusqu'au fond, en se tenant la
main et en regrettant que le garçon ne puisse les
rejoindre au milieu des algues.

On retrouva leurs corps rejetés par la mer sur la
grève, et tout près de là, dans les rochers, des phoques
poussaient de violents aboiements.

Les demoiselles protestantes furent enterrées dans
un cimetière tranquille près de l'estuaire de la rivière.
Dans leur testament elles laissaient à mon père tout ce
qu'elles possédaient : la maison, les terres, la porcelaine, les tristes brosses à dents qui l'observaient dans
leur gobelet de faïence. Il avait seize ans et il s'assit
devant une immense table d'acajou dans la salle de
séjour, attentif au silence pesant qui enveloppait cette
maison vide. Jardiniers et domestiques, venus faire
leur travail, cognèrent le marteau en cuivre de la porte

d'entrée. D'un geste nerveux ils enlevèrent leur casquette et hochèrent gravement la tête lorsqu'il leur ouvrit. Il leur donna leurs appointements, mais leur demanda de ne pas revenir, leur dit qu'il s'occuperait seul des tâches ménagères, qu'il continuerait à les payer toutes les semaines avec l'argent de l'héritage. Ils descendirent l'allée de gravier en se retournant pour lui jeter des regards suspicieux. L'herbe se mit à pousser autour des cerceaux du jeu de croquet sur la pelouse. Des maillets se perdirent sous les feuilles. Les rideaux restèrent ouverts et les rayons du soleil pénétrèrent et décolorèrent les meubles. Les chemises et les gilets de mon père jonchèrent les couloirs. Il se mit à dormir dehors, sous la véranda : trop de voix sépulcrales dans les chambres à l'étage. La maison lui semblait étrangère, mais dans la journée il allait de pièce en pièce, ouvrant des tiroirs, sondant les murs, gribouillant « Michael » dans la poussière qui se déposait sur les vitres.

Ce fut un appareil photographique qui le sortit de sa léthargie. Il le trouva dans une grande boîte sous un des lits, oublié. Il avait appartenu à Loyola, mais elle ne lui en avait jamais parlé. Quand il souleva les fermoirs en argent, de la poussière se répandit tout autour de lui comme jaillie d'une boîte de Pandore ; il sortit toutes les pièces et les posa sur le lit. C'était un vieux modèle avec un minuscule capuchon, des plaques de verre en parfait état, un solide trépied en bois, un objectif sans la moindre rayure. Une feuille griffonnée à la main donnait des instructions. Il passa des heures à remonter toutes ces pièces, descendit l'appareil au rez-de-chaussée, longea le couloir jonché de vêtements et sortit sur la pelouse. Il hurla au ciel sa nouvelle découverte, et se mit à l'essayer dans tous les coins et recoins du jardin, observa l'herbe haute à travers le dépoli, ouvrit et ferma l'obturateur, essuya chaque grain de poussière déposé sur le boîtier, renforça le trépied avec des morceaux de bois. Il appela l'appareil photographique « Loyola » et le soir il l'apporta sous la véranda et le regarda pendant ses insomnies. Il l'ignorait alors, mais cet appareil photographique allait le propulser dans le monde, lui donner un but auquel s'accrocher, lui insuffler la croyance dans le pouvoir de la lumière, la nécessité de l'image, la possibilité de figer l'instant.

Il commanda à Dublin d'autres plaques de verre et du matériel de développement, construisit une chambre noire de fortune au fond du jardin, démonta l'appareil une fois par semaine, le nettoya avec des pans de chemises blanches, le remonta méticuleusement, l'astiqua avec un chiffon doux trempé dans du vinaigre dilué, en prenant soin de passer le chiffon dans un seul sens, pour éviter les traces. Pendant les mois d'hiver rigoureux il remplissait la boîte de vêtements et de vieilles serviettes pour éviter que l'équipement ne gèle. Pendant l'été il le mettait à l'ombre et l'enveloppait dans une grande nappe blanche.

J'imagine mon père dans les années trente, s'agitant en tous sens, plongeant la tête sous le voile noir de l'appareil photographique puis la ressortant aussitôt telle une hirondelle. Il le transportait partout sur les routes sombres construites quatre-vingts ans auparavant, par des hommes affamés vivant dans les asiles de nuit. C'était des routes étroites où se déposaient des lambeaux d'écume marine et qui montaient en lacets irréguliers de la falaise vers les collines. Et des hommes ivres les empruntaient, quelquefois par rangs serrés, comme des algues mouvantes traversant la décade de la Grande Dépression. La pluie détrempait le sol, ravinait la terre, jetait des arcs-en-ciel par-dessus la baie. Des tempêtes balayaient la mer par bourrasques, quelquefois si violentes qu'elles emportaient des ardoises, des poutres et même de temps en temps des toitures entières.

Son ami, Manley, avait une moto que mon père empruntait. La vitesse avec laquelle il prenait les virages en épingle à cheveux penché sur la Triumph, longeait les quais et traversait les places de villages, une écharpe lui flottant sur la nuque, rendit mon vieux célèbre dans la région.

Le long des chemins creux du comté de Mayo, il prit des clichés en noir et blanc de vieilles femmes se rendant à la messe tête baissée ; des clichés de longues fleurs dressées au-dessus de flaques d'eau noirâtre ; de moutons serrés les uns contre les autres au milieu des ruines de vieux cottages ; de paquets de corn-flakes se décolorant dans les vitrines de magasins ; de pêcheurs sur le port se réchauffant les mains au-dessus de bidons d'huile ; d'un bohémien d'âge mûr se reposant devant une vieille caravane, vautré de tout son long, la main crispée sur l'entrejambe de son pantalon. C'était un monde qui n'avait que très rarement vu un objectif quel qu'il soit, et mon père évoluait dans ce monde ; plus haut de taille à présent, le corps plus étoffé, les manches retroussées, il se donnait un peu en spectacle. Le toupet de cheveux s'agitait en tous sens sur son front. Ses veines gonflées ressemblaient à des moraines sur le dos de sa main, bleues et nettes. Il lui arrivait, un bras levé, d'effectuer de légers pas de danse. Les filles à l'extérieur de la salle de bal l'observaient, surprises.

Le propriétaire de la salle de bal — un homme au visage d'anguille — interdisait tout appareil photographique à l'intérieur de son établissement. Mais mon père était déjà très satisfait de pouvoir traîner aux alentours, en fumant, en attendant que Manley sorte et en cherchant des occasions d'utiliser Loyola. Dix-huit ans : le monde à cette époque-là lui semblait un lieu fabuleux. Il aurait pu mordre l'univers à pleines dents et en recracher les morceaux sur une vaste plaque de verre photographique. Devant la salle de bal, il prenait quelquefois des photos de jeunes femmes fumant leur première cigarette, leur chapeau neuf légèrement incliné sur le côté, osant du rouge à lèvres qu'elles étalaient un peu trop sur la lèvre supé-rieure pour épaissir leur bouche. De temps en temps les filles essayaient de le faire entrer pour danser, mais cela ne l'intéressait pas, les bals, à moins de pouvoir en prendre une photo.

Un jour, il fut surpris essayant de prendre des pho-tos de la bonne du curé dans les cabinets derrière le presbytère. La porte était restée ouverte, et il aperce-vait la bonne, la jupe relevée autour de la taille et les genoux écartés. Mon père s'était caché dans un buis-son mais il n'eut pas le temps de faire le moindre cliché. Le prêtre, autrefois joueur de hockey, le décou-vrit et le mit à terre d'un seul revers du bras, ouvrit le dos de l'appareil, leva les plaques de verre dans la lumière comme s'il lisait les Saintes Écritures. La semaine suivante il fit un sermon tonitruant, citant des passages de l'Ancien Testament où il était fait allusion à des images d'idolâtrie ; des paroles enfiévrées par-coururent les travées. Le vieux déambula tranquille-ment au fond de l'église, sans enlever son chapeau qu'il redressa légèrement quand les fidèles remontè-rent l'allée pour recevoir l'Eucharistie. A partir de ce jour, une ombre d'amertume teintée du sentiment d'avoir été presque héroïque ne le quitta plus. Une démarche insolente sur le porche de l'église, un cra-chat vers le ciel dans un élan de ferveur combative, un rien de bravade dans le balancement de ses épaules quand il marchait.

Avec l'argent de l'héritage, il installa un petit studio dans une étable désaffectée tout au bout d'un chemin de campagne. Une ancienne étable, maculée de bouse de vache et encombrée d'objets en tous genres. On avait abandonné dans un coin une carcasse de veau qui avait pourri. Il la sortit, brûla les os, débarrassa l'étable de ses détritus, enleva les planches clouées aux fenêtres, décora les murs de photographies, et attendit les clients, appuyé au chambranle de la porte, en fumant et en comptant les heures. Quelquefois Manley arrivait, en brandissant fièrement son fusil, portant des cravates à la mode et des costumes d'une totale vulgarité — des vêtements qu'il s'était achetés avec de l'argent que mon père lui avait prêté dans ce but. Manley traînait devant l'étable, parlait des nouveaux livres qu'il avait lus. A l'époque il prônait l'anarchie — il disait que c'était l'émanation suprême de la démocratie — et il tapait du poing lorsqu'il évoquait Sacco et Vanzetti, exécutés aux États-Unis plus de dix ans auparavant et dont il prenait la défense. Manley rêvait de se rendre en Espagne, peut-être pour rejoindre les brigades internationales. Mon père approuvait de la tête la litanie de ses rodomontades, sans jamais quitter des yeux la route d'où pouvaient arriver des clients.

Les nouvelles s'acheminaient tardivement jusqu'au comté de Mayo. Les journaux arrivaient tardivement. Les idées arrivaient tardivement. Même les nuées d'oiseaux arrivaient quelquefois tardivement. Il y avait quelque chose dans la pesanteur du sol et du temps qui inspirait la torpeur. Il savait que les gens de la région viendraient jusqu'à son étable s'il faisait quelque chose d'inhabituel, et il annonça donc aussitôt que les portraits seraient gratuits. Après cela quelques personnes entrèrent puis ressortirent les unes après les autres — honteuses et furtives en descendant le chemin envahi de ronces et en pénétrant dans l'étable où il avait accroché un rideau blanc à une poutre en bois. Des ondes de lumière passaient entre les lattes des murs, et dessinaient sur leurs visages des formes étranges — des fermiers décharnés mal à l'aise dans leurs vieux costumes du dimanche, des grands-mères camouflant de la main leurs dents pourries, des policiers en casquette, un boxeur flottant dans un large short, se frappant la poitrine avec son gant, le boucher du coin, une fleur à la boutonnière, des filles aux robes ajustées par des épingles de nourrice cachées dans les plis. Il y avait même des jeunes femmes au corps anguleux qui se laissaient aller à des poses suggestives.

Mon père avait récupéré une vieille chaise à trois pieds. Quand les femmes s'appuyaient au dossier, leur chevelure retombait lourdement en arrière. Manley, laissant la politique en sommeil, regardait discrètement par les fentes des murs en tirant la langue avec concupiscence. Elles n'étaient pas scandaleuses, les photos. Elles étaient pesantes, comme si le vieux avait eu la main trop lourde — contrairement à celles qu'il prit de Mam des années plus tard, fluides et sensuelles. La plupart des femmes ne voyaient jamais leurs photos. Mais des dizaines d'années plus tard, quand il eut une certaine notoriété, il les fit imprimer en France. Le livre provoqua un peu de tapage en ville, et une légère attaque cardiaque chez l'un des conseillers de la région quand il découvrit, sur un portrait de sa tante, le sein gauche visible sous un fin corsage de lin.

Les martinets se déplaçaient de façon anarchique ; certains montaient telle une flèche dans les airs pour attraper des insectes, d'autres descendaient en biais vers la mer, ou simplement allaient et venaient en fendant le ciel crépusculaire. Il a levé les yeux pour les regarder, comme envieux, comme s'il avait le vague espoir de bondir lui aussi dans les airs, de les rejoindre dans un semblant d'envol. Ils étaient gavés d'insectes quand il s'est péniblement extirpé de la chaise longue, il a attrapé sa canne à pêche, glissé l'hameçon dans le dernier anneau et quitté la rivière et ses berges boueuses pour rentrer à la maison.

Il avançait en titubant, appuyé au manche de sa canne à pêche, son manteau sombre ouvert et pendouillant ; il avait un seau bleu dans la main droite et de la fumée de cigarette lui sortait de la bouche. Sur le seuil il a appuyé sa canne à pêche contre la glycine et lentement il a enlevé avec le talon l'une de ses bottes. Un pied dans une chaussette s'est mis à trembler de froid sur le ciment. Il a toussé dans son poing et craché dans le trou où finissait le caniveau, il s'est penché, il a écrasé sa cigarette dans une flaque d'eau et chassé d'un geste de la main des moucherons qui voletaient.

J'ai soulevé mon sac à dos, je suis sorti de derrière la haie et j'ai traversé la cour. Il a penché la tête sur le côté comme un animal à l'affût, il a fermé l'œil droit et il a fouillé dans son manteau pour y trouver ses lunettes.

— Mon Dieu, a-t-il marmonné, toi ? C'est pas possible.

J'ai tendu la main et il a appuyé son épaule contre moi, dégageant une odeur de terre, de tabac et de poisson pourri. Il s'est déplacé pour pousser la porte du pied, il a toussé et accroché son manteau.

— Bon Dieu, c'est un vrai barda que tu as là !

J'ai déposé le sac à dos contre la table de la cuisine pendant qu'il s'avançait vers la cheminée.

— Eh bien, eh bien, a-t-il dit le dos tourné en farfouillant dans le seau à charbon, t'as une de ces mines.

— Toi aussi, tu as l'air d'aller bien.

— T'es coupé les cheveux.

— Oui.

— T'as plus ta boucle d'oreille non plus.

— Ah ouais, j'm'en suis débarrassé il y a longtemps.

— T'es revenu à la maison pour quelque temps ?

— Oui.

J'ai ramassé une cuillère sur la table, je l'ai tournée et retournée entre mes doigts.

— Pour une semaine. Ça te convient ?

— Si tu peux supporter un vieillard.

— Si tu peux me supporter.

— En vacances ? a-t-il demandé.

— Si on veut, ouais. Revenu pour mon autorisation de séjour aux États-Unis. Faut que j'aille à l'ambassade à Dublin un de ces jours.

— J'croyais que t'étais à Londres ?

— Ben, j'y étais, ouais. Je vis aux États-Unis maintenant.

— Je vois. Qu'est-ce tu fais là-bas ?

— Un peu de tout. Pas grand-chose.

Il s'est gratté la tête et il a laissé échapper un rot.

— Il se passe pas grand-chose ici non plus ces temps-ci.

— Ça n'a pas changé, à part la rivière.

La lumière fluorescente de la cuisine s'est mise à grésiller.

— Je pêche tous les jours.

— Tous les jours ?

— Je traque un énorme saumon là-bas après la courbe de la rivière. Je jurerais que cette putain de bestiole se moque de moi. Il saute hors de l'eau de temps en temps et j'ai l'impression qu'il me fait un signe.

Il a écarté les bras.

— Gros comme ça, nom de Dieu !

— Un saumon ?

— C'est ça. .

— Dans la rivière ?

— Pourquoi pas ?

— Qu'est-ce qui lui est arrivé ?

— Hein ?

— A l'eau.

— Oh, ils ont installé quelques barrages supplémentaires près de l'usine à viande.

— Pourquoi ?

— Sais pas. Pour nettoyer les carcasses ou quelque chose comme ça.

— Le débit me paraît lent.

— Mais cette rivière est bourrée jusqu'à la gueule de ce gros machin.

— Ouais.

— Je te l'dis, gros comme ça.

Il a écarté à nouveau les bras à hauteur de son ventre et m'a décrit un poisson d'environ un mètre de long. Mais j'étais certain que la seule chose qui fasse plus d'un mètre dans cette rivière était la canne à pêche qu'il avait jetée à l'eau, dans un accès de colère, un jour, il y a bien longtemps de cela. J'étais rentré du lycée, une boucle en or à l'oreille ; il avait saisi la canne à pêche par le manche en liège et l'avait lancée tellement fort qu'elle était tombée à l'eau près du pont piétonnier et il m'avait dit que si je ne décrochais pas cette merde de mon oreille il me flanquerait une taloche et que je me le tienne pour dit. Ce qu'il ne fit jamais, et ne ferait jamais.

— Sans blague, m'a-t-il dit, tu devrais voir ça.

— Où ?

— Près de la courbe, je t'ai dit.

— Ah bon ?

— Ouais. Et il fait des ronds dans l'eau comme un pet dans une bouteille.

Je me suis mis à rire tandis qu'il se penchait et se frottait le genou.

— Un vrai géant, nom de Dieu !

Mais saumon géant ou pas, à mon avis le vieux ne devrait plus descendre à la rivière trop souvent. Il pourrait s'attraper un mauvais rhume. Ou tomber à l'eau. Être emporté par le vent. La chemise ouverte jusqu'au troisième bouton, il s'est tourné vers moi, le dos à la cheminée. Sa poitrine était un xylophone de côtes saillantes sous la peau. Son visage et ses bras étaient encore hâlés, mais le creux au niveau de sa gorge n'indiquait pas une propreté parfaite et les quelques poils qui lui restaient sur la poitrine frisaient, eux aussi grisâtres. Son cou était une poche de chair flasque et son pantalon lui flottait sur le corps. Pas très bon pour sa santé d'être dehors dans le froid ; pourtant ce serait agréable de le voir lancer sa ligne comme il le faisait autrefois — même quand je le détestais, il y avait des moments où j'étais stupéfait de le regarder lancer. A l'époque où la rivière était vivante, les mouvements brefs et nerveux de son poignet faisaient penser à autant de lucioles sur la berge, les hameçons brillaient accrochés au revers de son manteau, cette immense tristesse chez lui disparaissait quand la soie se déroulait en l'air et qu'il comptait un-deux-trois-on-y-va, puis la faisait repartir comme un lasso contre le vent, par l'action vive du scion en fibre de verre, quelquefois en séchant les mouches par de faux lancers ; il les regardait alors se poser et, floc, la surface de l'eau ondulait en légers cercles concentriques ; il tapait des pieds sur la berge, crachait dans l'eau, autant de manifestations d'une violence rentrée.

Il a toussé encore, farfouillé dans sa poche à la recherche d'un mouchoir, l'a sorti et quelques pièces de monnaie sont tombées par terre. Je me suis baissé pour les ramasser. Puis je me suis relevé, les yeux fixés sur les nouvelles pièces de dix pence.

— Quand ont-ils changé les pièces de monnaie ? ai-je dit.

— Oh, il y a environ un an.

— Je vois.

J'ai regardé la harpe. Elle était finement gravée.

— Je suis content que tu sois revenu, a-t-il fini par dire.

Sa lèvre tremblait quand il s'est approché de la cheminée, le tisonnier à la main, qu'il s'est agenouillé et a remué doucement les cendres. Quelques gros tisons sont tombés sur le dallage en ciment et il les a écrasés avec le pouce qu'il a léché pour apaiser la brûlure, il a recraché quelques morceaux de cendre collés au bout de sa langue. Il a eu du mal à se relever et j'ai mis mon bras sous son épaule droite.

— Eh là ! a-t-il dit en se retournant d'un mouvement brusque. Je suis pas un putain d'invalide, tu sais.

— Je sais.

— Alors je peux me relever tout seul.

— D'accord.

— Sans qu'on me donne le moindre coup de main.

— D'accord, d'accord.

Il a posé une main sur le sol en ciment et s'est redressé en prenant appui sur le linteau de la cheminée. Une des photos de Mam — où elle est debout près d'une palissade au Mexique — était toujours là, posée sur le bord de la cheminée. Il ne l'a pas regardée. Il s'est relevé, c'est tout, la respiration sifflante, il a redressé l'échine, bâillé et fait des moulinets avec les bras comme pour se donner un peu plus d'espace vital.

— Tu vois ? Frais comme un gardon.

Il est entré dans la cuisine d'un pas lent et en est ressorti en apportant une bouteille de whiskey et deux verres, dont l'un s'est fendu quand sa main tremblante a cogné la bouteille contre le bord. Il s'est versé un grand verre, m'a tendu la bouteille. « Bois au goulot, tous les autres verres sont sales. » Je crois que c'était la première fois de ma vie que le vieux me voyait boire — et pourtant quand j'étais plus jeune, et après le départ de Mam, il me racontait ses histoires, et ensuite je volais des billets de banque dans ses poches. Je descendais en ville acheter des fiasques de cidre brut, puis je longeais la rivière pour aller dégager les noms des deux demoiselles protestantes dont les tombes étaient envahies d'une profusion de fleurs sauvages couleur cerise.

Il avait presque vingt et un ans quand il se retrouva dans un camp fasciste assistant au déversement d'énormes miches de pain blanc sur Madrid, la pluie la plus étrange que la ville ait jamais vue. Les pains fendaient l'air glacial en sifflant, passaient au-dessus des falaises du Manzanares, parachutés sur la ville où ils descendaient en planant comme des flocons de neige avant de s'écraser au sol comme des bombes. Ils tombaient dans les rues, un miracle de propagande, projetés avec dextérité à partir d'avions invisibles par des pilotes qui jouaient à être Jésus-Christ en 1939 du haut des nuages.

On raconta ensuite sur le front fasciste que le pain avait été lancé d'une hauteur telle que des fenêtres du Palais Royal avaient été brisées. Des cratères s'étaient formés dans la neige. Des oiseaux et des hommes affamés s'étaient jetés dessus. Des ardoises avaient été arrachées des toitures. Des livres, utilisés pour faire rempart sur les bords des fenêtres, étaient tombés par terre. Les gamins de la ville avaient cessé de faire collection d'éclats d'obus et préféraient maintenant et de loin celle de pain. Un communiste était mort écrasé sous un des ballots qui tombaient. Un prêtre sur le front fasciste fut profondément ému en entendant parler de cette mort céleste — si seulement ils pouvaient asperger Madrid de vin de messe on pourrait faire un service religieux pour tous les agonisants impies. Du pain, décréta le prêtre, c'était beaucoup mieux que des bombes.

Mais au bout de quelques jours, les bombardements reprirent.

Madrid fut à feu et à sang. La plaisanterie fut alors de dire que les communistes pouvaient maintenant griller leur pain.

Mon père était dans le camp, une médaille religieuse autour du cou, et il regardait le pain et les bombes tomber en sifflant vers son ami Manley, qui se trouvait quelque part dans la ville. Il imaginait Manley, un fusil Lewis calé contre l'épaule, suivant du bout du canon la trajectoire de ces étranges colis, faisant éclater en morceaux un ballot de miches de pain, des miettes s'éparpillant en pluie autour de lui. Peut-être que Manley aurait des hallucinations et se dirait que c'était une nuée d'oiseaux, un vol de colombes. Ou peut-être qu'une *novia* qui l'aimait lui offrirait un de ces pains. Ou peut-être que Manley était mort — c'était la fin de la guerre et il ne restait plus beaucoup de communistes.

Le siège de Madrid se prolongea jusqu'en hiver, et mon père l'observa à travers l'œil d'un appareil photographique, en battant des semelles pour faire tomber le gel collé à ses bottes, l'uniforme franquiste imprégné de flocons de neige fondus.

Manley avait quitté l'Irlande bien avant mon vieux. Les costumes vulgaires avaient été abandonnés dans une penderie et, après avoir célébré Marx par une cuite, il s'en était allé tranquillement, laissant mon père tout seul en ville. Le départ de Manley provoqua chez lui une certaine léthargie, et il fallut deux ans avant qu'il ne suive. Il partit le jour de ses vingt ans ; aucune motivation politique dans ce départ, simplement de l'ennui. Il vendit la maison, rendit une dernière fois visite à la tombe des demoiselles protestantes, donna Loyola à un gamin en ville. Il épingla la plus grande partie de son héritage à l'intérieur de la ceinture de son pantalon. Quelques regards bizarres le suivirent quand il s'en alla — le petit appareil photo était devenu plus ou moins une institution dans toute la ville et peut-être que les gens le regretteraient. Il emballa ses affaires dans un sac à dos et quitta l'Irlande, plein de fougue et d'innocence. En bandoulière sur la poitrine il portait deux nouveaux appareils photographiques Leica. Il partit à grandes enjambées. Il ne s'arrêta pas pour recevoir la bénédiction du prêtre qui saluait les vertus de Francisco Franco et du général O'Duffy.

Le vieux longea la mer et brava les tempêtes en direction de Cork, parfois en faisant du stop, parfois à pied. Un homme sec et nerveux, mal rasé, en chapeau marron, allant à travers champs, des éclaboussures de coquelicots rouge sang comme une prémonition dans le sol, son dernier regard sur l'Irlande avant presque trente ans.

Le seul bateau en partance était rempli de fascistes irlandais en chemise bleue. On se galvanisait de chansons sur les façons agréables de mourir au milieu de vignobles. Les barbes s'épaississaient tandis que les vagues maltraitaient le navire au large des côtes françaises. Ils débarquèrent en Espagne dans une baie bleutée délicatement découpée, où les sons mélancoliques d'une guitare furent assourdis par le cri des hommes. Ils donnèrent des coups de poing dans le vide et saisirent à pleine main l'entrejambe de leur pantalon tandis que des filles aux fenêtres leur lançaient des baisers. Mais les chants s'étouffèrent quand un soldat fut embrassé par une adolescente, une sympathisante communiste, qui d'un coup de dents lui arracha la langue et la lui recracha au visage. La fille fut abattue alors qu'elle s'échappait à travers un champ de foin ; un silence tomba sur le régiment qui, abasourdi, observait la scène. Sur le bord de la route, un prêtre proféra des incantations et jeta quelques gouttes d'eau bénite en direction des soldats. Ils poursuivirent leur chemin ; un bout de langue palpitait inutilement dans la bouche d'un homme. Soudain il y eut des oliviers, des corps boursouflés, des plantations de citronniers, des saucisses *butifarra,* des civières, des visages mutilés. Mon père envoya des photos de membres arrachés et d'éclats d'obus à des directeurs de journaux qui les jetèrent pour la plupart à la poubelle, mais de temps en temps on en trouvait une, reléguée dans un coin en bas de page d'un journal anglais, à côté des reportages hauts en couleur de quelques jeunes journalistes téméraires. Les photos étaient sombres et sinistres : un aumônier dans un champ, enjambant des corps, une femme enlevant des éclats d'obus plantés dans sa cuisse avec sur le visage l'expression de quelqu'un qui s'irrite de l'énormité de sa blessure, un chirurgien obèse penché sur une civière, la cigarette aux lèvres, les restes défoncés d'un village après un bombardement aérien.

Le vieux soudoya des ambulanciers pour qu'ils le laissent prendre ses clichés, il beugla dans des cafés, dormit à la belle étoile sous des arbres rabougris, s'achemina vers Madrid où Manley et d'autres républicains étaient assiégés. Il n'avait aucune opinion politique, mon père, il était seulement photographe, il photographiait ce qu'il voyait, mais par prudence il se mit autour du cou sa médaille religieuse. Sur l'un des Leica, il colla un portrait de Franco. L'homme l'indifférait — cela lui semblait être simplement d'une vague utilité, comme un passeport efficace pour sa protection, une manière de passer inaperçu. Il ne portait pas plus d'intérêt au héros de Manley, Staline. Il avait peut-être une allure un peu grotesque là-bas, quand il voyageait à l'arrière de camionnettes, au milieu d'hommes en armes, le mouchoir attaché sur la tête, noué aux quatre coins et glissé sous le chapeau. Son sac à dos, et ses deux couvertures Foxford calées au fond, restaient ses seuls liens avec l'Irlande.

Il était chaussé de grosses bottes noires qu'il avaient enlevées des pieds d'un Gallois républicain décédé. Le corps fut retrouvé, puant la charogne, dans un buisson. Il y avait une lettre dans la poche intérieure de l'uniforme de cet homme, disant à sa mère, tout là-bas sur les berges de la rivière Teifi, à quel point ses petits plats lui manquaient. « Maman, ce qu'ils nous font bouffer rendrait... » et la lettre s'arrêtait là. Le vieux défit les lacets, tira sur les bottes — il avait besoin d'en avoir des neuves, les siennes commençaient à se décoller. Il bourra le fond des bottes de papier journal et il écrivit un mot à la famille, disant qu'un jour il les leur rapporterait. Sur l'extérieur d'une des semelles, on avait gravé une faucille si bien que chaque fois que son pied droit touchait le sol, il laissait l'empreinte de la faucille dans la terre humide. Il laissa des faucilles derrière lui sur des kilomètres, jusqu'à ce qu'un soldat du régiment qui marchait juste derrière lui brandît un fusil et l'obligea à enlever les bottes. « Des bottes communistes font de vous un communiste. » Il les abandonna sur le sol où un soldat les cribla de balles. Des morceaux de cuir s'éparpillèrent un peu partout et les lacets retombèrent tristement à terre. Il y avait peut-être une famille sur les berges de la Teifi qui attendit pendant des années un volumineux paquet brun, qui attendit une quelconque relique du fils mort, attendit l'histoire d'une mort héroïque, attendit et attendit, au milieu d'un amoncellement de nourriture et de restes couverts de moisissure.

Le soldat mort s'appelait Wilfred Owen, un écho du poète de la Première Guerre mondiale. Des années plus tard la vie de mon père aurait pu m'évoquer un vers de ce poète : « Des fronts ont saigné qui ne portaient aucune blessure. »

Il fit du troc pour se procurer une autre paire de chaussures — des *alpargatas* à semelle de corde — et comme le temps se refroidissait, et que la neige s'amoncelait dans les chemins de campagne, il s'acheta de nouvelles bottes. La médaille religieuse brillait toujours à son cou, et, quand il arriva à Madrid, il était tout à fait capable de chanter les vertus du nationalisme.

Il attendit en dehors de la ville au milieu des eucalyptus et observa le pain que l'on chargeait à bord d'avions et dont l'odeur devait emplir les narines du pilote. Des milliers de pains. Certains continuaient à lever. Depuis le camp, il vit les avions décoller et se demanda ce qui l'avait amené jusque-là ; il prit des clichés des nationalistes pendant qu'ils attendaient le retour des avions : ils passaient le temps en faisant de l'exercice, en s'occupant des obusiers, en fréquentant des putains à la chevelure brune. Il y avait autant de photos de prostituées que de photos de pain. Les prostituées exerçaient sur lui une étrange fascination, des filles qui retroussaient leurs jupes sur le gras de leurs cuisses. La mode étaient aux rondeurs, alors elles portaient quelquefois quatre ou cinq jupes les unes sur les autres pour donner de l'ampleur à leurs hanches. Les hommes qui leur tournaient autour ne savaient s'exprimer que d'une seule manière, leur pénis, prolongement naturel du canon du fusil jusqu'à cette tache de rousseur ridicule qui semble posée au bout du sexe de tous les hommes. Un des clichés montre des soldats en rang sous une tente, des Allemands, des Espagnols et des Marocains, suant d'impatience, et qui attendent les uns derrière les autres une putain maigre et criblée de petite vérole en sous-vêtements avachis, la culotte autour d'une cheville. Elle est agenouillée devant un homme tout aussi maigre, la bouche dans son entre jambe. À l'arrière de la file d'attente, un autre soldat lève un bras obscène en attendant visiblement le moment de l'orgasme chez son camarade. Il a déjà la braguette ouverte et son sexe pendouille comme une hydre sous-marine.

Sous les tentes aménagées en hôpitaux de fortune, il y avait autant de syphilis que d'éclats d'obus. Des années plus tard, quand je me mis à fouiller dans les boîtes entreposées au grenier, j'y trouvai des clichés de femmes nues sous la lumière des lampes, de femmes paradant devant son appareil photographique, de femmes pudiquement enveloppées de draps, de femmes, la tête légèrement penchée sur le côté, lançant des œillades. J'étais adolescent quand je les découvris. J'étais perché sur une traverse de bois au grenier et je martelais rageusement mon corps qui commençait à l'époque à s'exprimer à sa manière. Je devins l'appareil photographique, je devins le photographe, et je ne cessais durant tout ce temps de haïr mon père pour m'avoir caché ces scènes. Je pénétrais à l'intérieur des photos, j'écartais la toile des tentes, j'entrais et je m'arrêtais, d'abord stupéfait, je parlais aux femmes. Elles souriaient, étonnées de me voir apparaître, d'un geste de la main elles m'entraînaient dans les années 1930, elles me posaient des questions mutines. Sans me laisser intimider, je restais derrière l'appareil tandis qu'à l'extérieur bourdonnaient dans les nuages les avions chargés de leurs offrandes. Les femmes acceptaient à ma demande de se déplacer dans les photographies, elles venaient derrière l'appareil, elles me prenaient par la main et me conduisaient là où aucun objectif ne pouvait nous observer, elles me laissaient les toucher, elles déboutonnaient ma chemise d'un geste habile, elles me laissaient m'aventurer, dormir à leurs côtés. Quelquefois j'aurais juré entendre dehors le bruit que faisait le pain en tombant.

Après la reddition de Madrid, les cimetières en Espagne furent remplis d'hommes dont le monde ne pouvait se passer — d'autres guerres auraient besoin d'eux.

On retrouva Manley dans le charnier de la ville, une jambe en moins dans une maison totalement bombardée, bredouillant des paroles sans fin, une rangée de pain rassis autour de lui. Les portes et les encadrements de fenêtres avaient été arrachés et utilisés comme bois de chauffage. Manley gisait de tout son long sur un matelas qui sentait l'urine. Le visage hirsute. D'énormes furoncles au cou. Il cracha au visage de mon père quand il vit la médaille religieuse, mais le vieux erra dans toute la ville ce jour-là et acheta de faux papiers pour son ami. Ils étaient au nom de Gordon Peters. Manley devint un homme se déplaçant tant bien que mal sur des béquilles et s'inventant un nouveau passé. Lui et quelques autres républicains se cachaient dans la ville sous leur nouvelle identité. Mon père avait toujours l'argent de son héritage protégé par du plastique et épinglé à l'arrière de son pantalon. Lui et Manley prirent leurs dispositions pour quitter ensemble la ville, mais Manley disparut un matin où il était sorti acheter des provisions. Mon père s'assit au milieu des ruines de la maison et attendit, des jours puis des semaines ; les appareils photographiques devenaient de plus en plus poussiéreux, le matelas commençait à pourrir. Il chercha désespérément son ami, déambula, hébété de douleur, ne le trouva pas.

Un après-midi, il découvrit la béquille de Manley sur les berges du Manzanares — on y avait gravé les initiales G.P. — et il eut la certitude que son ami était mort, bien que le corps restât introuvable.

Les photos qu'ils avaient prises des années auparavant à Mayo, où l'on voyait Manley portant ses costumes scandaleux, devinrent les plus vibrants souvenirs que mon père possédait de son ami. Quand le vieux parlait de Manley, il se souvenait d'un garçon de seize ans, une lueur lubrique dans le regard, et non d'un soldat infirme qui la nuit empestait la pisse. C'était là quelque chose que le vieux faisait souvent — si une photographie révélait un moment de vie, il le maintenait ainsi à jamais dans sa mémoire. On aurait dit qu'en prenant une photo, il pouvait, à tout instant, réincarner une vie antérieure — une vie où un corps ne se voûtait pas, où les cheveux ne tombaient pas, où une existence future n'avait pas de raison d'être. Il suspendait le temps dans le creux de sa main fermée. Quelquefois il le froissait, quelquefois il le laissait s'envoler. On aurait dit qu'il croyait que quelque chose qui *fut* a le pouvoir d'être ce qui *est*. C'était là sa façon à lui d'organiser l'univers, une ligne de mire qui se déplaçait du passé vers le présent, aussi facilement qu'une feuille de papier que l'on trempe dans un bain réactif. Un jour Manley avait eu seize ans et, à cause de cela, Manley avait éternellement seize ans.

Même aujourd'hui je suppose qu'il pourrait croire encore qu'un pain vole au-dessus de Madrid, un seul, ou tout un ballot parachuté de très haut, du ventre d'un bombardier, et qui fend gracieusement l'air avant de tomber.

Après le whiskey il s'est endormi sur la chaise. Il s'est réveillé quand j'ai renversé malencontreusement la bouilloire dans la cuisine. Il a repoussé la couverture qui l'enveloppait, il a fait un bruit sec avec la bouche, il a fouillé dans la poche de sa chemise, et il en a sorti un paquet de Major. Au bout de quelques minutes il s'est rendormi ; une cigarette se consumait dans le cendrier. Je l'ai éteinte, je suis monté à l'étage et j'ai pris un bain chaud dans l'eau ferrugineuse. Une odeur se dégageait de mes vêtements, mais moins désagréable que chez lui. Il sent plutôt fort. L'odeur flottait dans toute la maison. Une odeur tenace de corps mal lavé, une totale indifférence à sa personne, le genre d'odeur qui fait penser à celle d'un feu de camp. Quand Mam vivait ici il y a bien longtemps, elle lavait nos vêtements dans l'évier — exilée dans une cuisine de ferme, d'où elle observait les caprices du temps irlandais, les corbeaux noirs qui passaient en rasant la tourbière brune, et elle me racontait souvent les couleurs qui autrefois habitaient sa vie. Elle me soulevait et m'asseyait sur l'évier, elle regardait par la fenêtre les nuées de corbeaux, et parlait d'autres oiseaux — de vautours, de quiscales, de faucons aux ailes rouges — dans d'autres lieux. Elle avait un ou deux ponchos et quelquefois ils s'animaient sur le fil à linge, battant l'air au-dessus du sol, mélange de rouges, de jaunes et de verts. Pour elle le Mexique existait sur ce fil à linge, où elle le mettait à sécher : les ponchos de laine éclatant de vie côtoyaient des vêtements ordinaires de tous les jours, les gilets de mon père, ses pantalons, ses caleçons, leur banalité bien accrochée par des pinces à linge en bois.

A présent que Mam n'est plus là, le vieux a laissé s'installer autour de lui des cercles de crasse — onze années de cette crasse sur ses cols de chemises.

Dans la salle de bains, des paquets de cheveux incrustés dans le conduit du lavabo, des traînées grisâtres sur les rebords. Un minuscule morceau de savon dans la soucoupe. J'ai sorti du shampooing de mon sac à dos, je me suis enfoncé dans l'eau. C'était agréable, ce silence de la nuit derrière la fenêtre de la salle de bains, pas de moustiques ni d'insectes des sables voletant contre le vent. Seulement quelques phalènes inoffensives venant stupidement s'écraser contre la vitre. Je suis resté allongé dans la baignoire jusqu'à ce que l'eau refroidisse. A minuit j'ai réveillé le vieux pour savoir s'il voulait monter se coucher dans son lit, mais il a marmonné d'une voix endormie : « Je suis impeccable ici, c'est confortable, je dors tout le temps ici. »

Le bord de la chaise dessinait sur son visage une ligne rouge qui descendait jusqu'à la barbe grise clair-semée. Sa barbe a peut-être sa propre entropie, si bien qu'au lieu de pousser vers l'extérieur elle se rétrécit vers l'intérieur, dans sa chair. Elle semblait n'être qu'une barbe d'une ou deux semaines, mais elle a probablement plusieurs mois. Deux surfaces de peau sur ses joues, à l'endroit où les poils ne poussent plus, ajoutent de la symétrie à sa caboche déplumée. Je l'ai observé quand il s'est réveillé. Il s'est frotté la joue pour enlever la marque rouge, il a toussé, il a tendu la main vers le mégot éteint dans le cendrier, il l'a reniflé, l'a lancé d'un geste vif vers la cheminée, et a rallumé une cigarette. « Elles ont un goût dégueulasse une fois éteintes. » Il a gardé la fumée de sa première bouffée entre les dents, et a parcouru la pièce du regard. « Bon Dieu, il fait plutôt frisquet quand même, non ? »

Je suis allé jusqu'au placard sous l'escalier pour y prendre la couverture de plage bleue. Elle sentait un peu le renfermé. J'ai attendu qu'il ait fini de fumer sa cigarette, et je lui ai tendu la couverture. Il s'en est enveloppé, l'a remontée jusqu'au menton, m'a lancé un clin d'œil. Mais d'un geste il a repoussé ma main quand je lui ai offert un coussin pour se le mettre derrière la tête.

— Conor, je croyais que tu étais mort, nom de Dieu !

Il a ce même sale caractère que lorsque je suis parti il y a cinq ans. Un peu stupide de ma part de revenir en pensant que quelque chose pouvait avoir changé, je suppose. Mais une semaine c'est une semaine et nous sommes sans doute capables de nous tolérer mutuellement pendant ce laps de temps — d'autant que je vais devoir m'organiser pour passer quelques jours à

Dublin et régler le problème de mon visa. Mais je me demande ce qu'il dirait si je lui racontais qu'en ce moment je vis dans une cabane du Wyoming, que je fais des petits boulots qui suffisent à peine à payer le loyer, que je mène une vie de bâton de chaise. Il s'en foutrait probablement, pourtant ; ça ne le dérangerait pas le moins du monde. Maintenant, il se contente de passer ses jours à pêcher tranquillement à la mouche.

Ce soir je suis resté assis dans la chambre à regarder par la fenêtre l'obscurité biblique des nuits dans le comté de Mayo, et les étoiles filantes. C'est bizarre mais c'est agréable d'être de retour — c'est toujours agréable d'être de retour où que ce soit, absolument où que ce soit, avec la tranquillité d'esprit que procure cette certitude que l'on n'y restera pas. La loi de la rivière, comme il disait autrefois : vouée à emporter tout sur son passage. Quand j'ai quitté la maison je me suis promis de ne jamais revenir — à la gare il m'a glissé dans la main un billet de dix livres et je le lui ai balancé au visage quand le train s'est ébranlé. Mais ça suffit tout ça. Assez de jérémiades. Maintenant je suis revenu, et un million de possibilités m'attendent peut-être derrière ma fenêtre, des courlis reprendront vie au royaume de la nuit si telle est ma volonté.

# MERCREDI

*Belle matinée pour les chiens*

Ce matin, je lui ai préparé un petit déjeuner complet, mais il n'a pas voulu y toucher. Il a dit que les œufs frits sur un seul côté c'était typiquement américain et que j'ai acquis un brin d'accent qui va tout à fait avec ma façon de cuisiner.

Il s'est contenté de s'asseoir, le regard fatigué et vide, puis de pousser les œufs dans son assiette avec sa fourchette, en laissant une traînée de graisse. De temps en temps il posait la fourchette contre ses dents. Ses lèvres bougeaient comme s'il mastiquait quelque chose, la lèvre inférieure se refermant sur la lèvre supérieure. Elles faisaient comme un petit bruit de succion, puis cessaient leur mouvement inutile. Il a déplacé la graisse avec son doigt qu'il a essuyé sur la manche de sa chemise de toile bleue, et il m'a fixé sans raison apparente. Il m'a dit que maintenant la moitié de la ville possède son permis de séjour aux États-Unis ou son numéro d'enregistrement aux allocations chômage en Angleterre. Qu'il ne reste plus rien que des vieillards. Que tous les fils et les filles reviennent au pays à Noël, en allongeant leurs voyelles et en laissant tomber les « h » aspirés un peu partout. Il a dit qu'il s'étonnait qu'on ne retrouve pas une enfilade de « h » et de « Ouaah ! » entre ici et l'aéroport de Shannon.

Nous nous sommes tus pendant un moment jusqu'à ce que deux chiens errants viennent aboyer au fond de la cour. Un colley noir et blanc et un labrador golden à l'encolure rousse. Ils se sont mis à tourner en rond près de l'étable, et à se courir après en cercles rapprochés en remuant la queue. Le vieux s'est levé et il a traîné les pieds jusqu'à la fenêtre, il a refait du bruit avec ses lèvres, il s'est appuyé contre la fenêtre, et il a roulé un bout du rideau entre le pouce et l'index, tout en les observant. Le colley a coincé le labrador près de l'endroit où se trouvait autrefois la chambre noire — une ruine entièrement calcinée à présent ; il a exécuté une danse rituelle autour de la chienne pendant quelques instants puis il l'a montée.

Le vieux a ricané, s'est frotté les mains contre les rideaux et a détourné le regard pendant qu'ils poursuivaient leurs ébats.

— Belle matinée pour les chiens en tout cas, a-t-il dit.

Nous avons ri tous les deux, mais son rire à lui était un rire étrange qui n'a pas duré très longtemps. Il a laissé plus ou moins échapper un ricanement qu'il a ravalé aussitôt ; j'ai remarqué que la peau de son cou était devenue flasque. Il est entré à pas lents dans la buanderie et il a rassemblé son matériel pendant que de l'extérieur nous parvenaient des aboiements de plus en plus forts qui déchiraient l'air du petit matin. Je lui ai demandé s'il voulait que je l'accompagne mais il a secoué la tête, non. Il a répondu qu'on pêche mieux quand tout est silencieux, qu'ainsi les gros poissons ne sont pas effrayés, qu'ils ont une ouïe très développée, qu'ils perçoivent une présence humaine à des kilomètres, que tout cela a un rapport avec les ondes vibratoires et le déplacement des sons auxquels les saumons sont particulièrement sensibles. Je savais qu'il racontait des conneries, mais j'ai décidé de le laisser tranquille. Il est descendu à la rivière en hurlant aux chiens de dégager.

Il a poussé lentement du pied la barrière verte et il a enjambé le muret avec difficulté. A présent il emprunte un sentier qu'il a ouvert dans les buissons de fuchsias pour aller jusqu'à la berge. Le milieu du sentier était boueux après le crachin de la nuit passée, et au début il a fallu qu'il avance jambes écartées, un pied de chaque côté des flaques. Ensuite il a tout simplement laissé tomber et il a pataugé d'un pas lourd dans la gadoue, puis il s'est essuyé les bottes dans l'herbe haute. Il a préparé son matériel, il s'est mis à lancer, et il s'est enfoncé bien tranquillement dans son triste caisson de solitude. Les chiens se sont éloignés sur le chemin qui mène à la berge ; ensuite ils se sont arrêtés pour pousser un nouveau jappement d'excitation près de la courbe du lit de la rivière, à l'endroit où se trouvent les ornières.

Le vieux erra dans Madrid en plein désarroi jusqu'à ce que, au cours de l'été 1939, un soldat originaire du Mexique — un communiste qui n'avait plus que deux doigts à la main droite — l'entraîne vers un autre continent. D'autres guerres avaient éclaté dans toute l'Europe et le soldat lui dit qu'il connaissait un endroit dans le désert de Chihuahua où un homme pouvait se retrouver loin de tout ça, s'asseoir, se saouler et se poser un chapeau sur le visage, rêver et caresser à pleine main une bouteille ou une guitare ou un cheval ou une jolie femme.

Ni les chevaux ni les guitares n'intéressaient mon

père, mais le soldat portait, à l'intérieur de son uniforme, une photo de sa sœur. Il la tenait délicatement entre ses deux doigts comme une cigarette que l'on fume voluptueusement, la photo d'une jeune femme, de dix-sept ans pas plus, en jupe flottante de coton blanc, les mains couvertes de farine. Cette photo était une raison valable et largement suffisante pour que mon père, pris d'une soudaine impulsion, s'en aille. Et puis, il avait vu assez de morts. Il voulait oublier Manley, abandonner l'Europe à sa boucherie, à ses amas d'ossements et à ses massacres sanglants. Il remplit son sac à dos de pellicules, échangea ses appareils photographiques contre un autre Leica, un modèle plus récent, et offrit au soldat, pour la photo de sa sœur, une forte somme d'argent. Les bords de la photo commençaient déjà à jaunir, mais le soldat refusa de s'en séparer. La seule solution pour mon père fut de prendre une photo du Mexicain tenant à la main la photo. Ils se trouvaient sur un marché de la côte sud de l'Espagne, entourés d'étals de légumes ; le soldat debout, petit et sec, avait un visage ridé qui n'était pas loin de ressembler lui-même à la pelure d'un vieux légume. Quand il a souri à l'objectif, il a dévoilé des gencives en mauvais état et des dents particulièrement noires.

Le Mexicain et mon père prirent un bateau qui retournait vers les confins verdoyants du monde avec un chargement de bananes pourries. Le débarquement des marchandises avait été refusé dans le port espagnol à cause d'une vendetta. Le capitaine déversa les bananes à une courte distance des côtes — mon père racontait qu'elles tombèrent dans l'eau limpide comme d'absurdes poissons noirs.

A bord, lui et le soldat jouèrent au poker et eurent des rêves nauséeux, ils se bagarrèrent avec d'autres passagers, ils lancèrent des mégots de cigarettes dans le sillage laissé par le bateau, et les regardèrent grésiller avant de toucher l'eau, ils firent payer aux marins les portraits pris dans la salle des machines, ramassant ainsi à eux deux un peu d'argent. Le Mexicain déambulait sur le pont, les yeux fixés sur la photo de sa sœur, et promettait des merveilles à mon père, une maison sur les bords du Rio Grande, une plantation de tamaris, douze poulets vigoureux, une moto qui ne crachoterait pas.

Mon père perdit le soldat dans la foule amassée sur un débarcadère de Veracruz quand le bateau fit étape dans le golfe du Mexique.

C'était un vendredi après-midi, le jour d'une quelconque fête locale, où les gens mirent de gigantesques bouteilles entre les mains de mon père tandis qu'il hurlait le nom de son ami par-dessus toutes ces têtes. On cuisait du poisson sur le feu, des femmes coiffées de châles tiraient des ânes par la longe, une voiture élégante se fraya un chemin à coups de klaxon à travers un marché sur lequel on vendait des perroquets et des serpents. Les bagarres et les chants sentaient le mescal. Il chercha pendant deux jours mais le soldat avait disparu. Alors il traversa la ville et s'en alla en empruntant les chemins côtiers. Marcher était une bénédiction : on retrouvait sa lucidité. Il se dirigea sans but vers le nord, et traversa des villages pleins de bateaux de pêche et de gens penchés sur des filets. Ils l'accueillirent chez eux, ils lui offrirent un toit pour la nuit, ils le nourrirent de haricots noirs, ils le réveillèrent avec du café, et lui donnèrent du maïs broyé sur des *metates* pour la route. Il arriva aussi que des hommes crachent à ses pieds — pour certains d'entre eux il n'était rien de plus qu'un imbécile de gringo, un *fuereño* coiffé d'un chapeau ridicule. Mais je peux l'imaginer déambulant dans les rues écrasées de soleil, le corps sec, la démarche longue, la chemise tachée aux aisselles, son argent épinglé dans sa ceinture, le bord du chapeau dessinant une multitude d'ombres sur son visage, de minces veinules de fatigue dans le blanc des yeux, bavardant avec les femmes dans son espagnol approximatif, saluant de la main les hommes, buvant, cabriolant, constamment happé par les courants fugaces qui l'emportaient, le bousculaient d'une rive à l'autre, le charriaient sans ménagement vers des lieux imprécis.

Il prit des photos pendant qu'il arpentait les monts et vallées de la région, et qu'il longeait la côte est : une prostituée en perruque blonde, penchée à une fenêtre ; un jeune garçon jouant tout seul au football dans une ruelle ; un homme sur un bateau, plongeant dans la mer un enfant mort enduit de chaux ; des hommes en pantalon de coton ; des gamins sous la pluie, lançant des pierres aux oiseaux volant au-dessus d'eux ; des slogans politiques sur les murs ; un cochon égorgé derrière une église ; une femme en robe *adelita* se déplaçant avec grâce sous une ombrelle. La couleur semblait exister dans ses clichés noir et blanc, comme si d'une manière quelconque elle s'était glissée dans l'ombre et dans les nuances de gris de son travail, si bien que des années plus tard — quand je m'asseyais au grenier — j'aurais presque pu dire que l'ombrelle était jaune, elle diffusait cette impression. Les photos de mon père me parlaient ainsi. Bien d'autres choses étaient jaunes dans l'idée que je me faisais du Mexique à l'époque : les feuilles d'arbres, les séquelles de la malaria, le soleil déversant des teintes jonquille sur tout le pays.

Il passa quelques saisons avec des pêcheurs tout près de Tampico où il vécut au bord de la mer dans une cabane dont la façade était en feuilles de palmiers. L'un d'entre eux, Gabriel, hantait toutes ses photographies. La soixantaine bien tassée, une touffe de cheveux sur le front, Gabriel enfournait des appâts dans sa bouche pour les maintenir chauds, des vers, ou quelquefois même des asticots, qu'il coinçait entre sa gencive et sa lèvre inférieure qui, de ce fait, formait toujours protubérance. On aurait dit qu'il portait dans la bouche une langue supplémentaire ressortant par une fente de son menton. Même quand il pêchait au filet ou avec des casiers à homards, Gabriel conservait les appâts dans sa bouche. C'était une astuce qu'il avait apprise quand il était enfant : des appâts chauds, affirmait-il, assuraient une meilleure prise. Il se penchait au-dessus du plat-bord et recrachait un immonde jet à la surface.

Il enseigna à mon père tout ce qui concernait les filets, les moulinets, les hameçons et les mouches, et ne se séparait jamais d'un bout de papier écrit en espagnol qu'il gardait dans sa poche et qui disait : « Si tu veux être heureux une heure, enivre-toi ; si tu veux être heureux une journée, tue un cochon ; si tu veux être heureux une semaine, marie-toi ; si tu veux être heureux toute une vie, va pêcher. »

Gabriel s'était pris d'une totale aversion pour la terre ferme. Ses jambes vacillaient quand il marchait sur un sol sec, donc il restait dans son bateau la plupart du temps, les pieds appuyés sur le bord ; il sortait ses vers de terre d'une vieille boîte de conserve qui avait autrefois contenu du tabac, et les enfournait dans sa bouche comme à l'intérieur d'une poche. Il rendait parfois visite à sa femme en ville, mais préférait dormir avec elle dans un hamac à cause du balancement. Gabriel et sa femme avaient en tout huit enfants. Gabriel avait appelé son plus jeune fils « Jésus » en prévision du jour où il marcherait sur l'eau. Mais Jésus s'en était allé marcher ailleurs, en compagnie de ses frères et sœurs, laissant Gabriel sans qui que ce soit pour l'accompagner à la pêche — sa femme avait le mal de mer dans la baignoire.

Tous les dimanches, Gabriel emmenait mon père sur son bateau au lieu d'aller à la messe. Pendant que les cloches de l'église carillonnaient, mon père quittait sa cabane, descendait sur le quai et partait en mer. Le vieux Mexicain s'agenouillait entre deux petits autels qu'il avait érigés de chaque côté des dames de nage. Des saints en bois étaient cloués dans la coque. Ils tanguaient au-dessus de la mer bleue et limpide. Gabriel disait ses prières pendant que le bateau s'agitait sur l'océan, affirmant que le dimanche ses filets à crevettes étaient plus remplis que jamais. Mon père le voyait tous les jours, mais il n'y avait pas autant de photos de Gabriel qu'il l'aurait souhaité — il ne lui restait que très peu de pellicule. Gabriel était presque comme un père pour lui. Ils comblaient tous les deux un vide chez l'autre. Gabriel voulait apprendre à mon père des ballades, mais il s'aperçut très vite qu'il avait une voix en tout point semblable à celle des corbeaux qui descendaient se nourrir de têtes de poissons jetées à la mer. Alors le vieux Mexicain insista pour que mon père se contente d'écouter, sans chanter. Des sons rauques s'échappaient de ses lèvres, des chansons qu'il inventait tout en voguant, les yeux tournés vers le large. Les chansons parlaient de temps anciens où il était capable de plonger à de très grandes profondeurs et de remonter de véritables trésors du fond de l'océan, parlaient aussi de traditions ou d'étranges remous sortis des vagues. Tous les deux, ils ramaient en cadence dans les baies et les criques ; les saisons succédaient aux saisons ; le visage de mon père prit d'abord des teintes de plus en plus rouges, puis devint mat sous la réverbération du soleil ; son accent s'améliorait au fur et à mesure que Gabriel, qui roulait les voyelles autour des parasites qu'il avait dans la bouche, lui apprenait l'espagnol.

La femme de Gabriel descendait jusqu'au quai avec des assiettes de nourriture, recouvertes d'un vieux chiffon pour conserver la chaleur. Elle apportait juste ce qu'il fallait pour son mari et ne saluait que très rarement le gringo aux appareils photographiques. Quelquefois elle s'attardait pour écouter les sons plaintifs que son mari tirait de sa guitare à quatre cordes.

Mon père comprit bientôt qu'il était temps pour lui de continuer sa route, mais, avant son départ, il se produisit quelque chose d'étrange. Toute une colonie de crabes de terre remonta de la grève et envahit les bicoques du front de mer. Ils déboulèrent en groupes, formant barrage, comme en escouades, escaladèrent les pierres, une marée d'yeux mobiles. Gabriel était à terre à ce moment-là, les appâts coincés entre la gencive et la lèvre. La mer avait pris un aspect menaçant, et il était en train de réparer des filets sur une digue et de mettre son bateau à l'abri quand se produisit l'invasion. Il rentrait chez lui en courant pour rejoindre sa femme, quand il se retrouva entouré de ces créatures. Sur la photographie, Gabriel est perché sur une palissade, un peu comme un oiseau, affolé, la tête baissée, et il regarde, les yeux ronds, les crabes qui passent ; il a la lèvre inférieure en avant et crache sur eux des jets d'asticots brunâtres. Sa veste élimée lui flotte sur le corps. Un vieux sombrero noir lustré à large bord et terminé en pointe est posé de guingois sur sa tête. Son regard exprime la perplexité. Les crabes ont l'air bizarre et déplacé, un peu comme mon vieux qui traversait la vie des gens en marchant comme un crabe, voué lui aussi à toujours paraître incongru.

Quand il retourna à sa cabane, mon père s'aperçut qu'elle avait été pillée de fond en comble. Il suspecta la femme de Gabriel, mais fut incapable de prouver quoi que ce soit. Le sac à dos, quelques vêtements, et les couvertures Foxford, tout cela avait disparu. Il s'estima heureux de ne jamais se séparer de ses appareils photographiques ni de son argent — mais ce vol fut comme un présage de mauvais augure. Gabriel l'accompagna hors de la ville, fit même quelques kilomètres avec lui — un gros sacrifice pour un homme qui souffrait souvent de douleurs aux jambes — et offrit en souvenir à mon père la carapace d'un crabe de terre. Le crabe s'était faufilé jusqu'en haut du porche de Gabriel où il était mort. Mon père suspendit la carapace à son nouveau sac à dos et continua sa route vers le nord, en longeant la côte : derrière lui des villes, devant lui les contours de la sierra Madre.

La nuit, le vieux dormait avec son matériel à peu près comme il aurait pu dormir avec une femme ; il dorlotait ses appareils lovés contre son ventre, les pellicules dans un sac spécial, et même le trépied était niché à ses pieds, entouré d'un petit bout de ficelle accrochée à son orteil. Il lui restait encore suffisamment d'argent pour aller où il voulait, mais il le gardait bien caché dans sa ceinture en cas d'urgence. Il entra dans les terres, prit un travail qui consistait à repeindre des palissades pour un riche propriétaire de ranch dans les prairies, dormit dans une écurie avec dix vaqueros qui jouaient au poker toute la nuit. Huit longs mois, à rester à l'écart, à ruminer en tournant en rond dans le corral, et à faire assez d'argent pour pouvoir une fois de plus s'en aller. Tout en travaillant sur les palissades, en enfonçant des pieux dans le sol à grands coups de marteau, il pensait souvent à la sœur du soldat mexicain. Sa photo avait marqué sa mémoire comme un éclair de magnésium. De temps en temps il se réveillait et voyait comme en rêve deux doigts qui lui faisaient signe d'approcher. Il allait partir à la recherche de la fille. Il remonta tout au nord, vers la frontière du Texas, et, quand il apercevait des camionnettes grises, il lui arrivait de faire du stop pour traverser les montagnes. Quelquefois des hommes lui parlaient d'une guerre immense qui avait éclaté de l'autre côté du monde, de rumeurs selon lesquelles des femmes émaciées entraient pieds nus dans des chambres à gaz, par rangées entières, aussi pâles que des lis de printemps, de petits engins explosifs flottant sur les eaux du Pacifique, d'une éclosion de fils barbelés encerclant l'Europe — mais tout cela était à des années-lumière, il ne parvenait pas à comprendre que des hommes perpétuent leurs passions mortelles après les atrocités en Espagne. Il suivait la ligne médiane qui sépare le vagabond du lâche, je suppose. Il aurait pu aller en Europe pour prendre des photos ou pour se battre, mais il préféra continuer ses pérégrinations en direction de l'ouest, loin de l'odeur de la mer, dans le vent des vastes étendues solitaires, franchir les montagnes, traverser Coahuila, jusqu'aux limites est du désert de Chihuahua.

Avec sa chemise blanche suspendue à un arbre il se fabriquait des abris pour éviter que la chaleur ne s'abatte sur lui ; il semblait se soumettre au paysage qui l'entourait et les manches flottaient au milieu des plants de cactus *lecheguilla*, des buissons de sauge et des étendues de prosopis ; il longea d'interminables arroyos, saluant au passage les traces laissées par des rats sauteurs et des fennecs. Personne ne vivait dans ce vaste pays de terre rouge. Les couchers de soleil perçaient le ciel à l'ouest et s'abattaient, couleur sang, à travers quelques gouttes de pluie. De l'herbe poussait dans les crânes d'animaux morts ; des serpents à sonnette étaient lovés sous les roches. Il apprit à survivre au cours de ces longues marches : il apprit à tendre l'oreille pour discerner dans les montagnes le bruit sourd annonciateur d'un déluge de pluie passager, réussit à comprendre la manière d'installer un piège pour capturer un petit animal en guise de dîner, attrapa des lézards entre ses doigts, construisit des feux de camp avec du bois mort de prosopis. Le matin, il se levait tôt et suçait des cailloux pour en extraire le peu de rosée ou d'humidité qui s'était déposée pendant la nuit. Quelquefois, d'un mouvement rapide des doigts, il récupérait la rosée sur les longs brins d'herbe du désert. Si la situation devenait critique, il fendait en deux un cactus d'un coup de couteau et essayait de s'humecter les lèvres. Au plus chaud de la journée, il se reposait et se fabriquait de l'eau. Il creusait un petit trou dans le sol, pissait dedans, posait une boîte de conserve dans le trou, et le recouvrait d'un morceau de plastique. Il mettait une petite pierre au milieu du plastique pour faire poids, et attendait que le soleil évapore l'humidité qui convergeait puis retombait, lentement, goutte à goutte, dans la boîte de conserve.

Tout cela lui montait à la tête, ce breuvage très personnel, ces longues marches, cette barbe qui commençait à lui manger les joues. La nuit, dans le désert, il se mettait à faire très froid, et il se cachait derrière des rochers ou sous des abris naturels, allumait de petits feux, marchait un peu quelquefois dans la nuit en observant Polaris, l'étoile polaire, et en se frappant le corps avec les bras pour chasser le froid. Il passa une semaine près du lit d'une rivière où il filtra de l'eau à travers son mouchoir et observa les nuances du paysage qui l'entourait, les parois rocheuses, les vallées, les fossiles. Un jour, un loup traversa sa route en trottinant, s'arrêta et le fixa, pencha la tête et poursuivit tranquillement son chemin.

Dans la région des hauts plateaux désertiques il finit par se retrouver dans une ville située à trois jours de marche de la frontière. Les maisons basses étaient caressées par d'épaisses bourrasques de poussière qui s'engouffraient dans des ruelles en lacet. Des peupliers et des tamaris s'alignaient sur les berges de la rivière, un affluent du Rio Grande. Après les arbres, la ville se regroupait le long de routes sèches et brunes, se refermait sur une place puis se prolongeait au-delà. Quelques maisons spacieuses bordaient les rues extérieures, mais toutes les autres formaient pour l'essentiel une rangée de bicoques, interrompue par une église catholique, des boutiques, un ou deux cafés et une mairie. A l'extrémité de la ville, des enfants pieds nus l'entourèrent à distance et lui jetèrent des cailloux. Il finit par aller se reposer contre une petite palissade, en fumant une cigarette, le chapeau sur les yeux, tandis que le soleil déversait ses rayons. Soudain il vit une jeune fille lancer des coups d'œil circulaires à l'arrière d'une vieille maison, suivie par une grappe de garçons plus âgés. Elle ne ressemblait en rien à la sœur du soldat. Ses cheveux étaient coupés court et elle avait sous l'œil une petite cicatrice, marque d'une ancienne bagarre. Elle avait des meurtrissures et des coupures aux jambes, une robe de lin remontée très haut au-dessus des genoux, un bout de longe en guise de ceinture attachée par un nœud de marin très savant.

Elle fit une moue provocante devant l'objectif, ouvrit un peu son corsage par coquetterie, pencha la tête sur le côté comme une actrice de cinéma. Sa mère hurla des insultes à mon père du seuil de sa maison où à l'ombre elle dépeçait un lapin.

— Ne pose jamais plus les yeux sur ma fille, compris ? dit-elle en espagnol.

Le couteau descendit avec dextérité directement du cou de l'animal jusqu'à l'attache des cuisses, et elle suspendit le corps inerte par les pattes sur un fil à linge. Mon père répondit d'un hochement de tête, remit son chapeau d'un geste sec et s'en alla se raser au bord d'un fossé d'irrigation ensablé. Le lendemain matin, il fit signe à la fille de le rejoindre quand elle sortit. Elle évolua devant l'objectif et se mit les bras derrière la tête, nullement gênée par la pilosité naissante sous ses aisselles.

Mon père s'installa près du fossé d'irrigation. Quelques jours plus tard dans cette même semaine, la jeune fille inventa un mensonge fabuleux selon lequel mon père était apparenté à John Riley, un Irlandais qui avait commandé le bataillon Saint-Patrick pendant la Guerre du Mexique. Mon père devint l'incarnation du révolutionnaire et acclamé comme tel. Il mit une cravate rouge sur un T-shirt blanc pour faire sa visite. La mère de la jeune fille portait un tablier fraîchement repassé et l'accueillit sur le seuil en s'essuyant les mains couvertes de farine, en se couvrant la poitrine de l'avant-bras et en lui faisant signe d'entrer d'un geste de l'autre bras. Mon vieux fut autorisé à s'asseoir à la place d'honneur où une serviette neuve et brodée était pliée devant lui. Des rires fusèrent un peu partout dans la modeste maison quand un plat de lapin fut déposé au centre de la table et que la mère planta dans le ventre un couteau dont le manche continua de vibrer quelques secondes. Des galettes de maïs fraîches furent étalées devant lui, ainsi que d'énormes quantités de haricots. On avala bruyamment du vin à même des cruches en argile sombre. On s'apprit des chansons et on raconta d'autres mensonges. Mon père certifia à la mère, dans un espagnol approximatif, que Riley était né dans sa propre maison en Irlande, il y avait des générations ; naissance qui fut possible grâce à quelque énigmatique arrière-grand-mère qui fabriquait des potions magiques à partir de fleurs, naissance rendue plus facile par de la pulpe de pissenlit.

On l'autorisa à dormir dans un petit hangar situé à côté de la maison d'où il observait les étoiles par un trou de la toiture qui avait la forme d'une pomme renversée. Il n'oublia jamais que les premières lueurs de la lune apparaissaient dans la queue du fruit, puis, peu à peu, l'emplissaient entièrement, comme si l'on pelait l'ouverture au fur et à mesure qu'elle captait la lumière. Dans le hangar, mon père avait une simple table en bois et un matelas bourré de peaux de lapins. Mais il continuait d'aller marcher dans le désert. Il partit toute une semaine, prit la direction du nord et traversa la rivière jusqu'au Texas pour y acheter de la pellicule — un long voyage jusqu'à Fort Stockton pendant lequel il retrouva la marche et les trajets en auto-stop. Quand il rentra, la jeune fille se planta devant son appareil photographique dans une pose outrancière, avec ses lèvres rouges et épaisses, ses pommettes saillantes, son petit bout de nez retroussé, drapée dans des vêtements colorés.

Elle ne faisait pas toute cette mise en scène pour l'objectif : elle la faisait pour lui. Elle ne demanda jamais à voir les épreuves. Il n'y avait pas une once de vanité dans ses poses.

De bonne heure le matin elle sortait de la maison et, les bras serrés contre sa poitrine, goûtait l'air du temps : les formes particulières des nuages élevés qui défilaient à vive allure dans le ciel mexicain, les vents qui arrivaient de toutes les directions, apportant d'étranges senteurs, des sons, des averses de pluie, des écharpes de poussière. Le vent possédait des signes distinctifs qu'elle s'était inventés. Quand elle avait onze ans, elle lui avait donné différentes couleurs. Un vent rouge était chargé des poussières du désert, un brun arrivait par la rivière, un gris apportait le parfum des prosopis, un vent d'un vert inhabituel souffla un été entraînant avec lui un essaim de criquets. Celui qu'elle préférait à l'époque était un vent noir — un vent qui n'avait absolument aucun effet, qui n'existait pas, quand la ville devenait noire et torpide sous la chaleur pesante. Elle avait toujours cru que le vent ramasserait sur son passage un homme qui lui était destiné — peut-être est-ce la raison pour laquelle elle tomba amoureuse de mon père, je ne sais pas. Elle l'appela « *mi cielo* », mon ciel, et un vent paresseux et noir traversa l'espace.

Peut-être rendit-elle visite à mon père dans sa bicoque la nuit, en oubliant momentanément le temps qu'il faisait, son corsage largement ouvert, la tête rejetée en arrière sous la lumière des bougies qui atténuait la cicatrice qu'elle avait sous l'œil pendant que l'ouverture de la toiture déroulait sa pelure à la lueur de la lune. Je ne sais pas, je ne l'ai jamais découvert, mais un an plus tard ils étaient mariés. Elle avait dix-huit ans, il en avait vingt-sept. Ce fut l'année où la guerre prit fin, l'année où des chefs de gouvernement aux visages bouffis se penchèrent sur une table pour signer une paix difficile, l'année où un avion s'éloigna de la côte ouest du Japon dans l'ombre du champignon nuageux qui avait envahi le ciel — mais ils n'avaient qu'une mince idée de ce qui se passait dans le monde et ils ne furent que légèrement stupéfaits quand ils apprirent, des mois plus tard, que leur mariage avait eu lieu le jour même où des moines bouddhistes brûlaient vifs dans leurs robes orange et leurs sandales de corde dans une ville qui s'appelait Nagasaki.

Le matin de la cérémonie de mariage, deux douzaines de lapins furent accrochés au fil à linge, comme une rangée de poumons d'un rouge très foncé, suspendus par d'énormes pinces à linge, prêts à être mangés lors du repas de fête. La photographie prise à l'église les montre souriants. Les cheveux de mon père sont lissés en arrière mais une mèche rebelle lui descend sur les sourcils. On aperçoit les pieds de ma mère pointés dans des directions opposées sous l'ourlet de sa longue robe de lin blanc agrémentée d'une bordure de fleurs au crochet ; elle a les cheveux nattés et retenus par un ruban à l'endroit où ils commençaient à devenir indisciplinés ; les manches sont ajustées sur les avant-bras et bouffantes aux épaules ; elle porte des mitaines de dentelle et elle a les mains posées sur les hanches comme si elle attendait déjà qu'il se produise quelque chose de merveilleux, qu'un autre vent étrange se mette à souffler. Un groupe d'hommes les entourent, mal à l'aise dans leurs costumes, les vestes lustrées aux coudes, et une femme, le bras tendu, touche de la main le visage de profil de son mari, peut-être pour lui enlever du savon à barbe de l'oreille, peut-être pour lui repousser une mèche en arrière. Ils se rendirent en longue procession de l'église à la maison, ma mère et mon père devant, tandis que des airs d'accordéon retentissaient, une trompette, une guitare, que des enfants ramassaient les pièces de monnaie qu'on lançait à l'arrière du cortège, qu'un âne seul au milieu de cette foule laissait une puissante traînée de purin dans son sillage, que des petites filles à leurs côtés agitaient l'ourlet de leurs robes et que quelqu'un beuglait une chanson d'une fenêtre. Une brise rouge soufflait pour ma mère le jour de son mariage et de fines particules de poussière du désert picotaient ses chevilles nues. Et ils affirmèrent avoir entendu un coyote chanter au loin, un hurlement magnifique qui franchit les distances et arriva jusqu'à eux. Cette nuit-là sans nul doute on dansa, on se bagarra, on fit l'amour et on but à satiété ; des hommes, leurs chemises blanches trempées de sueur et dégrafées, tapèrent du pied contre le sol aride et contre l'écorce brune d'un pays qui, des années plus tard, m'inondait de sa chaleur.

Il est remonté de la rivière pour le déjeuner et n'a pas avalé une seule bouchée, une fois encore. Je lui ai dit qu'il allait tout simplement s'étioler.

— Bon Dieu, eh bien en voilà une idée ! m'a-t-il dit.

Il est sorti mettre les ordures dans le trou tapissé de pierre grise où on brûle tous les détritus ; un sac de chez Spar rempli à ras bord de croûtes de pain et de sachets de thé et de presque rien d'autre. Il dit qu'il y a là deux semaines de déchets. Il a cette façon bien à lui de marcher le dos voûté et il me paraît de plus en plus bancal. Le vent s'était déchaîné et il avait le col relevé autour du cou. Je suis sorti l'aider, mais il était déjà devant le trou où il déversait les sachets et les croûtes de pain qui tombaient et creusaient de gros cratères bruns dans la cendre. Je suis arrivé derrière lui.

— Je peux te donner un coup de main ?

Il s'est tourné vers moi.

— Qu'est-ce que tu fais dehors sans manteau, putain ? Tu vas t'attraper la mort, nom de Dieu !

Je me suis baissé pour prendre le bidon d'essence rouge posé au bord du trou et j'ai dévissé le bouchon, mais il me l'a pris des mains.

— Pour le moment, je peux le faire tout seul.

Il a aspergé les déchets d'essence, sorti de sa poche un vieux briquet de l'armée, il s'est accroupi, il a allumé l'extrémité d'un long bout de paille et l'a approchée du foyer. L'essence s'est enflammée d'un coup, une langue de feu a jailli puis est retombée.

— Allez, va, je suis le meilleur, a-t-il dit, en regardant les flammes, comme s'il pouvait rester là des jours entiers, avec une patience insondable.

Inutile d'essayer de le faire dégager, alors je suis retourné à pas lents dans la maison, j'ai mis de l'eau à chauffer dans la bouilloire et je l'ai observé par la fenêtre de la salle à manger où il avait allumé un autre feu. Ses photos de Mam au Mexique sont toujours aux murs, même si aujourd'hui elles ont vieilli ; il y en a une flopée dans toute la pièce. La peinture d'autrefois s'est décolorée.

J'ai tiré une chaise jusqu'à la fenêtre et, les coudes appuyés sur les hauts accoudoirs massifs, je l'ai regardé s'affairer dans la cour. Après avoir tout brûlé il s'est retourné pour rentrer, tout le corps penché vers l'avant et légèrement cassé, comme s'il rendait hommage à la terre. En traînant les pieds, il a pris le petit chemin boueux, s'est arrêté et s'est gratté la tête, puis il s'est passé curieusement les doigts le long de la joue droite, comme pour essayer de lui redonner des couleurs, et s'est dirigé vers la brouette. Il a gardé les mains sur les poignées quelques secondes et l'a soulevée. Il a poussé la brouette de quelques centimètres comme si c'était une chaise à porteurs vide un jour de carnaval, mais la roue s'étant bloquée dans un trou au milieu de la cour, quelques étincelles ont jailli et elle s'est immobilisée. Il s'est mordu les lèvres et a craché, du coin de la bouche, un peu de salive grasse. Il a enlevé ses lunettes, il a regardé sa montre, il l'a remontée, et a jeté un coup d'œil vers la maison par-dessus son épaule. Je lui ai fait un signe de la main mais il n'a pas répondu, et pourtant il avait remis ses lunettes. Peut-être qu'il y avait un reflet de lumière sur la vitre, mais je savais qu'il ne me voyait pas — sa vue aussi doit décliner. L'organisme tombe comme la pluie à cet âge-là — des gouttes qui s'entrechoquent les unes contre les autres.

Les plis de sa bouche se sont relâchés vers les maxillaires. Il ressemble davantage à un vieillard de quatre-vingt-dix ans qu'à un homme de soixante-dix.

Il s'est arrêté quelques secondes et a allumé une cigarette — ce n'est pas du tout moi qui vais attraper la mort. Dans la salle à manger, même avec ces bouffées de tourbe, ça sentait le moisi et l'humidité, et l'odeur de tabac avait imprégné les boiseries. J'ai apporté tous les cendriers jusqu'à la poubelle, je les ai vidés et je les ai nettoyés avec un vieux chiffon. Je leur ai redonné leur brillant et leur couleur noire. Peut-être qu'ainsi il se rendra compte à quel point il fume — autrefois il ne tirait que quelques bouffées de chaque cigarette avant de l'éteindre, mais maintenant elles sont fumées jusqu'au bout et même le filtre est légèrement consumé. Elles vont l'emporter avant même qu'il s'en aperçoive s'il continue d'empoisonner le peu de souffle qui lui reste. J'ai entendu dire que c'était plus pénible que de mourir d'un coup d'un seul. Peu de temps après mon départ d'Irlande, j'avais rencontré un Algérien dans un hôtel miteux de Bedford Street à Londres. Il essayait d'arrêter la cocaïne.

Il avait installé un jeu de fléchettes dans la chambre à côté de la mienne pour s'occuper l'esprit. Mais un après-midi, il vendit le jeu de fléchettes pour une ligne de coke qu'il se fit dans les toilettes publiques de la gare Victoria. Il paya même ses deux pence pour y entrer et pouvoir la renifler. Ensuite, il ne lui restait plus rien et il s'enferma à clef dans la chambre où je l'entendais gratter aux murs et hurler pour qu'on lui apporte une autre ligne de coke et une cigarette.

Ces jours que je passai à Londres furent longs et gris. J'avais dix-huit ans et je venais de quitter la maison. Dans une gare, vêtu d'un pantalon noir étroit et d'une chemise qui se voulait bleue, je réfléchissais à ma double hérédité, à ce qu'il y avait d'irlandais et de mexicain en moi. J'avais autour du nez une croûte de sang séché qui avait la forme d'une fleur, à l'endroit où j'avais tenté en vain d'accrocher une petite boucle en argent. J'avais voulu proclamer ma virilité par un anneau dans les narines. Une vieille logeuse m'emmena jusqu'à une salle de bains pour me désinfecter le visage là où le sang avait coulé et me dit : « Tu t'es complètement bousillé le visage, fiston, qu'est-ce que t'es en train de faire, hein ? » Et moi je me disais qu'elle aurait pu être ma propre mère essayant de me tamponner le nez avec un coton. Je vécus un peu partout dans Londres avec le sentiment d'une blessure profonde et je fus embauché sur des chantiers de construction où tout le monde m'appela Paddy. Il y avait pléthore de Paddies en bonnet de laine, sanglés dans des ceintures de sécurité, qui se déplaçaient comme ils pouvaient sur les échafaudages. Je pris pension ici et là dans de petites chambres de la ville. Je déambulai, enfermé dans une carapace de doute — la peau mate, mais les pommettes criblées de taches de rousseur. Une petite voix puérile ne cessait de résonner dans ma tête : « Nom de Dieu, mais qui es-tu de toute façon ? » Dans des librairies de Charing Cross, je consultai des guides du Mexique en me demandant si ma mère allait surgir hors de ces pages et m'apparaître, peut-être drapée dans un poncho, peut-être debout sous un fil à linge, toute menue et frémissante, les yeux tournés vers le désert de Chihuahua. Dans ces librairies où je respirais l'odeur des mots et la promesse d'une possible existence ailleurs, où je voyais des pieds me frôler pendant que j'étais assis par terre les jambes dans la position du lotus, où des employés me regardaient avec insistance du haut de leur comptoir — je pris la décision de me rendre jusqu'au pays de ma mère, de la trouver, de la faire exister à nouveau pour moi.

Et maintenant, je me demande quel souvenir le vieux a gardé d'elle. Peut-être aucun. Peut-être que le silence l'a guéri de la mémoire. Peut-être qu'il y a un vide absolu quand arrive cette vieillesse maudite.

La bouilloire a fait entendre un sifflement aigu dans la cuisine. Quand je suis sorti pour lui dire que le thé était prêt, il me tournait le dos — « le thé est en train de refroidir ! » — mais il ne m'a absolument pas entendu. Son ombre s'étirait au-delà de la brouette, elle s'allongeait sur le sol de la cour et se pliait contre les renforts en aluminium de la grange. Il n'avait pas l'air trop mécontent pendant qu'il s'approchait de la porte latérale en traînant les pieds ; il s'est penché et s'est mis à préparer la nourriture du chat. Le chat n'arrêtait pas de lui tourner autour comme un fou. De temps en temps le vieux tendait le bras et l'attrapait par la queue, puis il a allumé une cigarette et des bouffées de fumée se sont échappées de sa bouche. Un léger crachin s'est mis à tomber, venu de nuages gris souris.

Je me suis approché de lui par-derrière et je lui ai touché l'épaule ; il s'est retourné brusquement, stupéfait. Comme s'il avait oublié que j'étais là. La cigarette lui est tombée des lèvres.

— Le thé est prêt, ai-je dit.

— Tu m'as fait une de ces frousses.

— J'ai cherché des biscuits mais je n'en ai pas trouvé.

— Ça fait un bout de temps que j'ai pas de biscuits.

— Demain j'irai faire des courses.

— D'accord, a-t-il dit. Ça me paraît une bonne idée.

Il s'est penché pour essayer de ramasser la cigarette qui était tombée par terre mais ses doigts n'ont pas réussi à la saisir. J'ai tendu le bras pour la prendre, mais de sa botte il l'a écrasée et enfoncée dans la terre.

— J'ai besoin aussi de tabac, Conor.

— Non.

— Oh, arrête, tu veux. Ne me fais pas ça.

— Quoi ?

— J'adore fumer un coup.

Pendant un moment nous n'avons plus rien dit, puis il s'est frotté les mains l'une contre l'autre.

— T'es en train de devenir comme Mrs McCarthy, nom de Dieu !

J'ai enfoncé mes mains dans mes poches et j'ai senti le vent me pénétrer.

— Bon, allez, viens, sinon le thé sera bon à foutre en l'air.

— Une minute, a-t-il dit en attrapant la queue du chat. Cette petite saloperie est plus affamée que n'importe qui.

La ville était miséreuse. Les chiens et les chats étaient squelettiques. Les ânes exposaient leurs rangées de côtes brunes et saillantes tout en avançant péniblement le long des chemins défoncés. Dans les rues poussiéreuses, des vêtements pendaient aux fenêtres et faisaient la sieste au soleil — il y en avait peu et ils étaient usés ; des trous à l'endroit des coudes, des genoux déchirés ou totalement élimés. Même les vautours qui planaient dans les volutes d'air chaud étaient maigres. Ils volaient en spirale, en battant à peine des ailes dans la canicule, l'œil posé sur le dénuement qui s'étendait sous eux, pareils à de drôles de cerfs-volants noirs aux becs rouge vif. Des gamins visaient les vautours avec leurs frondes et essayaient de les obliger à se maintenir en l'air pour les épuiser. Mais les oiseaux poursuivaient leur vol, de génération en génération, de maigreur en maigreur.

Un prêtre, un métis dont le visage ressemblait à une galette aux graines de pavot, venait une fois par semaine, le dimanche, assez tard, célébrer la messe. Il se déplaçait en ville à bicyclette, allant d'une église à l'autre, les oreilles bourdonnantes de confessions en tout genre. Des hommes en bras de chemise, encore vaseux de leurs beuveries de la veille, s'écartaient quand la bicyclette passait. Les flots de musique qui s'échappaient de vieux juke-boxes dans les cafés s'arrêtaient par déférence. Une fois, mon père prit une photo du prêtre, la soutane noire soulevée tandis qu'il tentait d'enjamber un égout à ciel ouvert derrière l'un des cafés ; il dévoile ainsi des jambes brunes et de fines chevilles et avance délicatement le pied au-dessus d'une rivière d'urine, en pinçant les lèvres et en tordant le nez. Il y avait quelque chose dans la religion qui incitait mon père à montrer avant tout son côté attendrissant. Il avait une prédilection pour les clichés d'enfants de chœur se saoulant de vin de messe, les cheveux dressés en bataille sur la tête, leurs chasubles maculées de traînées rouges. Mais il eut de graves ennuis un matin, juste après l'aube, quand il prit une photo de ma grand-mère alors qu'elle se préparait pour aller à l'église. Elle était encore en sous-vêtements : sanglée dans un corset qui aurait pu être d'un autre siècle avec ses lacets zigzaguant de haut en bas, qui lui comprimait les seins comme deux saucisses en croûte et qui avait pris la patine du temps. Elle sortait furtivement sous le porche pour y prendre sa robe du dimanche qui séchait au soleil. « Espèce de cochon ! hurla-t-elle. Retourne à ta bauge ! » C'était une toute petite femme, d'environ un mètre trente, qui avait une voix à réveiller les morts, une voix tonitruante qui montait du plus profond de sa poitrine opulente. « Retournes-y et bouffe de la merde ! » Elle lui jeta une bouteille et rata de peu son appareil photographique. Plus tard, alors qu'elle descendait la route pour aller à la messe, il tenta de s'excuser, le chapeau à la main tout en courant à ses côtés, mais elle cracha à ses pieds et inclina légèrement sur sa tête son propre chapeau. « Espèce de cochon ! »

Quatre semaines après, elle accepta de lui adresser à nouveau la parole — mais seulement après qu'il eut juré qu'il irait à la messe le reste de sa vie, tous les dimanches, sans l'ombre d'une hésitation. Elle avait une vie étayée par la foi et par les chapelets. Ma mère, qui se trouvait dans un coin de la cuisine, se mit à glousser quand elle entendit la promesse. Elle avait alors dix-neuf ans et il lui arrivait encore d'être prise de fous rires. Après cela, elle l'appela « *Obispo* Michael » — Évêque Michael — et elle lui donna un scapulaire pour lui rappeler son serment. Il le porta en toute irrévérence et se balada dans la maison torse nu, le scapulaire se balançant sur sa poitrine dans une toi-son de poils bruns. Mais il fut obligé d'aller à la messe tous les dimanches, de longer la grand-rue, de passer devant la salle de billard et de franchir l'aqueduc qui amenait l'eau de la rivière. Il ne pouvait pas traînailler au fond de l'église ; ma grand-mère le tirait par le bras jusqu'au premier rang, tellement enchantée d'un tel résultat qu'elle lui donna ses chapelets préférés, deux chapelets noirs qui le gênaient quand il fouillait au fond de ses poches pour y trouver de la monnaie. Ils étaient en obsidienne et accrochaient étrangement la lumière.

Ma grand-mère vivait avec eux dans la petite mai-son à la lisière de la ville. Son propre mari était mort dix ans auparavant, jeté et abandonné dans un vieux baril d'essence, la gorge tranchée dans une violente bagarre. Elle se mit à dépecer des lapins comme il le faisait à ses moments perdus — utilisant le couteau comme si elle se vengeait de sa mort. Chaque fois qu'un enfant naissait en ville elle offrait aux parents la patte d'un lapin conservée dans un bocal et qui était supposée avoir le pouvoir magique d'écarter tout risque de choléra. Un seul garçon n'avait pas eu de patte de lapin — on soupçonnait son père d'être le meurtrier, même si l'on ne pouvait rien prouver — et les gens considérèrent ma grand-mère avec un mélange de respect et de suspicion quand l'enfant mourut de diarrhées et de crampes musculaires au milieu de son deuxième été. Par la suite, quand une femme en ville était enceinte, on se dépêchait d'aller rendre visite à ma grand-mère en lui apportant des cadeaux et en faisant des allusions détournées aux porte-bonheur.

Quand il n'y avait pas de lapins prêts à être tués, ma grand-mère s'asseyait sous le porche devant la maison et fendait l'air à grands coups de couteau, d'avant en arrière, indéfiniment, tout en se balançant. Les vautours balayaient le ciel en larges cercles au-dessus d'elle.

Un matin, pendant qu'elle se promenait, elle jeta une pierre à un lapin de garenne qui passait près d'un prosopis, elle le toucha à la tête, ce qui l'assomma pour un moment et elle s'approchait de lui en boitillant sur une canne pour l'achever quand elle trébucha dans un nid-de-poule et se cassa la jambe. « Je regrette de n'avoir pas eu cette bestiole, dit-elle au docteur, ça m'aurait permis de mourir heureuse. » Ce qui la perturba le plus ce fut que le lapin de garenne soit devenu la proie des corbeaux qui aussitôt piquèrent droit sur lui — on ne retrouva même pas la peau. Le docteur l'obligea à rester couchée pendant des mois mais des voisins lui apportèrent des lapins à dépecer. Bien calée sur ses oreillers, elle étalait de vieux sacs à grain autour d'elle pour éponger le sang et y mettre les peaux. La Vierge de Guadalupe la fixait depuis la table de chevet. Quand ma grand-mère en avait terminé, elle reposait la tête sur les oreillers et marmonnait une mélopée faite d'étranges prières qu'elle adressait à la petite statuette blanche. Elle tenait absolument à porter un grand chapeau de paille, même au lit.

Ma grand-mère essaya d'enseigner à Mam comment dépecer les lapins, de lui transmettre ce savoir-faire et ainsi de préserver la tradition, mais ça n'intéressait pas ma mère.

Des géraniums poussaient dans de vieux pots de peinture accrochés au porche de la maison. Un crâne de vache, décoré de couleurs vives, pendait près de la porte d'entrée, devant la moustiquaire en ferraille rouillée. Sur le haut du toit il y avait une girouette qui ne tournait plus et qui indiquait seulement l'est, même quand les vents soufflaient très fort. Mon père grimpa sur le toit pour essayer de la faire bouger — Mam lui avait demandé de la réparer pour pouvoir surveiller la direction des vents — mais rien à faire. Le jour du mariage, un invité éméché était monté sur le toit pour leur jouer de la guitare, mais il avait perdu l'équilibre, il était retombé en biais sur le pivot vertical et il s'était coupé ; depuis il avait une vilaine cicatrice sur la cage thoracique. Sa femme disait que la coupure n'avait jamais guéri, qu'il continuait à sentir le vent pénétrer la blessure et que mon père — en raison de son statut de gringo — devrait lui payer des dédommagements. En voyant l'homme devant le café du village, ma mère désigna du doigt sa cage thoracique : « Le vent souffle dans quelle direction aujourd'hui, Benito ? » L'homme souleva une jambe et fit un énorme pet, à la grande joie de ceux qui étaient là, accroupis par terre. « Je crois bien qu'il souffle vers le sud », dit-elle simplement avant de faire demi-tour et de s'en aller. Ce soir-là, elle posa une assiette de haricots devant la maison de cet homme — c'était là un dédommagement équitable, dit-elle, et le seul dédommagement qu'il obtiendrait.

Quand ma mère se promenait en ville, les garçons de la région continuaient à lui lancer des œillades. Peut-être se disaient-ils que l'homme au grand chapeau marron était un genre d'apparition maléfique, qu'un matin ils se réveilleraient tous pour constater qu'il s'en était allé aussi simplement et aussi mystérieusement qu'il était venu.

Mais ils la virent s'installer dans sa nouvelle vie, peu à peu. Elle laissa pousser ses cheveux. Elle se mit à cultiver des légumes à côté du porche — elle s'essaya au jardinage. C'était un travail difficile et ingrat que d'être agenouillée dans ses robes bien coupées pendant que des chiens galeux grattaient le sol près de la clôture ; et puis la terre était tellement dure qu'elle lui arrachait le dessous des ongles. Elle rendait sa tâche moins pénible en avalant un peu de tequila qu'elle buvait à petites gorgées, à même la bouteille, tout en travaillant à genoux et sur les mains. Quand la poussière lui recouvrait le visage elle la recrachait par terre. Et pourtant, elle avait les cheveux d'un noir de jais et elle était superbe. Les hommes continuaient de sentir des désirs violents leur monter dans le bas-ventre. Ils s'asseyaient sous les porches en face de sa maison, et attendaient qu'elle se relève pour que la lumière du soleil puisse filtrer à travers sa robe légère et découpe les contours d'un sein galbé, d'une longue jambe, et que, le dos courbé, elle pose ses mains sur le bas de ses reins pour se détendre les muscles et pour se redresser. Quelqu'un se mit à déposer du chocolat sur le seuil de sa porte tard dans la soirée, enveloppé dans de gros cubes de glace pour éviter qu'il ne fonde. Des plats de *pollo en mole* ainsi que des fleurs apparurent accompagnés de messages écrits d'une écriture penchée. Elle mangea le chocolat et le poulet et mit négligemment les fleurs dans des vases sans chercher à savoir qui était son admirateur ; ça ne l'intéressait pas, elle était heureuse. Secrètement elle se demanda si c'était mon père qui déposait ces offrandes sur le seuil.

Une autre preuve pour les hommes de la région qu'elle n'était plus disponible fut le jour où elle acheta les poulets. Ils arrivèrent dans des cageots en bois, huit poules et un coq. On construisit un poulailler à l'aide de bois de récupération. Elle donna aux poules le nom de certains habitants du village. Le maire était le plus gras de tous. Il avait un énorme fanon charnu mais ne pondait que très peu d'œufs. La plupart des volatiles portaient le nom d'hommes qui traversaient la frontière pour aller travailler sur de gigantesques puits de pétrole ou sur des ranchs du Texas et qui revenaient les poches pleines d'argent. Le barbier à mi-temps était un étrange poulet sans crête et totalement déplumé. Et la femme du barbier était sauvage et voletait aux moindres bruits.

Il y avait aussi un drôle de coq qui ne chantait jamais le matin. Elle l'appela José, du nom d'un personnage local dont les lèvres avaient été cousues l'une à l'autre un jour où il avait perdu un pari dans un bar. Même après que les points de suture eurent été enlevés, José ne proféra plus un son. Il déambulait, silencieux, ses cheveux d'ébène lissés en arrière avec de la graisse de cuisine, arborant un sourire moqueur, la lèvre supérieure criblée de petits points de cicatrices. Quand il passait devant la maison de mes parents, José regardait son homonyme à plumes avec une profonde et sombre amertume. Un matin, ils retrouvèrent le coq étranglé sur les marches de la porte d'entrée et un message en espagnol qui disait : « Maintenant nous parlons. »

Ma mère se mit à adorer ses poules tout comme ma grand-mère adorait ses lapins. Il y avait deux catégories — celles qu'elle élevait pour leurs œufs, celles qu'elle destinait à la vente — et de temps en temps on en tuait quelques-unes pour les cuire. Ma mère les abattait en appuyant avec dextérité ses doigts sur un point précis du cou qu'ensuite elle tordait. Mam surveillait le temps et établissait un rapport entre les fluctuations météorologiques et le moment idéal de ponte. Les couleurs du vent avaient également une énorme influence. Son vent noir et paresseux était un moment tout à fait propice. Le brun, celui qui venait de la rivière, n'apportait que des problèmes, parce que la rivière provenait d'un endroit étranger et parfaitement inconnu.

Ma grand-mère se moquait des curieuses superstitions de sa fille et se demandait pourquoi elle n'attribuait pas le vent brunâtre à Benito et à ses haricots. « Est-ce que tu es vraiment ma fille ? » Elles s'asseyaient sur les marches du perron et parlaient aux poules qui picoraient le sol et instauraient entre elles un étrange concert vaguement geignard, surtout au moment de l'accouplement. Le nouveau coq avait été surnommé « *Obispo* Michael » comme mon père, qui sortait quelquefois de sa chambre noire pour observer ce spectacle ; il enfonçait alors les mains dans les poches de son gilet et se balançait d'avant en arrière tellement ça le réjouissait. « En voilà une méthode agréable, je dois dire. » Ma grand-mère lui jetait des coups d'œil suspicieux et faisait des remarques à propos de Riley et des coups stériles que tiraient ces nouveaux révolutionnaires — elle espérait un petit-fils ou une petite-fille dans les mois à venir, mais son unique petit-fils allait naître des années plus tard, dans un autre pays, presque un autre univers.

Pendant que ma mère s'occupait des volatiles, le vieux travaillait à ses photographies. Il emprunta une camionnette, dépensa presque tout l'argent qui lui restait dans un autre voyage d'une semaine pour aller se ravitailler en matériel à San Antonio. Il construisit une chambre noire à l'arrière de la maison — il prétendit toujours que c'était la plus belle du genre dans tout l'hémisphère Nord. Dans un endroit où la lumière était vive — une lumière qui balayait le pays de ses rayons d'un jaune intense — pas un rai ne passait. Il posa des doubles portes. La deuxième porte se fermait au verrou de l'intérieur afin qu'au moment où il développait, les photos ne soient pas irrémédiablement perdues. Il s'enivrait de lumière rouge. Seule ma mère avait le droit d'entrer. Par plaisanterie, il suspendit au-dessus de la porte une ceinture de chasteté qu'il avait trouvée dans un dépôt d'ordures. On pouvait lire en espagnol l'indication suivante : « Entrée Interdite Au-Delà De Cette Limite. »

Quelquefois des ivrognes venaient tambouriner à sa porte. Ils adoraient glisser à bout de bras leurs bouteilles vides à l'intérieur de la ceinture. Les bouteilles s'entrechoquaient et faisaient comme un bruit de clochette de porte, mais mon père leur répondait rarement. Ce cercle d'ivrognes s'éternisait devant la chambre noire, et quelques vagues sons s'échappaient de leurs bouches couvertes d'épaisses moustaches brunes. Ils étaient souvent en quête d'argent — tout homme pouvant s'offrir le luxe de prendre des photos devait être riche. Il n'avait pas grand-chose à leur donner, mais il installa une rangée de hamacs à leur intention devant la porte. Les hommes s'y vautraient et se partageaient les rares cigarettes qu'ils avaient tout en se perdant en conjectures sur la nature de ses photos. Ils écoutaient les voix de ma mère et de ma grand-mère qui leur parvenaient de la cour où se déroulait le concert de poules parce que *Obispo* Michael se mettait à avoir le sang chaud chaque fois qu'il en avait l'occasion, et que l'on entendait quelques cris aigus de plaisir quand il pourchassait la femme du barbier qui, dans la réalité, avait un bec-de-lièvre et une propension aux odeurs corporelles.

L'un des ivrognes, Rolando, restait planté près de la barrière devant la maison, chaussé de sandales en cuir tressé, et les excitait de la voix tout en se penchant par-dessus la clôture pour cracher discrètement sur celui qui portait le nom du maire. Mais quand mon père sortait pour observer les différentes péripéties, Rolando se glissait derrière le vieux et lui donnait une chiquenaude sur l'oreille ou bien lui tordait le nez, surtout si *Obispo* Michael était dans un de ses jours de frénésie. Après la première chiquenaude, Rolando regardait mon père droit dans les yeux, levait le bras et lui tirait le nez ou recommençait ses chiquenaudes. Mais ce petit jeu s'arrêta un après-midi où Rolando, plus saoul que jamais, posa une cigarette allumée sur un grain de beauté que mon père avait à l'avant-bras. Mon père eut un mouvement de recul et, du coude — il raconta que ce fut pur hasard — heurta la bouche de Rolando. Le coup aurait pu n'avoir aucune conséquence grave ; seulement, Rolando avait des gencives pourries. Il cracha une partie de ses dents sur le sol. Confus, mon père redressa Rolando qui était à terre pendant que ma grand-mère explosait de rage sous le porche de la maison : « Sale bête ! » « Espèce de cochon ! » « Laisse Rolando tranquille ! » Rolando, assis dans la poussière, se tripotait la bouche. Mon père, d'un geste nerveux, fit comprendre à ma grand-mère qu'il valait mieux qu'elle disparaisse puis il alla marcher pour se calmer et acheta une bouteille de tequila pour Rolando. Ils cherchèrent ensemble les dents par terre mais l'une d'entre elles resta introuvable. Pendant qu'ils cherchaient, Rolando brûla le grain de beauté avec trois autres cigarettes tout en buvant au goulot avec des hoquets d'hilarité.

Mais malgré tout cela le temps passait lentement pour le vieux sur ce sol desséché — de la poussière se soulevait quand passaient les quelques rares voitures ou camionnettes qui descendaient la route cahoteuse pour se rendre à la station d'essence où l'on utilisait une vieille pompe à main de marque américaine. Quand il avait fini de travailler, il s'asseyait quelquefois avec Mam sur les marches devant la maison, s'avalait des bouteilles d'alcool avec les hommes du village, écrasait des moustiques et suivait des yeux les voitures en se demandant vers quelle destination elles allaient tandis que la poussière retombait lentement après leur passage. Ils s'enlaçaient, et il lui parlait d'autres lieux. Ils regardaient le soleil décliner au sud sur l'horizon, et les mois succédaient aux mois, les saisons aux saisons. C'était inhabituel pour mon père que de rester aussi longtemps au même endroit, et il se demandait où ils devraient s'en aller tous les deux. Une ou deux fois on aperçut des avions dans le ciel au-dessus du désert de Chihuahua et tout le village s'arrêta, et regarda, hypnotisé. Mais la poussière continuait à se poser sur le quotidien. Les nuits se levaient sur la banalité. Les jours se confondaient souvent dans cette léthargie pendant qu'ils restaient assis l'un près de l'autre, en se tenant la main. Même la vue d'un âne ou d'une charrette lui donnait envie de bouger. C'était un désir qui le taraudait, qui le hantait, comme il l'a toujours hanté — et continue peut-être de le faire.

En contrebas, au-delà de la grange, un corbeau désœuvré s'est posé sur le fil télégraphique, et le vieux l'a observé pendant un très long moment tout en caressant le chat. Ce fil télégraphique m'a fait penser aux milliards de voix anonymes qui couraient peut-être sous les pattes du corbeau, traversant le long corps noir et les plumes épaisses du jabot, filant à toute allure au creux des articulations et à travers les ligaments filandreux, jusqu'au bout, jusqu'à la queue cunéiforme et chatoyante de noir et de pourpre, des voix allant jusqu'au centre vital, jusqu'au cœur. Tous ces gens qui habitaient les villes du Mexique pouvaient faire entendre leurs voix ici en quelques secondes, et parler des nouveaux cafés du pays, et de leurs gigantesques casiers à vin, des chandeliers de Miguel, des rues goudronnées, des cris poussés par les quiscales, des vendeurs de billets de loterie, du cinéma désaffecté, des petits bistrots bas de plafond, de la chaleur pernicieuse. Maintenant encore je peux la sentir, toute cette chaleur. Tandis que je marchais le long de ces routes. Dans cette chambre d'hôtel de style colonial où le ventilateur oscillait au-dessus de ma tête, d'autres voix me parlaient. Quand je tentai de retrouver leur maison, il n'y avait pas la moindre girouette en vue. Et Mam n'était pas là-bas, ni elle, ni son fantôme, ni son image, à peine son souvenir même. Quant à lui, il ne déclencha que quelques rares commentaires. Les rues à l'aube étaient envahies de teintes rouges, comme si le petit matin faisait une poussée de typhoïde. Je marchais, sous une futaie, sous le soleil, sous un univers d'interrogations et de doutes et un fil de téléphone crachotait des sons au plus profond de moi.

Au village, un jeune garçon, Miguel, le fils de Rolando, aimait dessiner des cartes géographiques, et le vieux les lui achetait pour les suspendre aux murs de la maison. Miguel les recopiait à partir d'atlas scolaires, mais ses interprétations étaient pleines de couleurs fabuleuses et inhabituelles. Il dessinait des océans magenta, des montagnes blanches, des rivières vertes, des routes pourpres, une langue de rivière rouge, et quelquefois, il frottait les cartes avec un peu de terre pour donner au paysage une teinte brune. En reniflant les cartes, on sentait l'odeur de cette terre. Les villes étaient matérialisées par de petits morceaux de métal qui pouvaient vous écorcher le bout des

doigts si vous passiez la main dessus. Mon père déplaçait les cartes d'un mur à l'autre ; elles passaient de la
cuisine à la salle à manger puis revenaient à la cuisine
si bien qu'il avait l'impression d'aller quelque part.
On était en 1949, et il avait un peu plus de trente ans
— s'il ne pouvait pas partir réellement, du moins vou-
lait-il se l'imaginer. Il lui arrivait de prendre la main
de ma mère et de faire avec elle le tour du monde à
l'intérieur de cette petite maison tout en lui apprenant
à parler anglais si bien qu'elle eut très vite un accent
irlandais dont les sonorités se mêlaient aux intonations propres à sa langue maternelle. Elle recopiait les
mots nouveaux dans un cahier à spirale en se demandant quand elle allait enfin avoir la chance de les utiliser. En réalité elle avait un peu peur de tout ça, peur
de cet éventuel départ. Elle n'avait encore que vingt
et un ans — leur différence d'âge de dix ans devenait
parfois un vrai gouffre — et elle n'avait jamais mis
les pieds hors de son village. Même si elle désirait
partir, il n'en serait pas question avant un certain
temps — ma grand-mère s'en assura.

« Tu pourras t'en aller le jour où le soleil se lèvera
à l'ouest », disait-elle, en poussant d'énormes soupirs.
« Et peut-être même quelques jours plus tard. »

Les cartes de Miguel étaient un signe évident que
mon père avait à nouveau des fourmis dans les
jambes. Il invita même le jeune prodige à venir dessiner quelques cartes sur les murs de sa chambre noire
mais Rolando refusa de laisser son fils y aller. On
avait donné à une poule le nom de Rolando — au
début ça l'avait enchanté ; il venait tous les jours jusqu'à la maison et, penché au-dessus de la clôture, ses
sourcils gris et hirsutes lui retombant sur les yeux, il
expliquait que le maire était bien plus laid. Mais par
la suite, le coq avait semblé prendre un immense plai-

sir à monter sur l'homonyme de Rolando et à l'écraser de tout son poids, et Rolando fut en butte à des plaisanteries grossières, surtout parmi les autres ivrognes. « T'as une drôle de démarche aujourd'hui, Rolando. » « Fais gaffe, tes plumes s'envolent ! » « T'as de la place pour un autre œuf ? » Il ne revint jamais plus à la maison, même après que l'on eut rebaptisé la poule. Le jeune Miguel se glissait furtivement jusqu'à la chambre noire après l'école, s'asseyait et parlait avec mon père, mais il ne réussit jamais à terminer ses cartes : il essayait de trouver une solution pour maintenir en suspens un monticule de terre bien précis qui ne cessait de retomber à côté des bacs de produits chimiques, même après qu'il eut fabriqué une étagère pour retenir la terre avec de minuscules bouts de bois. Un jour, en arrivant, il trouva un message épinglé à la ceinture de chasteté au-dessus de la porte : « Désolé, Miguel, fermé pour quelque temps. »

Le vieux prit un emploi dans une petite mine de cuivre très loin au sud du village. Comme il voulait prendre des photos de la mine, il partait le dimanche matin dans un camion bondé d'ouvriers, vêtu de son gilet crasseux, le chapeau sur la tête. Avec l'aide de quelques hommes, il introduisit clandestinement ses appareils photo au fond des puits de mine. A la fin de la semaine, quand il rentrait à la maison, il toussait et recrachait une matière rougeâtre et son gilet était recouvert de poussière. Le cuivre lui colorait la peau. Il s'enfermait à clef avec Mam dans la chambre noire où ils travaillaient tous les deux ; et quelquefois ils s'endormaient et quand ils se réveillaient le lendemain matin, ils retrouvaient, froid, le plat de ragoût que ma grand-mère avait déposé à l'extérieur devant leur porte. Ce travail les exténuait l'un et l'autre. Des visages hagards prenaient vie dans les bains réactifs :

le blanc des yeux ressortait comme un halo, de la poussière maculait les mentons. Voûtés par des années de labeur et par la perspective de ce qui s'offrait à eux, les hommes s'appuyaient sur le manche de leur pioche tout en avalant de la poussière de cuivre qui pénétrait leurs poumons. Ils fixaient l'objectif avec dans le regard une rage impuissante, les joues creuses, les lèvres livides marquées par le pli amer que fait naître une vie d'indigence. Mais il les immortalisait aussi dans les cafés et les maisons closes, quelquefois même chez eux en compagnie de leurs enfants, jouant gaiement à pousser du pied un ballon de football devant leur bicoque. Les mineurs l'aimaient bien, l'accueillaient par des cris quand il descendait dans les puits et tous l'aidaient à transporter le matériel clandestin. Mais un après-midi il revint à la maison en sang. Il avait été le moins fort dans une bagarre avec un chef d'équipe après avoir pris la photo du cadavre d'un jeune garçon que l'on évacuait hors de la mine. Le gamin n'avait pas plus de dix ans, le même âge que Miguel. Mon père avait été frappé avec le long canon d'un fusil. Il garda une petite cicatrice en forme de gondole sur la tempe droite. Plusieurs fois il tenta de retourner à la mine mais il fut accueilli par le même fusil, cran relevé.

Il retrouva la maison et les poules, tourna en rond dans la cour en grommelant et en crachant par terre. « Qu'ils aillent se faire foutre tous ces soldats à la manque ! » Mam sortait de la maison, elle caressait la cicatrice du bout des doigts, et peut-être même qu'elle l'embrassait. Ils se retiraient dans la chambre noire pour travailler sur les photos prises par mon père. Et d'autres plats de ragoût s'entassaient devant la porte.

Au bout de quelque temps ils vendirent deux appareils photo et trois douzaines de poules pour s'acheter une vieille guimbarde qui leur servait à transporter les œufs jusqu'aux villages voisins. Mon vieux tambourinait du poing sur le tableau de bord tandis que la voiture avançait dans un bruit de pétarade, rafistolée de partout avec du fil de fer, le toit recouvert de merde de quiscales. La voiture — une Model A 1928 — une fois de plus réveilla son désir violent d'escapade. Ils se mirent à économiser de l'argent, et leurs balades les emmenèrent dans un rayon de plus en plus large. Au début ce furent quelques kilomètres pas plus, puis la circonférence s'agrandit en cercles de plus en plus vastes en direction de Jiménez, Delicias, Chihuahua et même vers le sud jusqu'à Torreón. Une fois ou deux ils allèrent jusqu'à Mexico. Il fallait trois jours de voiture pour s'y rendre. Là-bas, ils firent provision de pellicule, de papier, de cuvettes et de fixateur. J'imagine les vendeurs dans ces magasins, une fine moustache leur barrant la lèvre supérieure, les cheveux coupés court, vêtus de chemises parfaitement repassées et les manches retenues par des bracelets, jetant un coup d'œil appuyé à mon père quand il se penchait au-dessus du comptoir, les vêtements encore imprégnés d'une légère odeur de merde de poule.

Lorsqu'ils passaient la nuit en ville, ils célébraient ensemble l'occasion — ma mère me raconta qu'ils curent de superbes soirées endiablées dans les cafés et les bars et qu'il y avait des accordéons, des guitares et du vin, et des nappes blanches et des serveurs et tout ce qu'on peut se procurer avec une poignée d'argent. De ces quelques soirées passées à Mexico elle avait gardé en mémoire les moindres détails : la manière dont la ville s'élevait hors de son cratère, la circulation dense, les rangées de pots de fleurs en terre rouge, la grisaille ambiante, la pauvreté dans de tristes ruelles sombres, les hommes en bleu qui sortaient des usines, les enfants bruns tout nus devant des bicoques, les soldats et les policiers qui marchaient à très grandes enjambées sous leurs casquettes, les files de prostituées vêtues légèrement dans des rues étroites et le regard tourné vers la pénombre, les petits vendeurs à la sauvette, les costumes croisés, l'odeur de fruits pourris, les fracas métalliques — quel vacarme tout cela faisait ! —, le rougeoiement violent et pesant du ciel au sud, les maisons de nantis avec leurs piscines bleu pâle, les sauterelles qu'une vieille femme faisait griller sur un marché. Mon père prit des photos de Mam sous la lumière vive de réverbères et sous des nuages fugaces ; elle regardait l'objectif avec une parfaite assurance, les cheveux tirés en arrière en queue-de-cheval. Sur un des clichés pris à côté du Palais des Arts, je remarquai qu'elle avait des fleurs à la main, des églantines blanches qu'elle serre entre ses doigts. Pendant le long trajet de retour, elle restait éveillée sur le siège du passager et tendait régulièrement au vieux des bouteilles de Coke tandis qu'un vent parfumé de prosopis entrait par les vitres ouvertes.

Ma grand-mère avait échangé des lapins contre quelques bouteilles de vin qu'elle donna à mes parents dans l'espoir que l'alcool accélérerait d'une manière ou d'une autre l'arrivée d'un petit-fils ou d'une petite-fille. Aussi traditionnelle que l'image que l'on peut se faire de l'amour, ma grand-mère allait se coucher tôt et, à voix basse, implorait le ciel d'amener chez eux la fécondité. Mes parents buvaient. Mam avait sa propre chope — une chope en terre qu'elle avait modelée elle-même des années auparavant — mais un soir le vieux la brisa lors d'une dispute en la lançant contre la porte de la salle de bains quand ma mère lui dit qu'il n'avait pas encore assez bu. Pendant un certain temps il dormit dehors et ma grand-mère fut folle de rage de le voir disparaître ainsi tous les soirs. Le froid était vif la nuit ; il n'y avait pas le moindre nuage pour retenir la chaleur, et quelquefois mon père envisagea peut-être de s'en aller définitivement, de s'envoler en rasant les arroyos et les cactus ou les fleurs qui retenaient l'eau avec une surprenante parcimonie. Il y avait des plantes qui ne fleurissaient qu'une seule fois tous les cent ans. Il les chercha mais n'en trouva jamais une seule en pleine floraison. Un soir, il s'aventura trop loin, il se perdit et dénicha une petite grotte à l'intérieur de laquelle il alluma un feu. La chaleur imprégna la roche, détacha de la voûte un morceau qui en tombant lui heurta l'épaule. Il se confectionna une écharpe avec sa chemise et partit au hasard, complètement perdu. Un policier le retrouva : on avait envoyé une équipe à sa recherche parce qu'une mauvaise nouvelle l'attendait au village.

Ma grand-mère venait de mourir. Assise sur le perron elle avait attendu le retour de mon père ; son chapeau s'était envolé, emporté par une violente bourrasque, et elle avait fait une chute. Le bout de sa canne était allé se loger dans un interstice des marches du perron et elle avait trébuché, face contre terre sur l'arête d'une pierre ; elle s'était ouvert profondément le front, une longue coupure au-dessus de l'œil. On raconta qu'un vent bizarre s'était mis à souffler sur son cadavre, un vent tourbillonnant qui avait soulevé son chapeau de paille et l'avait fait tournoyer plusieurs fois autour de son corps, comme pour lui adresser une dernière prière, un chapelet de poussière épargnée par le pas des hommes.

Mon père rencontra Mam à la lisière du village, folle de douleur, les poings dressés vers le ciel — elle pensait l'avoir perdu, lui aussi. Une fois rentrée à la maison, elle lui soigna le bras puis, vêtue de longues jupes noires, s'enfonça dans un deuil profond. Blottie et calfeutrée chez elle, elle écoutait les cloches d'église, regardait la peinture qui s'écaillait sur des chaises de bois vertes, se rappelait des choses. Les lapins et la manière dont ils étaient dépecés. Les curieux cataplasmes qu'on lui posait sur les genoux quand elle s'écorchait étant enfant. La façon dont la pâte à gâteau était pétrie. Les azalées bleues brodées tout autour d'un oreiller. Dans sa famille, la tradition voulait que l'on pleure un être disparu pendant un an, et Mam mena son deuil jusqu'à terme. Mon père était différent : il avait aimé la vieille femme et ses excentricités, mais elle les avait ancrés à la terre, ancrés dans cette léthargie, ancrés dans cette immobilité. Maintenant ils étaient seuls et ils ne devaient rien aux autres membres de la famille ; alors il fit allusion à des voyages dans le monde entier, à d'étranges endroits exotiques dont elle n'avait entendu les noms qu'à mi-voix au cinéma. Ma mère ne voulait pas écouter, elle remontait de plus en plus haut sur ses épaules ses vêtements sombres et refusa d'approcher les cartes de Miguel tant qu'elle serait en deuil.

Ce ne fut que dix-huit mois plus tard qu'elle abandonna ces vêtements pour des jupes d'abord discrètes puis à nouveau très colorées, et ensuite elle se mit à écouter les allusions murmurées.

Au début de 1956 une lettre spéciale arriva au courrier — la moitié du village s'était regroupée près de la poste pendant que mon père l'ouvrait. Son épaule n'était pas encore complètement remise et il ouvrit l'enveloppe d'une seule main, en se servant de l'ongle de son petit doigt pour soulever le rabat. La lettre provenait d'un magazine de San Francisco et lui faisait miroiter l'offre d'une énorme somme d'argent, ou tout du moins, ce qui à l'époque paraissait une énorme somme d'argent. Un salaire hebdomadaire. Sa signature au bas de chaque cliché reproduit. Son propre nom éclatant sur la page. C'était le résultat des photos de la mine de cuivre qu'il avait envoyées au journal : il certifia aux gens du village qu'ils seraient eux aussi célèbres, que l'on verrait leurs visages et leurs bras robustes dans les kiosques à journaux de Californie. Une fête eut lieu en son honneur ce soir-là. On se donna des claques dans le dos. On fit circuler les cruches de vin. Les sons rauques de la musique envahirent le village et mon père interpréta un morceau en tapant la mesure avec des cuillères — on jeta des pièces de monnaie dans son grand chapeau marron pour sa performance. Rolando se leva et chanta « *Las Golondrinas* », une chanson d'adieu qui offre un toit à une pauvre hirondelle perdue. Ma mère se tenait en retrait de cette foule en compagnie d'autres femmes, regardait et écoutait la chanson. Elle s'était peut-être interrogée sur le peu de tristesse que montrait mon père à l'idée de partir quand elle l'avait vu tituber d'un groupe à l'autre et chanter. Un vent sans couleur bien définie a dû la faire se recroqueviller parce qu'elle a les mains enfoncées bien profond dans les poches de sa robe.

Rolando arborait un large sourire édenté — maintenant il considérait les vides dans sa denture comme une sorte de marque personnelle et, le souffle court, il suivait mon père à la trace. On prit une photo de lui montrant fièrement sa bouche du doigt, l'autre main serrée, un chapeau de guingois sur la tête, le visage recouvert d'une barbe de plusieurs jours.

Mais les meilleurs clichés n'étaient pas ceux des mines de cuivre, ou ceux des gens du village. C'étaient ceux où l'on voyait le corps de ma mère.

Mon père les avait pris dans leur chambre : elle, toute nue, non pas de manière scandaleuse, mais dévoilant son ventre lisse et sombre, sans le moindre pli, ses jambes aux courbes harmonieuses, sur des draps blancs qui mettaient en valeur de petites touffes de poils. Certains clichés, pris à travers des mousti-quaires, étaient estompés, si bien qu'ils évoquaient les alcôves de l'époque victorienne, et qu'on avait le sentiment, en les regardant, d'être un voyeur écartant légèrement un rideau ; c'étaient des photos en noir et blanc qui, à aucun moment, ne donnaient l'illusion de la couleur : une joue appuyée sur une main d'où par-taient les formes fluides du corps dont on devinait les ébats sur les draps du lit tant il dégageait de désir ; une ou deux photos suggéraient une tranquille lasci-vité, une langue qui pointait légèrement entre les lèvres, les doigts écartés autour d'un téton sombre, un cliché où elle est prise de profil devant le lavabo, la main posée sur son ventre brun, les doigts ouverts ; un portrait flou d'elle en petite culotte, pendant qu'elle enfile par le bas une longue robe blanche, au moment où elle la fait passer sur sa poitrine, les sourcils levés, le regard espiègle. Quand je vis ces clichés pour la première fois — il y a maintenant bien longtemps — ils me donnèrent la nausée. Tout d'abord j'eus du mal à comprendre qu'il s'agissait d'elle, et contrairement aux photos de femmes espagnoles que je regardais souvent au grenier, jamais je ne ressortis ces clichés-là, jamais je ne réussis à entrer dans leur univers. Je savais ce que ces photos avaient fait à ma mère et je ne comprenais pas pourquoi elle avait laissé mon père les prendre.

Elle semblait presque vouloir se glisser à l'intérieur de l'objectif, le corps silencieusement réticent mais prête à accepter le danger et à devenir tout ce que mon père voulait qu'elle devienne ; pas une seule fois elle ne donnait le sentiment d'être hostile à ses exigences. Les photos dévoilaient son étrange fascination et un grain de beauté au bas de sa hanche droite. Maintenant encore je frissonne quand je l'imagine riant aux éclats, la tête rejetée en arrière, dans une quelconque chambre noire, totalement protégée des moustiques et des regards voyeurs, se passant la langue sur les lèvres pour la photo sous la lumière réfléchie par un parapluie bon marché, sa robe en désordre à ses pieds, pendant qu'à l'extérieur une rangée d'hortensias blancs referment leurs pétales sous une fenêtre vermoulue.

Juste avant qu'ils ne quittent définitivement le village, José, l'homme aux lèvres cousues, pénétra par effraction dans la chambre noire de mon père et trouva certaines épreuves, qui étaient un peu sous-exposées. Il fit le tour du village en courant et en hurlant — lançant à la ronde les photos de ma mère comme s'il s'était agi de confettis. On retrouva un portrait d'elle au bas des marches du tribunal — empalé sur un poteau — et la plaisanterie fut de dire qu'un nouveau candidat se présentait à la mairie. Mais le prêtre au visage en graines de pavot n'apprécia pas la chose, et les femmes au village non plus, et même si les ivrognes et les joueurs de billard furent ravis, ils prétendirent tous qu'eux non plus n'appréciaient pas du tout, si bien que mes parents s'en allèrent le lendemain matin, très tôt, avant l'ouverture des cafés, avant que les rumeurs truculentes ne s'échappent des fenêtres aux volets blancs et des murs épais. Ils n'avaient pas grand-chose à abandonner derrière eux : quelques chaises en bois, une ou deux pinces à cheveux, les géraniums rouges, des bains réactifs, quelques poules qui picoraient le sol pendant qu'ils actionnaient la manivelle de la voiture ; quand ils se mirent à rouler, des plumes s'envolèrent du siège arrière, ainsi qu'une fine poussière déposée sur le marchepied, et de la merde d'oiseau décorait encore le toit de la voiture.

Ce soir, au dîner, il a laissé couler de l'œuf sur son menton. J'ai fait attention à ne pas les cuire « sur un seul côté » mais bien des deux côtés pour qu'il les mange. L'intérieur du jaune était liquide et il lui dégoulinait dans les poils de barbe. Il s'est essuyé avec le bord de sa manche de chemise. Il dit qu'il a le bout des doigts un peu engourdi maintenant. De temps en temps il pressait le pouce contre l'index pour leur redonner de la sensibilité. En tout cas, la fourchette lui a échappé des mains et ça lui a pris un temps fou pour repousser sa chaise et la ramasser par terre. Un paquet de poussière et de cheveux s'était collé dessus. « J'ai pas très faim », m'a-t-il dit en reposant la fourchette sur l'assiette à côté des œufs. Il a regardé la trace de jaune collée sur sa manche. « Je nettoierai ça plus tard. » Puis ses lèvres ont esquissé un sourire. Sa tête, elle au moins, fonctionne toujours et ça gamberge drôlement là-dedans. Il s'est appuyé au dossier de la chaise et il a allumé une cigarette en rejetant la fumée vers le plafond. Mais ses doigts tremblaient nerveusement quand il portait la cigarette à sa bouche et, en observant le mouvement de sa main, j'ai vaguement discerné un tas de petites taches brunâtres sur sa peau. Il est resté assis en silence et m'a adressé un de ses clins d'œil comme autrefois. Il a laissé une fois de plus la cigarette se consumer jusqu'au filtre dans le cendrier.

On aurait dit que la cuisine avait été plongée dans

du formol, abandonnée pendant des années au fond d'une vaste cuve. Le linoléum noir et blanc était aussi froid que d'habitude, les casseroles en cuivre étaient accrochées aux mêmes clous ; jusqu'au mur qui portait encore, au-dessus du fourneau, cette longue traînée noire datant du jour où Mam avait laissé brûler la friteuse. Un pot de confitures trônait dans le placard au-dessus de l'évier — un pot des années soixante, avec l'image d'un nègre collée sur le côté — et de la moisissure s'était développée à l'intérieur. « Et si on ouvrait un musée ? » Il a fait oui de la tête et il a souri, mais je ne suis même pas certain qu'il ait entendu ce que j'ai dit. J'ai fait le tour de la cuisine. La poêle à frire noire était tout encrassée de gras. Le bocal de farine. Le couvre-théière en laine de Mam et ses arbres brodés disproportionnés avec leurs branchages plus épais que le tronc ; ce travail d'aiguille, peut-être un souvenir de son monde à elle, toujours sur le point de s'écrouler. Les tasses à thé avec toutes sortes de taches sur les bords. Deux ou trois boîtes de nourriture pour chat. Un morceau de pain et une boîte de thé dans le garde-manger. Quelques tranches de fromage Michelstown dans le frigo. Je les ai placées sur les étagères pour que le garde-manger ait l'air plus garni, mais ça n'avait aucune importance. Rien d'étonnant à ce qu'il soit aussi maigre. Je suppose qu'il se contente de grignoter, bien qu'il m'ait dit que Mrs McCarthy lui apporte quelquefois des repas le soir.

J'ai décidé de nettoyer tout ça quand il descendra à la rivière pour essayer de pêcher son gros saumon. « J'vais attraper ce salaud ce soir », a-t-il dit. Et il est parti, les cannes à pêche sur l'épaule, après avoir redonné du gonflant à ses mouches au-dessus du jet de vapeur qui s'échappait de la bouilloire, en redressant un peu l'assemblage de poils et de plumes.

Des araignées avaient pris logement dans la serpillière que j'ai sortie du placard. Je l'ai emportée dehors
et je l'ai passée sous le robinet. Elles ont déguerpi.
C'est bizarre de sentir la bruine se déposer sur mes
cheveux. Elle vient des tourbières et c'est le vent qui
l'a poussée jusqu'ici pendant que je rinçais le seau.
Voilà une odeur qui ne m'a jamais quitté : l'odeur âcre
de la terre noire tranchée par les coupeurs de tourbe,
même si je n'ai pas oublié non plus les relents de
puanteur animale qui s'échappaient de l'usine. L'air
sentait la charogne à cent lieues à la ronde.

Ce fut au moment où l'usine s'implanta que le
vieux et moi cessâmes nos bains dans la rivière, notre
lutte au petit jour contre le courant. Un matin, nous
étions là-bas, tremblant de froid sur la berge — j'avais
onze ans —, quand des morceaux de charogne provenant de vaches abattues passèrent devant nous en flottant ; l'eau était marbrée de sang, des ligaments
filandreux et des boyaux tourbillonnaient à la surface.
Ils apparaissaient par à-coups, comme expulsés d'une
veine ouverte. Figé, le vieux regarda la rivière, se
passa les mains le long du corps et s'éloigna, dégoûté.
Mam récupéra quelques morceaux qu'elle mit dans un
seau, puis elle se rendit à l'usine et les déversa sur le
sol. Jamais plus nous ne sommes allés nager après
cela. Mam se levait au petit matin, descendait seule
sur la berge, s'asseyait et regardait flotter les morceaux au fil de l'eau. Elle avait déjà les cheveux
argentés à l'époque et je suppose qu'elle éprouvait
depuis longtemps déjà ce profond sentiment
d'amertume.

Mais ces temps-ci ils ont tout nettoyé et je ne vois
plus de merde flotter à la surface bien que les barrages
aient ralenti le débit au point que la rivière offre ce

lamentable spectacle d'un cours d'eau s'écoulant goutte à goutte.

J'ai aperçu quelques employés en bleus de travail descendre à bicyclette au bout du chemin, rentrant de l'usine à viande. Je suis allé chercher un des appareils photo du vieux muni d'un zoom pour mieux les voir mais je n'ai pas reconnu un seul visage. Ils avançaient en traînant les pieds. Il y avait également quelques enfants qui jouaient dehors. Leurs têtes apparaissaient de temps en temps par-dessus la haie. Quatre gamins ont emprunté notre sentier et se sont arrêtés pour ramasser des marrons d'Inde sous le marronnier. Ils se bagarraient entre eux, jouaient aux petits diables et se lançaient d'énormes coups de poing qui manquaient leur cible. De loin, l'un d'entre eux ressemblait au fils de Miguel — les cheveux noirs en bataille. Je me suis éloigné de la fenêtre de la cuisine, j'ai versé du produit à vaisselle dans le seau, j'ai remué avec le manche d'une cuillère en bois et je me suis mis à nettoyer le sol tandis que le soir tombait. Sinon cet endroit va se noyer sous la crasse et lui se contentera de patauger là-dedans jusqu'à la fin de ses jours. J'ai frotté avec la serpillière en larges mouvements circulaires. Elle me glissait entre les doigts.

Il faisait très chaud ce matin d'été, il y a quatre ans, quand je marchais avec Miguel dans le village à la recherche de leur vieille maison. J'avais dix-neuf ans, je venais de débarquer de Londres et j'étais bêtement plein d'espoir.

Le fils de Miguel — un autre Rolando, baptisé du nom de son grand-père — s'accrochait à la main de son père comme s'il ne pouvait pas s'en décoller. Le petit Rolando portait un costume marin et se fouillait vigoureusement le nez avec un doigt. Il était effrayé par tous ces mots étranges que nous prononcions. Je ne connaissais que des rudiments d'espagnol appris dans un livre d'expressions étrangères que j'avais acheté à Londres, et l'anglais de Miguel était abominable. Nous avons descendu lentement la rue sous une chaleur accablante ; nous avons traversé le marché où les côtes de porc pendaient à des crochets et où des hommes en salopettes éclaboussées de sang hurlaient comme s'ils venaient eux-mêmes d'avoir été dépecés ; nous sommes passés devant des femmes aux visages burinés qui vendaient des bananes, des pommes et des cageots de légumes en boîtes, insensibles aux mouches qui vibrionnaient autour d'elles ; puis nous sommes revenus dans la rue où une camionnette crachait des jets de fumée noire, nous avons dépassé une énorme maison blanche où des roses poussaient dans la cour et où une femme aux larges hanches arrosait des géraniums rouges et blancs ; nous sommes passés devant un café qui vantait ses pâtés à la viande ; nous avons longé quelques bicoques miteuses où un chien fouillait furtivement les poubelles. Le soleil dardait ses rayons quand nous sommes arrivés à la lisière d'un parc desséché où deux vieillards jouaient aux échecs. Il y avait des enfants à bicyclette — ils étaient crasseux mais il faut bien dire qu'il n'y avait pas le moindre caniveau où ils puissent vaguement patauger. Le village n'était plus celui dont Mam et mon père m'avaient parlé. Sous le drapeau mexicain qui se trouvait sur la place centrale flottait la Bannière Étoilée. Un boulevard de la ville avait été rebaptisé pour saluer l'arrivée du commerce américain.

Miguel, le visage bouffi, baissait la tête. Il n'avait sans doute jamais ignoré — on aurait dit qu'il essayait de ralentir ma marche — que la maison avait été remplacée par une clinique dirigée par un jeune homme venu d'Italie, les joues parsemées de taches de rousseur, les cheveux brillants et noirs bien taillés autour des oreilles. Il avait fait abattre la maison, y compris la chambre noire, et construire la clinique ; une petite affaire pour un Blanc, dans laquelle il s'investissait bénévolement. Je regardai par la grille tout en poussant du pied quelques cailloux. Miguel se passa la main sur le front où perlaient des gouttes de sueur.

Une rangée de gosses maigrichons attendaient en compagnie de leurs mères devant la maison, à l'endroit où les poules picoraient autrefois. L'Italien entourait la jambe d'une adolescente d'un bandage blanc et fredonnait à voix basse, peut-être une chanson qui parlait de ses propres montagnes loin de là. Il me vit, mon énorme sac à dos sur l'épaule, et d'un mouvement de tête me fit signe d'avancer. « Viens, me dit Miguel, en me prenant le bras, tu connaître Antonio. » Mais je ne voulais pas connaître Antonio. Je ne voulais connaître personne. Le petit Rolando hurlait de toutes ses forces. Miguel lui donna une claque sur ses jambes nues et il cessa de crier. Nous avons fait demi-tour et en chemin un silence pesant s'est installé entre nous.

— Est-ce qu'elle est jamais revenue ? ai-je demandé un peu plus tard, une fois rentré chez lui

— Elle pas revenir, a répondu Miguel d'un ton définitif.

— Tu en es sûr ?

— Tu poser beaucoup de questions.

— Je suis désolé.

— C'est okay. Tu veux *una cabita* ? Elle pas revenir.

Sa femme nous a préparé des verres de rhum et de Coca-Cola. Des cartes géographiques étaient suspendues aux murs. Elles décoraient l'entrée, éclairées par la lumière d'un lustre de verre fantaisie. Miguel avait acquis une meilleure maîtrise de son art. Maintenant il créait des visages à partir de tracés de cartes géologiques ou de cartes d'état-major percées de trous représentant des faits historiques et ressemblant à des yeux fixés sur vous. Toutes sortes de révolutionnaires mexicains étaient dessinés à l'intérieur des vallées et des bassins géologiques, les villes étaient quelquefois utilisées pour les yeux, les collines pour les cheveux, les rivières pour les bras. Il me désigna Riley, une minuscule silhouette dessinée dans les contours d'une vallée suspendue. La tête s'appuyait contre le genou de Santa Anna qui elle-même était ramassée sous les épaules d'Emiliano Zapata. Chose extraordinaire, Miguel n'avait pas à déformer les lignes — il était resté fidèle aux tracés à l'intérieur desquels les visages se coulaient admirablement. Ça lui permettait de bien gagner sa vie puisqu'il les vendait à des galeries dans tout le pays. Quelqu'un lui avait passé commande pour un portrait de Salinas. Miguel était en train d'y travailler. Il disait qu'il n'y avait aucun lien entre son activité artistique et ses opinions politiques, mais le visage de Salinas était joufflu et bouffi, on aurait dit qu'il y avait un drapeau américain sur son épaule et que ses yeux étaient des écrans de télévision.

Les boissons furent servies dans des verres taillés dont le bord était décoré d'un liséré d'or. Je m'assis pour siroter mon verre. La chaleur était écrasante. Paloma tenait son verre le petit doigt levé. Une bague en émeraude brillait sur ce doigt-là. Elle parlait d'une voix haut perchée en bougeant harmonieusement les mains.

— Tu rester ?

Ils m'offrirent un lit installé sous leur porche et

entièrement protégé par une moustiquaire si bien qu'on avait l'impression d'une pièce extérieure avec en angle une vieille paillasse militaire, une Bible sur une table de nuit et, à côté, des bougies dans des chandeliers en argent.

Mais je n'acceptai pas l'offre — je voulais être seul — et je pris une chambre dans un hôtel situé près du tribunal, dans le vieux quartier.

Les façades en pierre de l'hôtel étaient arthritiques. Des morceaux s'étaient détachés et jonchaient la rue. Le tapis dans l'entrée était criblé de brûlures de cigarettes. De la musique douceâtre s'échappait des chambres voisines. A l'arrière de l'hôtel se trouvait un bassin protégé par une bâche bleue tendue au-dessus du patio. Les moustiques s'agglutinaient au-dessus de la bâche et formaient comme un cortège. Au crépuscule ils entrèrent dans ma chambre malgré le voile fin de la moustiquaire. Je les écrasai d'un coup sec avec une serviette en laissant sur le mur des traces qui s'ajoutaient aux milliers d'autres laissées par les clients qui m'avaient précédé. Même le plafond était constellé de marques qui formaient un collage de points rouges. Une femme de ménage entra de très bonne heure un matin où je dormais encore. Je distinguais ses hanches larges sous sa blouse. Elle leva la tête, regarda le mur et compta les taches de sang frais. « *Te la pasaste matando moscos anoche, verdad ?* » me dit-elle. Vous avez passé toute la nuit à tuer des moustiques, hein ? Elle agita un doigt brun et potelé et se mit à rire. Elle s'avança jusqu'à mon lit, m'ébouriffa les cheveux, passa les doigts sur ma joue et l'espace d'un instant je crus qu'elle allait venir se coucher à mes côtés. Mais elle plongea sa serpillière dans un seau puis enleva quelques marques sur le mur et m'annonça qu'elle reviendrait faire le lit plus tard. Je longeai le couloir pour me rendre jusqu'à l'urinoir déglingué qui se trouvait dans l'entrée et dont il était impossible d'arrêter la chasse d'eau, je trempai mon foulard dans le lavabo et je retournai dans ma chambre avec l'intention d'effacer les traces au mur, mais au lieu de cela je me rendormis dans la chaleur.

Des graffitis rouges ornaient les murs du tribunal. Des policiers couleur de muraille sortaient de l'ombre puis s'y confondaient à nouveau au milieu de ces gribouillages. Des vieillards, assis dans la rue devant des cafés, faisaient de grands gestes en parlant. Un labyrinthe de ruelles convergeait vers un centre commercial flambant neuf. Je tirai les rideaux, passai la tête à la fenêtre et sentis une brise légère. Un jeune homme était assis sur les marches de l'hôtel, un transistor comme on en voit dans tous les ghettos posé sur les genoux et d'où s'échappaient les trépidations d'une musique métallique. Noyés dans ce tintamarre, on entendait les cris perçants de mainates perchés dans les arbres et qui lâchaient leur fiente sur la rue. Je gardais toujours un couteau à portée de main dans mon sac à dos, juste au cas où. J'avais entendu dire des choses sur le Mexique : des étrangers dévalisés, jetés en prison, une lame d'acier enfoncée dans le ventre, des gens tabassés à mort, balancés dans un caniveau et livrés aux vautours qui décrivaient ces larges spirales voraces au-dessus du monde. Je passai le doigt sur la lame d'acier, je mis le couteau dans ma ceinture, puis je me ravisai et sortis retrouver cette ville où mes parents avaient vécu autrefois.

On me laissa tranquille. Peut-être à cause de ma peau mate et de mes cheveux noirs, héritage de Mam, mais je ne le pense pas. La ville vivait paisiblement sa population cosmopolite, ses couchers de soleil et ses dépôts successifs de poussière.

Un gamin chantait en s'accompagnant au violon sur une place remplie de pots de fleurs rouges et jonchée d'un fatras de papiers gras. Il avait la voix brute et rauque, un son qui aurait pu être celui d'un animal sauvage. Une femme d'âge mûr et son mari — qui, bien que très âgé, avait encore belle allure dans sa chemise sans col — s'approchèrent et s'arrêtèrent à côté de moi au bord du trottoir où je m'étais installé pour écouter. L'homme replia le bras autour de celui de sa femme et se mit à danser. Elle, un peu hésitante, avait les mains posées sur la manche de sa chemise, mais ils riaient quand ils descendirent du trottoir et s'éloignèrent entre deux camionnettes garées là. Sa démarche à lui était lente, son corps était visiblement perclus de rhumatismes. Les trous qu'il avait au bout de ses chaussures s'ouvraient et se refermaient à chacun de ses pas ; des chaussures marron tressées qui laissaient apercevoir des doigts de pieds calleux. Il inclina la tête vers l'épaule de sa femme et quand il sourit je vis qu'il portait un dentier. Il lui dit quelque chose, elle tendit le cou et effleura des lèvres ses joues mal rasées, l'embrassa sur l'oreille et continua de danser. Je tentai d'imaginer mes parents autrefois exécutant eux aussi ces pas de danse, mais en vain.

Le gamin qui jouait du violon prolongea sa chanson à notre intention et donna à la mélodie une force et une sensualité extraordinaires puis il fit un léger signe de la tête quand je laissai tomber un billet de banque dans son étui à violon. Le vieil homme me salua d'une courbette et d'un mouvement ample de son chapeau quand je m'éloignai, et sa femme eut un sourire.

La ville était plus grande que je ne l'avais pensé. Je déambulai pendant des jours dans des bars et des cafés, je sortis des billets de banque froissés de mes poches, je commandai des coups de tequila et tentai de m'imaginer ici quarante ans plus tôt, en stetson et en bottes. Mais en réalité j'étais tout simplement appuyé contre le comptoir d'un bar, ivre, avec ma boucle à l'oreille, mes Doc Martens rouges et une casquette de base-ball la visière sur la nuque, dans une ville où je comprenais à peine ce que les gens disaient. Ce n'est qu'après avoir ingurgité suffisamment de tequila que je parvenais à donner un sens aux histoires que mes parents m'avaient racontées, leurs interminables évocations du passé. Je m'installai sur une chaise dans un bar, je regardai un album de photos que j'avais emporté avec moi et je laissai libre cours à mon imagination. Quelque part ici on avait chanté « *Las Golondrinas* ». Dans la rue, juste en face de ce bar, se trouvait le poteau sur lequel on avait empalé sa photo — mais il n'y avait plus un seul poteau près du tribunal. Un peu avant j'avais vu une rangée de sauterelles empalées par des pies tout le long d'un fil barbelé. Les oiseaux carnassiers avaient exécuté leur œuvre à la perfection : les sauterelles étaient équidistantes les unes des autres sur les picots et un souffle bizarre passait sur elles, un de ces vents colorés que seule Mam connaissait. Je me plantai face au désert et je le saluai. Plus loin se trouvaient les endroits où les coyotes avaient peut-être chanté.

Je marchai à pas lents, la tête baissée et les sons d'une langue étrangère bourdonnaient autour de moi au rythme d'un calypso. Allait-elle brusquement apparaître ? Allait-elle descendre la rue ? Quelqu'un allait-il la reconnaître à travers les traits de mon visage ? Une odeur de nourriture flottait dans l'air. Je respirai profondément pour m'emplir les poumons de ce parfum. *Salsa*. Un parfum capiteux de *salsa*. Elle avait empli notre maison de ce parfum-là, autrefois, quand elle s'exilait dans notre cuisine de Mayo, penchée sur les fourneaux.

Je mis le nez dans la salle de billard et j'entendis le cliquetis étouffé des boules en ivoire semblable aux dernières et ultimes notes d'une minable rengaine. Un vieillard aux lèvres étranges se tenait dans un coin de la salle et buvait du Coca-Cola. Était-ce José, l'homme aux lèvres cousues ? Je tentai de dire quelque chose en espagnol, mais il se contenta de rire bruyamment, puis il appuya son avant-bras sur la queue de billard qu'il tenait à la main et dont il se servit comme d'une béquille, siffla pour obtenir l'attention de ses amis et me montra du doigt. Une fumée bleue flottait en volutes au-dessus des tables de billard. Quelqu'un cracha. Je me retournai et, tandis que je me dirigeais vers la sortie, un homme avec une casquette de base-ball rouge vint vers moi en brandissant un cadre à boules vide comme pour m'inviter à y laisser mes orbites afin qu'ils puissent jouer avec. Dans la rue, un gamin vendait des morceaux de cuivre inutilisables et des pierres aux formes bizarres. Il les pesait sur une balance en laiton. Je lui achetai quelques obsidiennes que je mis dans le cendrier de ma chambre d'hôtel où je m'allongeai, rideaux fermés, les mains derrière la tête, les yeux fixés sur le ventilateur qui tournait ; puis je m'endormis.

Quand je me réveillai, j'avais la gueule de bois et les moustiques s'en donnaient à cœur joie autour de moi.

Mes chaussures s'étaient légèrement fendues sur les côtés, au niveau du petit orteil. Dans ma chambre d'hôtel je les recollai. J'inhalai l'odeur de la colle, à pleins poumons, pour essayer de perdre pied avec la réalité — je me sentis stupide et puéril —, je jetai le tube, pris une douche glacée et, accroupi, je laissai l'eau me couler le long du dos, et je me mis à penser à des camions de pompiers sur les routes d'une autre ville, très loin d'ici.

Dans la bibliothèque de la ville, les fichiers étaient rangés dans des boîtes. Je ne parvenais pas à les déchiffrer — la jeune femme au guichet n'avait pas le temps de m'aider. Elle avait une beauté classique, les cheveux très courts, un corsage trop grand pour elle, de petites lunettes à monture dorée. Je voulus lui proposer un rendez-vous mais je ravalai mon offre. Je la vis quelques jours plus tard dans le hall d'entrée de l'hôtel. Elle était assise dans un fauteuil et sirotait un verre en mâchouillant une grosse branche de céleri. Elle me fit un signe bref de la main puis détourna la tête. Je traversai le hall d'entrée, mon balluchon sur l'épaule. La chaleur pénétrait par bouffées. La question toute simple que s'était posée un autre avant moi me taraudait : qu'est-ce que je fais ici ?

Je m'éloignai, en parlant tout seul.

Quand je retournai au parc, je revis les deux hommes qui poursuivaient leur partie d'échecs. Ils se souvenaient de mes parents. « Il était cinglé, me dirent-ils en espagnol, très grand et cinglé, toujours muni d'appareils photographiques. Elle aussi, elle était cinglée, mais pas autant que lui. » Ils me racontèrent que la maison était restée inoccupée pendant des années après le départ de Mam et de mon père. Personne ne l'habita jusqu'au jour où l'Italien y installa sa clinique. Les hommes remirent les pièces du jeu d'échecs dans leurs poches et m'accompagnèrent jusqu'à un cimetière. Ils m'indiquèrent une croix de bois, à la lisière sud. Je les remerciai, et l'un des deux me pinça la joue entre le pouce et l'index, en la tordant presque jusqu'à me faire mal. « Tu es jeune, dit-il, très jeune. » Il me fit un clin d'œil, ouvrit un petit sac qui pendait à son cou et en sortit une dent. Il me raconta vaguement qu'il portait en permanence sur la poitrine la denture des morts. Je lui demandai des explications mais il se contenta de secouer la tête. Je suivis des yeux les deux hommes qui s'éloignaient, courbés et enfermés dans leur vie quotidienne, leurs parties d'échecs, les gestes répétés de leur existence.

La croix de ma grand-mère était blanche et toute simple. Elle se dressait à côté de milliers d'autres. Les lettres noires de son nom avaient pâli. Je m'agenouillai et me présentai à elle.

— Salut, je suis Conor. Le soleil s'est levé à l'ouest.

Il y avait des punaises dans le lit de l'hôtel et j'avais le long des jambes toute une rangée de morsures pareilles à de petites perles rouges. Pendant des jours et des jours, je me traînai dans la ville ; la colle adhérait à mes chaussures. Je passai tout un après-midi désœuvré devant un cinéma abandonné, assis le dos au mur sous une affiche décolorée de Kung Fu, sous une voûte obscure. J'imaginai des films livrés dans leurs boîtes et déchargés de l'arrière d'une camionnette crasseuse, des gamins en short en train d'attendre, radieux sous un soleil de plomb, et battant l'air à coups de pied et de feintes. Une femme s'approcha et me donna une bouteille d'eau. Elle avait de longues mains squelettiques : « *Has de tener sed ; toma.* » Tenez, vous avez l'air d'avoir soif. Ses yeux brillaient comme des braises — savait-elle quelque chose ? J'essayai de lui parler mais elle se contenta de hausser les épaules, un peu étonnée, un peu amusée par les quelques mots d'espagnol que je tentai.

Une cloche sonna l'heure. Un vendeur de crèmes glacées chantait dans sa camionnette. Il était temps de partir. C'est ce qu'il chantait : il est temps de partir.

J'entendis clairement les paroles : il est temps que tu partes, il n'y a rien ici.

Dans ma chambre à l'hôtel j'essayai de dormir après avoir allumé une mèche antimoustiques. La fumée montait vers le ventilateur, et la cendre retombait en spirale au centre de la mèche. De la musique retentit dans la rue. C'était encore le vendeur de glaces : il est plus que temps pour toi de partir.

Je regardai une toute dernière fois la ville, espérant voir apparaître à l'angle d'une rue un visage, des cheveux gris, des sourcils arqués, des yeux mouchetés. La seule personne que je rencontrai fut le joueur de violon, mais ce jour-là il avait la voix bizarrement éraillée et ne chanta presque pas. Seulement quelques pesos dans son étui à violon. Il haussa les épaules quand j'y rajoutai quelques pièces et s'éloigna rapidement. Miguel m'accompagna jusqu'à la gare routière un vendredi matin à l'heure où les thermomètres dans les jardins commençaient à grimper dangereusement.

— Bonne chance, me dit-il.

Il me serra doucement la main. De grosses taches de transpiration marquaient sa chemise aux aisselles. Quand le bus démarra, le chauffeur se mit à siffloter un air, le même air, sans arrêt jusqu'à Monterrey, comme si l'aiguille d'un phonographe s'était coincée dans sa généreuse pomme d'Adam. Nous changeâmes de conducteur et descendîmes plein sud en direction de Mexico. Au bout d'un moment, je m'assis au milieu du bus, à l'endroit où les soubresauts provoqués par les ornières de la route étaient les plus atténués. Les vitres étaient grandes ouvertes, et le souffle d'air provoqué par la vitesse pénétrait à l'intérieur. Nous avancions en cahotant dans l'obscurité, traversant le désert, des villages perchés au bord d'impressionnants canyons, et les faubourgs de grandes villes.

J'aperçus un cirque qui montait son chapiteau, une gamine perchée sur un engin à une roue, des plumes s'échappant de ses cheveux, la poitrine débordant d'un gilet. Je voulus tendre la main vers elle, la toucher, voir si elle n'était pas le fruit de mon imagination mais le bus poursuivit bruyamment son chemin.

A la gare de Mexico, je marchai tête basse — je voyais s'agiter en tous sens sous mes yeux des pieds chaussés de sandales. Je les avais remarqués auparavant, ces jeunes étrangers en sandales de plastique, leurs guides *Lonely Planet* serrés sur la poitrine, reluquant avec convoitise la taille des sacs à dos que d'autres portaient. Je sortis de la gare et pénétrai dans la ville ; une cascade de gratte-ciel, une chape de fumée, un ciel plombé, des pigeons blancs picorant sous des arcades. Je déambulai, l'esprit engourdi, espérant toujours que Mam pointerait le nez à l'angle d'une rue et me ferait signe d'approcher. Mon avion pour San Francisco ne partait que le lendemain mais je savais que cette idée de vouloir la chercher était totalement stupide. Dans une rue grouillante de monde je vis quelqu'un piétiner un journal et brusquement je me souvins que c'était mon anniversaire, le vingtième. J'achetai une bouteille de tequila et m'assis dans un coin de l'aéroport pour boire discrètement. Il y avait une cacophonie de sons : des téléphones qui sonnaient, des annonces par haut parleur, des bruits de machines. Une idée me frappa à ce moment-là : je connaissais mieux le son des détecteurs de métaux d'un aéroport que le cri perçant des coyotes dont mes parents m'avaient si souvent parlé.

Des années plus tard, en Amérique, on me raconta que les Indiens Navajo croyaient que les coyotes, par leur chant, pénétraient les arcanes de l'univers, côtoyaient les frontières du néant, vivaient au-delà de toute temporalité, pointaient leur museau vers le ciel et, dans un cri, faisaient naître le monde à leurs pieds. Les Indiens les appelaient les « chiens chantants ». Par leurs hurlements ils donnaient forme à l'univers, chaque son se mêlant à un son, origine même de tous les autres chants. Il y a longtemps, quand Mam et Dad me racontaient toute leur vie au Mexique, je croyais ce qu'ils me disaient. Et je suppose que c'est encore le cas aujourd'hui. C'était mon chant du coyote à moi : ma mère près du fil à linge, mon père luttant contre le courant. Ils essayèrent de toutes leurs forces de me dire à quel point ils avaient été amoureux l'un de l'autre, à quel point la vie avait été belle, que les coyotes existaient vraiment et qu'ils avaient fait partie de leur univers en chantant pour eux le jour de leur mariage. Et cela avait peut-être été le cas. Peut-être qu'un gigantesque hurlement avait traversé tout le désert pour parvenir jusqu'à eux. Mais le passé est un domaine rempli d'énergie et d'imagination. Le souvenir nous permet d'épurer la mémoire. Nous réussissons à aménager notre univers à l'intérieur du quark originel qui marque l'instant de la grande explosion.

C'est la léthargie du présent qui nous terrifie. La lenteur, le prosaïsme, la pesanteur ordinaire du quotidien. Les heures interminables que j'ai passées à déambuler au Mexique, par exemple. Ou la seule activité à laquelle se livre aujourd'hui mon père, la pêche au lancer. Son pauvre chant du coyote à lui, le bruit d'une ligne fendant l'air.

Quand le vieux est rentré il m'a surpris. « Désolé », ai-je dit, la serpillière encore par terre, contre la porte, « j'étais à des kilomètres d'ici ». Il a répondu d'un signe de tête et s'est passé les doigts sur le crâne. Il regardait le sol d'un air stupéfait. Ça ne brillait pas, mais s'il laisse encore tomber une fourchette par terre, ça ne sera plus aussi sale. « Le gros s'est pas montré une seule fois aujourd'hui », a-t-il dit en suspendant son manteau à la patère fixée à la porte, un brin d'herbe accroché à sa manche. Il a ouvert sa musette d'un geste théâtral, un large mouvement de la main vers le plafond. J'ai été totalement époustouflé en voyant une petite truite à l'intérieur, une truite d'environ une livre. Il y a du poisson dans la rivière après tout. Je lui ai dit que ce n'était peut-être pas très sain tous ces engrais et toute cette merde déversés par les fermiers et par l'usine à viande, mais il a levé les yeux au plafond.

— Mettez-vous bien ça dans le crâne, m'a-t-il dit, toi et tous les autres jeunots de ton espèce. La rivière est propre comme un sou neuf, putain.

Il a vidé le poisson avec le long couteau de cuisine, il a mis son doigt replié à l'intérieur pour tirer sur les boyaux, l'a passé sous le robinet et s'est préparé un joli filet. Je lui ai dit que je n'en mangerais pas mais il m'a répondu qu'il s'en foutait, qu'il allait le cuire quand même. Il l'a fait frire dans la poêle, s'est assis à sa place à table, a mangé rapidement et s'est allumé une cigarette.

— Alors c'est ça que t'as fait toute la journée ?

— Je te l'avais dit, j'ai nettoyé par terre.

— Ah.

Il s'est levé pour allumer la radio, s'est ravisé, s'est appuyé à l'évier et a rejeté la fumée contre le bord de sa tasse.

— Je veux dire, après ça, qu'est-ce que tu as fait après ça ?

— Ça m'a pris toute la journée.

— C'est bien propre et bien glissant en tout cas, a-t-il dit en enlevant un de ses chaussons pour passer le pied sur les carreaux. J'espère que je vais pas tomber et me casser le cou.

Par la fenêtre de la cuisine, j'ai regardé le vent ondoyer dans les hautes herbes au bout du sentier ; ployées vers la rivière, elles semblaient se prosterner devant l'eau.

La chatte rousse semble très attachée à mon père — elle se frottait l'échine contre ses mollets après qu'il lui eut donné à manger la tête du poisson. Selon lui, c'est un chat de gouttière qui est arrivé ici il y a un mois après la mort d'un autre chat ; elle s'est approchée de lui et s'est mise à ronronner. Il semble ne pas lui avoir donné de nom, simplement le Chat. Il l'a prise dans ses bras et s'est mis à la caresser longuement, d'une poigne lourde, comme si dans ce mouvement ses doigts allaient peut-être cesser de trembler. Elle avait encore faim et miaulait pour qu'il la nourrisse. « T'as pas le ventre assez plein, le Chat ? » Brusquement il a levé les yeux, deux fentes noires et ridées, et il a dit : « Ça va et ça vient ces temps-ci à un point que tu n'imagines pas. »

Je l'ai suivi quand il a monté pesamment les escaliers en faisant craquer les lattes du parquet.

— Bon ben, bonne nuit. T'as fait du bon boulot avec le carrelage de la cuisine.

— Merci.

— Demain il va faire beau.

— Pourquoi ça ?

— Le ciel était rouge ce soir.

— Pas si rouge que ça.

— Ouais, un peu rouge quand même, a-t-il dit en essuyant ses lunettes contre sa chemise.

— Demain je continuerai à faire du nettoyage.

— Arrête ça, nom de Dieu !

— Quoi ?

— On dirait une vieille bonne femme en train de faire son ménage. Un peu de poussière n'a jamais fait de mal à personne.

— Sans doute que non.

— Ce sera une journée idéale pour aller pêcher.

— Idéale.

— Conor ? a-t-il dit en arrivant sur le palier. Quand tu pars à Dublin ?

— La semaine prochaine. Tu veux déjà te débarrasser de moi ?

— Je demandais, c'est tout, a-t-il répondu, furieux. Écoute-moi un peu.

— Ouais ?

— Je veux savoir quelque chose.

— Vas-y, crache.

— Pourquoi t'as pas écrit ?

— Oh, tu sais, moi et les lettres.

— Non, justement. Je ne sais pas, toi et les lettres.

— Oh, écrire c'est pas mon fort, c'est tout.

Il a fait oui de la tête, s'est appuyé d'une main contre le mur pour longer le palier.

— Je pensais que tu aurais écrit.

— Désolé.

— Ouais, a-t-il dit.

— Eh bien si.

— Je te crois, a-t-il grommelé, le dos tourné.

J'ai trouvé une mèche antimoustiques ce soir et je l'ai cassée en petits morceaux verts que j'ai mis au fond de mon sac à dos. Les moustiques au Mexique s'en donnaient à cœur joie dans cette atmosphère surchauffée. Ils attendaient. Ils rôdaient dans tous les recoins. Ils s'éloignaient de la fumée qui montait vers le ventilateur. C'était un vrai poison, cette chaleur, mais bizarrement j'aimais cela. Quand j'arrivai à San Francisco ce fut la fraîcheur ambiante qui me saisit.

L'officier d'immigration de l'aéroport regarda le cachet du Mexique sur mon passeport. « J'espère que vous n'avez pas chopé une chaude-pisse », m'a-t-il dit goguenard en me faisant signe de passer après avoir tamponné sur mon passeport une autorisation de séjour de six mois.

# JEUDI

## *Un besoin profond de miracles*

C'est d'un romantisme primaire, bien entendu, mais il a conservé absolument toutes les robes de Mam. Elles pendent dans une débauche de couleurs au milieu d'une douzaine de sacs de boules antimites. L'armoire était ouverte dans sa chambre ce matin quand j'ai jeté un coup d'œil à l'intérieur avant de descendre. Des robes très longues dont le bas traînait par terre ; des ourlets qui, au fil des ans, n'étaient même plus cousus, qui descendaient continuellement centimètre après centimètre, toujours davantage, jusqu'à ce que même ses jupes lui recouvrent les mollets. La manche d'une vieille robe *adelita* dépassait de l'armoire. Quelques chemisiers. Une robe de chambre était suspendue à un cintre par une épaule. Ses ponchos bien repliés sur l'étagère, à côté de ceintures enroulées. J'ai observé le vieux qui dormait encore, la chatte rousse sur l'oreiller près de lui. Son chapeau était posé sur la table de nuit, à côté d'une bouteille de Bushmills pleine. Il y avait comme une odeur dans la pièce — maintenant il souffre de flatulences qu'il a du mal à contrôler. Hier soir il a laissé échapper un pet pendant qu'on était à table dans la cuisine.

— Ouh là ! a-t-il dit. Y a une araignée qui aboie quelque part dans le coin !

Mais j'ai bien vu qu'il était confus que ça sente mauvais — il avait même les joues un peu rouges quand il est monté se coucher. Mais au moins il réussit à dormir. Quand Mam était ici il y avait des nuits où elle sortait de son lit — elle dormait déjà dans la chambre au bout du palier à cette époque-là — et quelquefois elle descendait travailler à ses murs de pierre, les yeux de plus en plus cernés, les traits de plus en plus tirés.

C'était la première fois que Mam voyait le nord-ouest du Mexique, et la Model A avançait tant bien que mal sur des routes étroites qui aboutissaient souvent à des lits de rivières desséchés. Ils roulèrent sur des plaques de boue, passèrent devant des églises envahies de mauvaises herbes, traversèrent de longues étendues de prairie où se dressaient des haciendas dont les murs blanchis à la chaux éclataient de lumière et contrastaient avec la couleur de l'herbe. Le matin, les villes s'animaient sous d'impressionnants amoncellements de nuages rouges que des volées d'oiseaux migrateurs traversaient, et un jour, une grue toute blanche et isolée sembla les suivre sur des kilomètres, en battant bruyamment des ailes, jusqu'à ce que l'oiseau change de direction et aille rejoindre l'un de ses congénères. Mam regardait derrière elle par-dessus le siège de la voiture : elle voulait sentir les pulsations de sa terre avant qu'ils ne se rendent à El Norte.

Ce fut un voyage sans histoire, mis à part les trois lapins de garenne écrasés sous les roues de la voiture le long d'une route à peine carrossable à Sonora. Mam voulut couper les pattes des lapins sur le bord de la route — un hommage à sa mère — mais le vieux, furieux, refusa de s'arrêter d'autant que la boîte de vitesses faisait entendre des bruits inquiétants. De plus, Mam avait déjà un bocal plein de pattes de lapin, et alors qu'ils roulaient vers l'ouest, elle en accrocha une demi-douzaine autour du chapeau de mon père. Le spectacle de ces colifichets lui pendouillant autour de la tête était ridicule — mais mon père se plia aux superstitions de Mam et mit son chapeau pendant qu'il conduisait. Tout au long de ces vastes espaces ils durent chicaner le prix de l'essence avec des garagistes efflanqués. Des enfants aux chemises en haillons les regardèrent passer, stupéfaits de voir la fumée qui s'échappait de l'arrière de la voiture. Des cavaliers, à leur passage, déportaient leur cheval dans le fossé. Ces hommes à cheval portaient quelquefois des fusils, et mon père ralentissait quand il arrivait à leur hauteur ; de gros rires fusaient à la vue de son chapeau. Il conduisait en tambourinant violemment sur le volant, impatient d'aller vers d'autres lieux, et de légères traces de transpiration apparaissaient dans les rides de son front.

Des années plus tard, dans notre Vauxhall Viva, que nous utilisions pour nos déplacements dans le comté de Mayo, une vieille patte de lapin mexicaine et une médaille de saint Christophe étaient accrochées au rétroviseur. Quelquefois la patte se balançait, comme animée, et allait cogner le pare-brise, et Mam la regardait comme si elle attendait que la patte fracasse la vitre pour elle et la ramène à l'époque où elle vivait dans son pays. Quand nous étions seuls dans la voiture elle et moi, elle s'entortillait dans d'épais pullovers et me racontait par bribes ce fameux voyage vers l'Amérique qu'ils firent en 1956, comment ils abandonnèrent la voiture et ne la revirent jamais.

Ils arrivèrent tant bien que mal jusqu'à un débarcadère sur les côtes de Tijuana au moment où un jet de
vapeur s'échappait brusquement du moteur de la voiture. Ils devaient être un spectacle à eux tous seuls, le
vieux agitant son chapeau au-dessus du capot ouvert,
ma mère soufflant, la lèvre en avant, pour se rafraîchir
le front, essayant de deviner à quel type de vent elle
avait affaire et quelles couleurs elle allait bien pouvoir
lui donner. A la tombée de la nuit, sur ce débarcadère,
mon père voulut rafistoler le tuyau d'échappement
avec du ruban adhésif, mais ils n'avaient pas de ruban
adhésif. Il rampa sous le moteur et donna de grands
coups de poing au châssis de la Model A. Mam se mit
à confectionner une bande de tissu en déchirant le bas
de sa robe pour voir si ça pourrait faire l'affaire.
C'était une bande de tissu blanc, comme elle me le
raconta plus tard, une bande de coton d'un centimètre.
Elle s'en souvenait avec une telle précision que ce
détail devait l'avoir hantée toute sa vie — c'était une
des dernières choses qu'elle se rappelait avoir faites
au Mexique, le pied sur le pare-chocs, le genou plié,
massacrant sa robe pour essayer de réparer la voiture
qui l'emportait loin de son pays.

Pendant qu'elle déchirait la robe, un inconnu aux
cheveux noir corbeau s'approcha : le capitaine d'un
navire de croisière qui avait fait escale tout près de là
pour des réparations urgentes à son bateau. Le capitaine leur offrit la traversée gratuite jusqu'à San Francisco. Une partie des membres de son équipage avait
disparu en bordée dans les ruelles étroites de Tijuana
où ils se noyaient dans des bouteilles de mescal. En
échange, leur dit-il, mon père pouvait s'occuper du
bar et ma mère faire le service. Le vieux s'extirpa de
dessous la voiture, serra la main du capitaine et jeta
les clefs de la voiture dans le port.

Ils finirent leur voyage vers l'Amérique à bord de ce bateau. Des serveurs en chemises blanches vous apportaient des verres décorés de petites ombrelles en papier. Des airs de jazz s'entremêlaient langoureusement, des morceaux de chansons d'Al Jolson percutant ceux de Billie Holiday. Une tête de cochon fut apportée pour le souper le premier soir, sa gueule ouverte ornée d'une pomme rouge. Mon père se tenait derrière le bar, un nœud papillon noir autour du cou, les cheveux lissés en arrière, ce qui laissait deviner le début de deux petits crans dégarnis sur son crâne. Il inventa des cocktails qu'il secouait d'un geste théâtral. Mam fut incapable de travailler ; elle fut malade pendant toute la traversée et vomit tripes et boyaux par-dessus bord. Elle restait dans sa cabine pendant qu'on servait le dîner. Un vent gris venu de la mer souffla pour elle et pendant un jour et demi le bateau avança en fendant les vagues. Parfois le soleil brillait mais la plupart du temps des nuages menaçants les accompagnaient. Quand ils approchèrent du port de San Francisco, Mam se coiffa les cheveux avec un vieux peigne et remonta sur le pont vêtue d'une robe couleur fraise et d'un chapeau à large bord. Alors qu'elle était appuyée au bastingage le bateau heurta la jetée, tangua un peu et elle eut à nouveau des haut-le-cœur.

Mon père descendit la passerelle en traînant derrière lui d'énormes valises. « C'est un jour merveilleux pour partir à l'aventure », dit-il à Mam pendant que des gens pressés passaient devant eux, « un jour merveilleux pour l'aventure ».

Cet après-midi-là ils se rendirent dans un vieux bâtiment délabré proche de la Mission, dans les bureaux de rédaction du magazine qui avait écrit à mon père. Le vieux avait rendez-vous, et Mam disparut vers les toilettes. En se coiffant devant un miroir cassé, elle fut sans doute étonnée de voir le visage que lui renvoyèrent les éclats de verre : ses yeux déformés lui descendaient au niveau du nez, ses pommettes étaient affaissées, une de ses oreilles était déplacée vers le haut si bien qu'elle lui flottait presque au-dessus de la tête. Peut-être passa-t-elle ses doigts bruns sur les segments cassés, peut-être leva-t-elle la main pour atteindre l'oreille qu'elle vit lui échapper et flotter un peu plus loin ; son corps ne lui appartenait plus, elle éprouvait encore les mouvements du bateau. Peut-être sentait-elle l'odeur saline qui se dégageait de ses sourcils ; peut-être qu'entre ses dents s'échappaient des nuées de mouettes qui, après s'être posées sur un pont de navire rose, prenaient leur envol. Je peux imaginer sa bouche d'abord arrondie en forme de O noir puis s'affaissant à nouveau, les lèvres soudain livides ; le mouvement régulier de vagues imaginaires multipliant les fractures comme l'aurait fait un kaléidoscope, ou bien des milliers de personnes lui prêtant un morceau de leurs visages, des milliers de fragments s'agençant les uns aux autres avant que le puzzle ne se brouille à nouveau au point qu'elle ne se reconnaisse plus dans le visage qu'elle fixait devant elle. Peut-être un œil vert, un autre brun, ou azur, ou rouge. De l'eau éclaboussa le miroir et retomba en gouttelettes dans les fentes, des gouttelettes qui retenaient elles aussi les images brisées comme des miroirs à l'intérieur de miroirs. Elle tendit la main vers le lavabo, s'y appuya, la robe couleur fraise contre la porcelaine blanche, secouée de haut-le-cœur ; elle sentit que deux bras l'entourait.

— Ça va ?

Le visage de Mam se redressa et rencontra dans le miroir son reflet imbriqué dans le visage de la femme qui se tenait derrière elle, si bien qu'elle vit tout à la fois du brun et du blanc, une peau fine et l'autre grêlée, un visage plein et l'autre émacié.

Cici Henckle avait une cigarette qui lui pendait aux lèvres et le miroir fracassé découpa la cigarette en cinq morceaux différents. Elle aida ma mère à se pencher au-dessus du lavabo et un liquide nauséeux lui éclaboussa les doigts. « Allez, essayez de tout dégurgiter », dit Cici, des nuages de fumée lui sortant de la bouche. Elle était entièrement vêtue de noir, un col roulé, un collier d'obsidienne, une jupe longue garnie de pompons. Ses cheveux étaient sombres, eux aussi, coiffés sur le côté et lui retombant sur les épaules. De longues mains aidèrent Mam à se pencher au-dessus du lavabo pendant une demi-heure. « Vous êtes plus pâle qu'un linge », dit Cici tout en se lavant les mains et en mettant un peu de rouge sur les joues de Mam.

Mam ne disait rien. Elle était appuyée au lavabo et elle accepta le rouge à joues en regardant le miroir se remettre en place. Des albugos formaient comme des notes de musique sur les ongles de Cici qui passait les doigts en cercles sur les joues de Mam. « Qui vous accompagne ? » dit Cici. D'un mouvement nerveux de la tête, Mam se tourna vers la porte des toilettes.

A l'extérieur, mon père était avachi sur une chaise, le chapeau sur la tête. Le magazine venait de lui annoncer qu'il y avait eu une erreur, que c'était à New York qu'on avait besoin de lui, qu'ils lui avaient écrit au Mexique, que la lettre n'avait pas dû arriver. Ils lui donnèrent de l'argent pour les clichés des mines de cuivre et lui dirent de prendre un bus pour aller jusqu'à la côte est.

— Votre copine, elle est malade comme un chien, dit Cici, quand elles sortirent des toilettes.

— Viens, ma chérie, dit le vieux, ignorant délibérément Cici. Il faut qu'on parte.

Cici, sans perdre de son aplomb, aida Mam à rejoindre mon père. Elle gardait un bras autour de la taille de ma mère et de sa main libre sortit une autre cigarette, l'alluma et d'un coup de pied dégagea de son chemin les jambes de mon père qui s'étalait de tout son long comme si cela était parfaitement naturel.

— Dites donc, mon petit chéri, j'ai dit que votre copine elle est en train de dégueuler Dieu sait combien d'années de bouffe. Et vous, vous êtes assis là à rien foutre. Putain, quel genre de type vous êtes, hein ?

— Il faut qu'on aille quelque part, dit-il.

— Où ?

— New York.

Il prononça ces mots d'une voix étouffée, comme si des lampes photographiques lui sortaient de la gorge.

— Elle est à peu près autant en forme pour aller à New York que votre putain de chapeau. Elle a besoin de voir un docteur. De se reposer.

Mon père secoua la tête, alluma une cigarette.

— Elle a juste un peu le mal de mer.

— Le mal de mer mon cul : ce plancher ne tangue pas, si ?

Cici s'installa sur une chaise et se pencha vers Mam.

— Vous pouvez venir chez moi si vous voulez. C'est pas extra mais j'ai un lit supplémentaire. Le petit chéri aussi est le bienvenu. Du moment qu'il ne vous fait pas porter les valises.

L'appartement de Cici se trouvait dans une vieille maison sur Dolores Street, pas très loin de la Mission. Des azalées d'un blanc sale couraient le long des grilles en fer forgé, et des restes de graffitis les accueillirent dans la cage d'escalier. L'appartement était crasseux. Autour de valises débordant de vêtements il y avait des papiers, des cendriers, des bouteilles, des biscuits à moitié mangés, des lampes sans abat-jour. Découpée dans un journal, une photo de James Dean, les cheveux ébouriffés, était posée contre un mur et flanquée de trois bougies. Cici envoya un baiser au portrait de l'acteur. Mam avait encore la tête qui tournait quand ils l'allongèrent sur le lit.

Comme Cici ne trouva pas de serviette propre, elle plongea une chaussette blanche dans l'évier et tamponna le front de Mam. Cici resta au chevet de ma mère pendant presque deux jours, assise près du lit dans son pull-over à col roulé noir, des cigarettes coincées entre ses dents comme si elle craignait qu'elles ne sautent de sa bouche et ne la quittent. Elle était maigre comme un clou, plus âgée que Mam, environ trente ans. Elle parlait pour rester éveillée, marchait de long en large, écartait les rideaux, montrait les arbres du doigt, donnait à ma mère le nom des formations nuageuses, bavardait avec elle tandis que l'obscurité estompait les formes autour d'elles. Poète, Cici s'était rendue dans les bureaux d'un magazine cet après-midi-là pour essayer de vendre ses œuvres. Elle avait écrit un livre, qui s'était vendu à cent exemplaires, une petite édition à couverture beige dont le dos se cassait et se déchirait quand on l'ouvrait. C'était l'histoire d'un été passé dans un poste de surveillance des incendies dans le Wyoming. Elle l'avait tapée sur une ramette de papier d'emballage de boucherie, blottie dans la tour d'observation, dans l'attente d'incendies. Les feuilles de papier n'avaient pas cessé de se dérouler sous sa machine à écrire puis de s'enrouler plus ou moins en s'amassant sur le sol pendant qu'une radio derrière elle lui remontait le moral.

Quand le livre fut imprimé, elle resta dans le Wyoming pendant deux ans pour tenter de le vendre, mais seul un ranger du nom de Delhart y prêta attention et essaya de racoler quelques clients en trimbalant des exemplaires sous le siège de sa camionnette verte, au milieu de gobelets à café vides. Elle était tombée amoureuse de Delhart, elle vécut avec lui dans une cabane à la lisière de la forêt mais le quitta pour venir à San Francisco avec comme seul bagage une valise pleine des livres à couverture beige. Elle lut ses poèmes dans des clubs de jazz. A l'époque les gens étaient accros à la méthode zen et aux amphétamines, et suspendaient des petites poupées hindoues aux boutons de leurs chemises avachies. Tous applaudissaient et se prosternaient devant des trompettistes dont la peau noirâtre luisait de transpiration. Des volutes de fumée de cigarettes s'élevaient dans tout le bar comme des vapeurs d'encens. La seule obole que reçut Cici fut une gorgée de vin rouge qu'on lui offrit à même la bouteille ; alors elle prit un emploi de serveuse et chanteuse dans un club de travestis pour une clientèle masculine asiatique. Delhart lui écrivit. Ses lettres contenaient toutes des capsules de bouteilles qu'elle rangeait précieusement sous la photo de James Dean. Delhart lui envoya aussi un brin d'herbe et lui dit de s'en faire une bague en citant Whitman : « Je crois qu'une feuille d'herbe est à la mesure du labeur des étoiles. »

Mam baissa les yeux et, le regard troublé par la fièvre, vit le brin d'herbe au doigt de Cici ; l'anneau était à présent entouré de papier collant, le dur labeur vers l'humus.

— Vous savez, lui dit Cici, vous devriez retourner tous les deux avec moi dans le Wyoming. Ça ne vous ferait pas faire un gros détour.

Elle sortit et se rendit dans le salon où mon père était vautré sur le canapé. Il avait tendance à faire du bruit avec ses lèvres en dormant.

— On dirait qu'il est en train de manger ses rêves, dit Cici en riant quand elle revint dans la chambre et qu'elle se pencha sur Mam.

« Alors, hein, vous en pensez quoi ? Va pour le Wyoming ?

— J'aimerais bien, dit Mam.

Mais plus tard le vieux fit non de la tête, regarda par la fenêtre de l'appartement et répondit qu'il était rudement temps qu'ils rejoignent New York.

— Pourquoi tu n'attends pas, Michael ? demanda Mam. Pourquoi n'attends-tu pas un jour de plus et après on s'en ira ? J'ai besoin d'un peu de temps pour aller mieux.

Je peux l'imaginer acceptant d'un hochement de tête, puis mettre son manteau, sortir pour trouver un téléphone, appeler le magazine à New York et leur raconter qu'il était retardé malgré lui. Pendant les deux jours qui suivirent il resta hors de l'appartement l'après-midi, pendant que Mam et Cici bavardaient. Il alla marcher au bord de l'eau et envoya des ronds de fumée par-dessus la baie, le col de son manteau relevé bien que ce fût le début de l'été. La triste mélopée des cornes de brume parvenait jusqu'à lui. Des plongeons sortaient de nuages chargés de pluie et piquaient vers la mer au-dessus du Golden Gate. Il se balança au bord de funiculaires, l'appareil photo bien en équilibre. Quand il rentra à l'appartement les deux femmes étaient là, les mains protégées par des gants en caoutchouc jaune, riant aux éclats ; l'appartement était nettoyé, les valises faites et dans un coin il y avait une pile de livres oubliés.

Ils traversèrent une grande partie de l'Amérique en

bus parce que aucune ligne ferroviaire n'était encore construite pour relier les différents États. Les routes étaient longues, noires et elles miroitaient au soleil, traversées quelquefois par des vaches égarées, ou des troupeaux d'antilopes qui piétinaient le revêtement puis bondissaient par-dessus des clôtures. Pendant le voyage, Mam fut à nouveau malade. Le bus s'arrêtait tous les cinquante kilomètres, et Cici soutenait ma mère qui vomissait contre la roue de secours. Elle mit son manteau autour des épaules de Mam, sortit de son sac à dos du pain rassis dont elle la nourrit, lui essuya le front quand Mam eut un nouvel accès de fièvre. Le bus avançait lentement. La Californie s'étirait, interminablement sèche et désolée ; le Nevada apparut, paysage fait de bosquets de sauges et de genévriers ; quelques chevaux sauvages galopaient à l'unisson à travers le désert montagneux. Avant d'arriver à la frontière de l'Idaho, le bus faillit renverser un gamin dont le pouce était recouvert d'un bandage sale. L'enfant s'était endormi sur le bord de la route pendant qu'il faisait du stop.

— Putain, fiston ! dit le chauffeur du bus qui s'arrêta et le réveilla.

Le garçon avait des cheveux blonds et courts, dressés en épis sur la tête. Il s'avéra qu'il se rendait à San Francisco, et Cici lui donna un billet de cinq dollars tout neuf ainsi que deux adresses qu'il nota à l'encre à même son sac de toile. Quelques années plus tard, dans les années soixante — c'est en tout cas ce que me raconta Cici — elle rencontra à nouveau le jeune garçon au cours d'une surprise-partie où ils étaient tous les deux sous l'influence du LSD. Les cheveux blonds étaient plus longs qu'autrefois, et le jeune garçon lui rendit le billet de cinq dollars — il l'avait trempé dans de l'acide lysergique. Ensemble ils dépensèrent le billet à se nourrir pendant les trois jours qui suivirent. Deux mois plus tard, on retrouva son corps rejeté par la mer à l'extrémité sud de Half Moon Beach en Californie. Cici considérait comme une particularité dans sa vie que les visages et les événements ne cessent de revenir la hanter — quand je fis sa connaissance elle me raconta qu'elle était stupéfaite que ce voyage en bus continue de l'émouvoir autant et aussi profondément : tous ces gens qu'elle rencontrait, tout ce qu'elle voyait, elle se souvenait de tout, du bandage autour du pouce de ce gamin, du bruit de ferraille du moteur de bus, du mouchoir blanc dans ses mains pour éponger doucement le front de Mam.

Le vieux était assis sur le siège derrière elles, et l'Amérique se déroulait devant ses yeux écarquillés. Il avait constamment le nez collé à la vitre et il tripotait son appareil photographique.

Quand ils arrivèrent à Boise, ma mère était tellement déshydratée que même le rouge à joues de Cici n'était plus d'aucun secours. Ils prirent une chambre à l'hôtel où ils restèrent trente-six heures, le temps pour Mam de récupérer un peu. Cici s'affairait à son chevet et parlait de Delhart. C'était un homme rustre à la barbe brune et aux yeux translucides. Elle se souvenait surtout de ses mains — d'énormes bateaux aux ongles terreux. Elle avait souvent pensé à ces mains après être allée dans l'Ouest pour voir le Pacifique — quelquefois elles la caressaient en rêve la nuit. Elle l'avait rencontré après un incendie ; il était venu jusqu'à son poste d'observation un soir et avait fini par y passer la nuit, par lui faire l'amour et ensuite par étouffer dans l'oreiller sa toux grasse de fumeur.

A partir de Boise ils furent pris en stop et voyagèrent à l'arrière d'une camionnette et ma mère commença à se sentir mieux parce que l'air frais qui lui frappait le visage calma ses accès de fièvre et lui remit l'estomac en place. Cici, assise à ses côtés, les pieds sur le hayon, regardait défiler l'État d'Idaho. « Pourquoi vous venez pas chez moi passer un jour ou deux ? Je remonterai pas sur ma tour avant la semaine prochaine. » Pendant la nuit la camionnette avança en brinquebalant jusqu'à l'arête des Tetons, grimpa des routes étroites et aussi accidentées que des montagnes russes, traversa des forêts de pins, franchit d'énormes défilés au-dessus desquels planaient des busards à queue rouge. Ils se serrèrent les uns contre les autres sous des couvertures dans le froid glacial. Cici alluma une cigarette et tordit le brin d'herbe qu'elle portait au doigt.

Delhart les retrouva au matin devant un café de Jackson Hole. Le ranger avait au visage une cicatrice en forme de fer à cheval. Du pied il fit semblant de repousser des pierres. « J'ai quelque chose à te dire, Cici. » D'un geste il demanda à mes parents de s'éloigner, prit Cici par la main, l'entraîna vers un bar dont les murs étaient ornés de bois d'orignaux et commanda du café. Delhart lui expliqua qu'il avait fait la connaissance d'une Indienne Ute, qu'il n'avait osé le lui dire dans aucune de ses lettres. La femme était enceinte. Il expliqua à Cici qu'ils pouvaient adopter l'enfant et l'élever tous les deux. Cici s'appuya au dossier de la chaise, observa la sueur qui perlait sur le front de Delhart, qui coulait lentement et descendait goutte à goutte jusqu'à son menton. « Qu'est-ce qu'elle est ? Un putain de facteur ou quoi ? Vite montée, vite expédiée ? » « Qu'est-ce que tu veux dire ? » demanda Delhart. Le café atterrit directement sur sa chemise verte. « T'es un salopard, dit Cici, ne m'approche pas. » Elle remua son café pendant que Delhart s'en allait et elle regarda ses mains comme si elles lui étaient devenues étrangères.

Cet après-midi-là Cici, décidant qu'elle voulait revoir sa tour dans les montagnes, emprunta une camionnette et des clés à un autre ranger. Pendant que mon père dormait dans un hôtel à l'entrée de la ville, Cici et Mam partirent ensemble et roulèrent sur des routes de campagne longues et sinueuses. Mam s'assit à côté de Cici et, penchée vers elle, la réconfortait. « Je vais bien, disait Cici. Je m'en fous complètement. » Le vent s'engouffrait par les vitres ouvertes, et, étant donné sa sécheresse, on pouvait déjà redouter des incendies.

Cici emporta une gourde de vin pour les cinq kilomètres de marche à pied qu'elles avaient à faire jusqu'à la tour d'observation, et grimpa sans dire un mot, ses yeux verts fixés droit devant. Ma mère suivait péniblement dans une robe jaune pâle. Elles gravirent des pentes escarpées, contournèrent des rochers veinés de givre, avancèrent sur des chemins de terre qui creusaient d'étroits passages dans les futaies. Elles montèrent vers la ligne de faîte des arbres, franchirent quelques bancs de neige encore dure, et quand elles s'arrêtèrent ensemble pour reprendre leur souffle, Cici éclata de rire. « J'en ai rien à foutre de lui, c'est un salopard. » Cici sifflait pour effrayer les ours qu'elles auraient pu rencontrer en chemin. Elle cessa de siffler quand elles arrivèrent brusquement au bord d'un éboulis ; mais elles n'avaient plus peur et passèrent tranquillement entre les rochers pour atteindre enfin le sommet.

Ce fut pour Mam un spectacle étonnant : de la neige sur les pentes nord de la montagne, des traînées vertes apparaissant par endroits sous ce manteau blanc, des aigles portés par les courants d'air chaud, pas la moindre poussière des kilomètres à la ronde.

La tour, une petite construction grise, était perchée au sommet de la montagne comme un oiseau prêt à prendre brusquement son envol. Un paratonnerre se dressait vers le ciel comme un symbole obscène. La carcasse pourrie d'un jeune cerf gisait non loin d'un abreuvoir rempli d'eau croupie. La porte de la tour grinça quand elles entrèrent, et à l'intérieur l'air était imprégné d'une forte odeur de moisi. Elles s'assirent par terre, les jambes croisées dans la position du lotus, enveloppées dans de vieilles couvertures miteuses, et elles se passèrent la gourde de vin. Il n'y avait pas un nuage dans le ciel pour retenir la chaleur et elles se mirent à trembler de froid. « Je m'en fous, répéta Cici. J'en ai rien à foutre de lui, quelquefois les gens sont pas ce qu'ils semblaient être, on se fait tout un cinéma à leur sujet, et après... et puis merde, ça m'est égal. »

Elle tirait sur les longues mèches de cheveux qui lui retombaient sur le visage et se balançait d'avant en arrière, les genoux ramassés sur sa poitrine. Elle fixait du regard une toile d'araignée dans laquelle s'étaient pris des insectes et qui bougeait légèrement dans le souffle d'air froid entrant par la porte ouverte. Cici se leva, ferma la porte et donna une chiquenaude à la toile d'araignée. « J'en ai jamais eu rien à foutre de lui. » Elles continuèrent à boire du vin et un peu plus tard, pendant que Mam dormait, le corps de Cici fut saisi d'une impulsion, une étrange impulsion qui la fit sortir de la tour, passer entre les roches éparpillées çà et là, descendre jusqu'à l'abreuvoir en trébuchant, se pencher et boire, plus ou moins avachie contre les parois métalliques. Elle plongea le regard dans l'eau et, ivre morte, se mit à glousser.

Elle écarta les larves d'insectes qui flottaient à la

surface, enleva ses chaussures d'un coup de talon, rangea soigneusement ses chaussettes à l'intérieur, et, les deux mains posées de chaque côté de l'abreuvoir, elle eut un mouvement de bascule pour entrer dans l'eau. Elle sentit le froid envahir ses jambes, sa colonne vertébrale, ses mains, l'eau se mit à clapoter contre les parois et quelques gouttes retombèrent sur le sol. Elle déplaça son corps dans l'eau et regarda les ondulations qui se formaient à la surface ; puis elle s'appuya au bord des pieds et des coudes, resta allongée sans bouger et gloussa à nouveau. « Je m'en fous. » Les yeux levés vers la nuit, elle observa les étoiles filantes et les contours bien nets de la lune à l'ouest s'acheminant vers le petit matin. Elle sentit s'alourdir ses vêtements gorgés d'eau et les larves lui grouiller dans les cheveux. Des lucioles au corps lumineux voletaient autour d'elle, et elle se mit à rire quand elle se redressa et s'assit dans le réservoir d'eau de pluie, attendant de mourir de froid.

L'aube avait laissé quelques mouchetures dans le ciel et cette matinée, à l'heure où Mam se réveilla, aurait pu être la plus paisible du monde : des oiseaux se laissaient porter paresseusement par les courants d'air chaud, des insectes s'activaient au bout des tiges des hautes herbes et le soleil prenait peu à peu des teintes jaunes au-delà de l'extrémité du repère. Elle sortit de la tour en bâillant pour chasser sa gueule de bois et vit le corps bleu de Cici, les jambes et les bras raides au-dessus du bord de l'abreuvoir. « ¡ *Carajo* ! » On aurait dit que le visage de Cici avait été apprêté pour figurer sur son faire-part de décès. Ses lèvres étaient figées dans ce qui ressemblait à un sourire. Ses cheveux noirs contrastaient violemment avec la blancheur de sa peau. Les larves d'insectes avaient cessé de grouiller et s'accrochaient maintenant à ses jambes et à ses cuisses. Mam plongea les bras à l'intérieur de l'abreuvoir. L'eau était huileuse et adhéra aux parois.

Un jour, au Mexique, elle avait ramassé le corps d'un oiseau mort et avait été stupéfaite de sa légèreté. Elle passa les mains sous le dos de Cici. Tu es tellement légère, pensa-t-elle. Mam prit Cici par les épaules et se mit à la hisser hors de l'eau mais les pieds, en appui sur le bord, freinaient le mouvement. Mam tira à nouveau de toutes ses forces. Les pieds, rigides et inertes, heurtèrent le sol. Elle traîna Cici jusqu'à la tour. Une petite coupure s'ouvrit entre les orteils. Mam, totalement paniquée, regarda aux alentours. Pas de radio. Elle allongea Cici par terre, lui enleva ses vêtements mouillés, l'enveloppa de couvertures et lui frotta la poitrine à l'endroit où le cœur battait encore faiblement. Elle se sentait coupable et massait frénétiquement le corps de Cici. Mam enleva ses propres vêtements et en recouvrit Cici, puis elle lui enfila des chaussettes. « Michael ! » L'appel vers mon père retentit dans toutes les montagnes avoisinantes. Rien ne bougea. « ¡ *Por Dios* ! » La carcasse du cerf vint brusquement la hanter. Elle prit les mains de Cici et lui réchauffa les doigts dans sa bouche. Elle suça les doigts pendant très longtemps jusqu'à ce qu'elle perçoive le premier frémissement ; la tête de Cici se tourna légèrement sur le côté. Allez ! Elle mit dans sa bouche autant de doigts que possible, laissa la salive chaude couler dessus, sur les ongles marqués d'albugos — lorsqu'elle était enfant on lui avait dit que les albugos, quand ils s'étendaient jusqu'en haut des ongles, signifiaient qu'elle recevrait un don. La langue de Mam descendait presque jusqu'à la ligne de vie de Cici qui se remit à bouger.

Mam passa la main vigoureusement sur la cage thoracique de Cici — mon père lui avait parlé de la famine en Irlande et lui avait raconté qu'on avait un jour retrouvé un homme et sa femme morts de froid près de leur cheminée sans feu. Les pieds de la femme étaient gelés et appuyés contre la poitrine de l'homme qui les avait glissés sous sa chemise pour les réchauffer. On aurait dit que la femme avait été crucifiée ainsi à la poitrine de son mari. Mam, la bouche sèche, se redressa, prit les couvertures et frictionna le corps de Cici. « Michael ! » A présent les doigts de Cici bougeaient ; elle les frottait les uns contre les autres, comme si elle comptait de l'argent. Mam se pencha et lui murmura des mots à l'oreille. Elle prit brusquement conscience de la nudité et de la tristesse de la tour, mais il faisait encore trop froid pour traîner Cici à l'extérieur. Le soleil n'était pas assez haut. « Allez ! » Elle prit dans ses mains la tête de Cici qui se mit à dodeliner comme si le cou avait été brisé. Il y avait des traces d'acné sur le menton de Cici et de petits poils, droits comme les aiguilles d'un conifère. La bouche, entourée de granulations, se mit à bouger et Mam recommença à frictionner Cici avec les couvertures. Cici marmonna quelque chose ; alors Mam se pencha et, les lèvres sèches, l'embrassa sur le front.

— Ça va aller.

Maintiens-la au chaud. Parle-lui jusqu'à ce que le soleil soit suffisamment haut. Essaie de trouver un peu de nourriture. « Michael ! » Cici se mit à bouger un peu plus, fit entendre une espèce de rire, comme de faibles petits bruits de déglutition.

De très loin, quelque part dans la vallée, parvint un cri assourdi. Mam empoigna les pieds de Cici et les frictionna pour les réchauffer. Une chose étrange se produisit quand les yeux de Cici s'ouvrirent un peu plus : un essaim d'énormes papillons bruns sortit des arbres en contrebas, volant tous à l'unisson, pareils à un gigantesque tissu sombre flottant à travers la forêt, des milliers d'insectes d'un seul coup, qui pénétrèrent à toute allure dans les futaies puis reprirent de l'altitude, leurs ailes martelant leurs corps graciles. Ma mère attribua ce phénomène à quelque miracle — on avait toujours un besoin profond de miracles, pensat-elle. Plus tard Cici en donna une explication plus prosaïque : c'était simplement les caprices de la nature ; les papillons avaient sans aucun doute été chassés de l'endroit où ils nichaient par un animal dans les arbres — une menace quelconque, un phénomène naturel.

Quand mon père arriva là-haut avec Delhart, une demi-heure plus tard, il avait à la main une gourde pleine de vin. Il fut stupéfait de voir Mam toute nue se balançant d'avant en arrière sous le soleil, Cici à ses côtés, sous les couvertures, portant les vêtements de Mam. Un fil à linge était tendu entre deux poteaux en bois, et les vêtements de Cici claquaient au vent. « Qu'est-ce qui est arrivé ? » dit Delhart à ma mère. Ma mère le fusilla du regard, se retourna et fixa mon père. « Il est arrivé un accident, Michael. » Elle avait la voix qui tremblait.

Cici, allongée sur les couvertures, leva les yeux. « Oh, voilà ces petits chéris. »

Le vieux s'assit par terre, enleva son chapeau et le posa à côté de Cici. Delhart s'éloigna, redescendit dans la vallée, sans un mot, la gourde à la main. Mam alla jusqu'au fil à linge et enfila la robe de Cici.

— Je reste, dit-elle à mon père. Je reste ici jusqu'à ce qu'elle aille mieux. Et ne me demande pas de changer d'avis.

Le vieux Père Herlihy ne m'a pas reconnu chez Spar. Il achetait un paquet de cigarettes et flirtait avec la fille au comptoir. « Et comment vont les études ? » était-il en train de dire, une lueur coquine dans l'œil. Elle ressemblait à l'une des filles O'Meara, avec ces grosses taches de rousseur sur les joues. Le Père Herlihy a pris un peu d'embonpoint qui lui retombait sur la ceinture du pantalon et tirait sur les boutons de sa fine chemise noire. L'esprit ailleurs visiblement, il fouillait dans la poche de sa veste noire, à la recherche d'allumettes. La fille du comptoir lui a souri et a pris une boîte posée contre la caisse enregistreuse. « Ne vous en faites pas, mon Père, c'est la maison qui vous les offre. » Il est sorti, tout sourire, et il est passé devant moi sans même un regard. Il a laissé cinquante pence sur le comptoir et ça a mis la fille dans tous ses états pendant quelques secondes. Elle a rapidement glissé la pièce dans sa poche et s'est mise à se regarder les ongles où il restait un peu de rouge écaillé. Elle a monté le son de la radio et m'a souri : « J'adore cette chanson », a-t-elle dit. Je dois admettre que ce n'était pas trop mauvais ; moi aussi j'ai eu envie de me trémousser au milieu des lessives en poudre. J'ai rempli cinq sacs de nourriture, j'en ai mis trois dans le panier fixé à l'avant de la bicyclette et j'ai suspendu les deux autres de chaque côté du guidon.

La Raleigh noire n'avait rien de très confortable ; il n'y avait plus de ressort à la selle et quand j'appuyais sur les pédales il y avait un net à-coup, comme un hoquet. Ce n'était pas facile de rester en équilibre avec tous ces sacs lourds, et j'ai dû rattraper un paquet de biscuits qui a brusquement glissé quand j'ai frôlé un réverbère. Goldgrain, ses préférés. Mais je crois bien qu'ils n'ont plus la même présentation, et j'ai failli ne pas les voir dans le magasin. Je lui ai acheté aussi un paquet de Major, mais c'est le dernier que je lui achèterai sinon il va finir par cracher ses poumons et on les retrouvera sur le fil à linge, comme les lapins de grand-mère, flottant au vent.

En descendant la rue principale j'ai vu les vieux fermiers, qui venaient de s'en jeter un au pub, appuyés contre la portière de leur voiture. Des affiches du Fine Gael datant des dernières élections jonchaient le sol et tournoyaient tout autour de leurs bottes en caoutchouc. L'un des fermiers écrasait du talon le visage d'un homme politique. Toutes les affiches du Fianna Fáil étaient encore collées sur les réverbères, surveillant la ville, mais quelqu'un avait déchiré toutes les autres. La ville n'a pas beaucoup changé, pas grand-chose n'a changé, un peu comme dans la cuisine. Derrière le magasin de vidéo, un labrador à poils roux fouinait un peu partout, le nez fourré dans les poubelles. A l'intérieur du magasin, deux gamines, habillées des pieds à la tête de couleurs criardes, levaient les yeux, le regard rivé sur les écrans de télévision, totalement subjuguées. Allez avance et taille-toi d'ici, ai-je pensé. Le carrelage rouge des toilettes publiques était toujours aussi voyant. L'odeur m'a saisi à la gorge quand je suis passé devant — un curieux cocktail auquel se mêlaient des effluves marins même si la mer n'est pas tout près.

Quelques mouettes endormies remontaient de la côte et survolaient les toits.

J'ai roulé le long de la rivière où des papiers de chocolat flottaient en surface, je suis passé devant la vieille maison des demoiselles protestantes ; je ne sais absolument pas qui habite là à présent, mais ça m'a paru un peu à l'abandon. J'ai aperçu la carcasse rouillée d'une voiture dans l'allée et quelques gamins près de l'entrée qui jetaient des cailloux. Ils se sont rapprochés les uns des autres et se sont mis à se pousser du coude. L'un d'entre eux m'a fait un geste obscène, le médium levé ; voilà qui est nouveau par ici. J'ai entendu derrière moi un camion brinquebalant qui klaxonnait comme un fou, et brusquement le déplacement d'air m'a fait perdre l'équilibre et j'ai failli me retrouver aspiré contre le camion.

Mais je me sentais bien sur ma bicyclette ; je n'arrêtais pas de fredonner cette chanson que j'avais entendue dans le magasin, j'avais presque cinq kilomètres à faire pour rentrer, je me rapprochais peu à peu de la mer, sans jamais l'atteindre tout à fait.

Un oiseau avait fait son nid à l'arrière d'un vieux frigo abandonné près de la grotte où nous griffonnions autrefois nos graffitis. A présent il n'y a rien d'inscrit sur cette bonne Vierge Marie, bien que, des années auparavant, quelqu'un ait gribouillé à l'encre rouge d'une écriture fougueuse *Les meilleurs c'est Manchester United* en travers de sa poitrine ; en plus, des plaisanteries circulaient constamment à propos de footballeurs : Norman Whiteside qui aurait marqué un but de la tête à partir de Marie Madeleine et Bryan Robson qui aurait envoyé un ballon en plein sur le pauvre saint Joseph et un tir violent entre les jambes du bon Dieu en personne. Nous avions l'habitude de nous asseoir, le dos contre la grille, de boire de grandes lampées d'alcool à même la bouteille et de fumer des cigarettes en camouflant le bout incandescent dans le creux de nos mains pour ne pas être aperçus de la route. Quelquefois il y avait des bagarres dans les bois ; nous faisions cercle et nous chantions pour galvaniser les adversaires. Mais à présent tout a l'air tranquille ici ; il n'y a plus le moindre détritus, à part le frigo. Je me suis arrêté et j'ai jeté un coup d'œil à l'intérieur de la grosse carcasse blanche : il y avait des œufs de grive sur une des grilles métalliques, tout en bas, à côté du bac à légumes, des branchages entortillés dans le condensateur, de la merde d'oiseau sur le cordon électrique. Je me suis assis un moment mais c'est à peine si les gens m'ont dévisagé en passant en voiture ; alors je me suis senti un peu mal à l'aise et je suis remonté sur ma bicyclette. C'est bizarre de constater à quel point la sensation d'espace est différente ici. Dans le Wyoming je peux partir et marcher pendant des kilomètres et des kilomètres sans voir âme qui vive, à part quelques troupeaux qui broutent dans les champs et de temps en temps un cheval qui surgit des collines. Un paysage pareil vous envahit peu à peu, vous vous mettez peu à peu à l'aimer profondément et à le sentir battre dans vos veines. Mais ici tout est confiné, le paysage, l'espace. Je ne ressens plus la moindre appartenance avec ces lieux — c'est pareil quand je suis avec le vieux, j'ai le sentiment de flotter autour de lui mais sans jamais vraiment le toucher.

Je me suis habitué aux soubresauts de la bicyclette — c'est un peu comme apprendre à danser quand on boite — et je me suis mis à compter les coups de pédales. Mais j'ai eu du mal à grimper la colline au niveau du pub d'O'Leary. Je m'y suis arrêté pour voir Mrs O'Leary, mais derrière le comptoir il n'y avait qu'un jeune homme qui sirotait un verre de limonade rouge ; le bar est en acajou flambant neuf, il y a un tas de sièges en peluche rouge un peu partout, plus rien à voir avec l'époque où Mam venait ici tous les après-midi et parlait avec elle de poules et de trucs de ce genre. Le garçon au comptoir m'a dit que Mrs O'Leary était morte il y a trois ans, qu'elle s'était éteinte dans son sommeil. Ça m'a fait un choc, j'ai avalé rapidement une pinte de Harp insipide en souvenir de tout ce qu'elle avait représenté et j'ai repris ma bicyclette.

Je suis rentré à la maison, avec dans la tête une image de Mrs O'Leary dont je n'arrivais pas à me débarrasser. Un jour, je l'avais vue danser au milieu de son bar en serrant amoureusement une chaise contre sa poitrine, et virevolter sur le plancher maculé de taches de bière, les cheveux ramassés en arrière et retenus par des rubans rouges — elle faisait partie des quelques personnes du coin qui faisaient rire Mam.

Tous ces gens-là s'en vont, ai-je pensé, tout ce monde plein de fougue et de gaieté est en train de disparaître.

Le vieux avait conservé dans le salon le phonographe Victrola de Mam, mais il a dû rendre l'âme il y a des années. J'ai essayé, en l'honneur de Mrs O'Leary, de le rafistoler et d'écouter la musique de mariachi que ma mère aimait tant, mais il s'est seulement appuyé un peu plus contre le dossier du fauteuil et il m'a fait non de la tête. Il s'est levé et il est allé dans la cuisine en marchant de guingois parce que la douleur l'a repris. Il n'a pas remarqué les sacs que j'ai rapportés du magasin et que j'ai posés près de l'entrée. Il allait se préparer une tasse de soupe instantanée, mais, quand il a soulevé la casserole posée sur le fourneau, l'eau bouillante a un peu débordé. La casserole est tombée dans l'évier et s'est renversée. J'ai entendu l'eau s'écouler dans les tuyaux. Il a regardé la casserole pendant un très long moment, il a craché dessus, puis il s'est retourné et il m'a vu.

— Je vais préparer un peu de potage, ai-je dit.

Il s'est passé la main sur la bouche.

— Je suis capable de mettre cette putain d'eau à chauffer tout seul, d'accord ?

Mais il ne l'a pas fait. Il m'a presque bousculé en

passant devant moi et il est allé se rasseoir dans son fauteuil. Il puait atrocement. Son corps est une effigie qu'il trimbale partout et sa carcasse efflanquée lui sert de hampe.

J'ai mis la casserole sur le feu — il a fallu que je nettoie le crachat qu'il y avait au fond — et j'ai préparé le potage accompagné d'une tranche de pain et de beurre. Il a secoué la tête, il a avalé son repas bruyamment et il a toussé.

— J'aurais pu le faire moi-même, tu sais.

Il a fini son potage, il a posé sa tasse par terre et s'est essuyé les lèvres avec son mouchoir, un mouchoir plein de croûtes de morve avec ici et là quelques taches de sang. Il l'a remis dans la poche de son pantalon et a lavé son assiette.

J'ai sorti le paquet de Major que je lui ai lancé sur les genoux.

— C'est le dernier que je t'achète.

— Ah, t'es formidable, Conor, merci mille fois.

— J'ai entendu dire que Mrs O'Leary n'est plus là.

— Oh, elle a cassé sa pipe il y a longtemps. Trop imbibée de whiskey, évidemment.

— Évidemment.

— C'est une belle mort, je suppose, a-t-il dit.

— Je suppose.

— Elle a emporté quatre bouteilles avec elle.

— Elle a emporté quoi ?

— Elle a emporté quatre bouteilles dans sa tombe.

— Tu rigoles.

— Du Bushmills. — Il a fait claquer ses lèvres. — Quelqu'un est allé au cimetière une nuit et a déterré son putain de cercueil.

— Tu blagues.

— Un salaud qui avait soif, a-t-il dit.

Il s'est essuyé la bouche avec le poing.

— A propos de... il est pas encore prêt ce thé ?

Il s'est rassis et lentement, d'un geste rituel, il a tapoté le fond du paquet contre sa paume, il a enlevé le papier transparent qui l'enveloppait, et a pris une cigarette qu'il a retournée le filtre en l'air.

— Pour que ça me porte chance, a-t-il dit.

Je suis monté et j'ai pris une douche avant de m'habiller. Je suis redescendu et je lui ai demandé si ça l'intéressait de sortir boire une pinte de bière chez O'Leary, mais il s'est contenté de ricaner plus ou moins.

— Qu'est-ce que tu voudrais foutre au pub avec un vieux type comme moi ?

Je n'étais pas décidé à entamer une dispute. J'en ai marre de l'entendre s'apitoyer sur son sort. Avant de partir je suis allé mettre un peu de tourbe dans la cheminée et j'ai tisonné le feu. Il avait posé sur l'âtre quelques-unes de ses mouches pour qu'elles sèchent. Il s'est redressé sur son siège et m'a dit que les mouches pour la pêche c'était comme les femmes honnêtes : il ne fallait jamais les ranger dans un coin tant qu'elles étaient mouillées, et il s'est mis à rire aux éclats comme si c'était la chose la plus drôle au monde.

Quand je suis sorti il était dans son fauteuil et moi j'ai repris la bicyclette pour m'enfoncer dans la nuit noire.

Quand je suis rentré de chez O'Leary il dormait, vautré dans le fauteuil. Sa braguette était ouverte, béante comme une blessure, et il avait les mains sur son entrejambe. Il avait le mouchoir coincé sous le menton. On aurait dit qu'il avait été sur le point de manger, puis qu'il avait oublié. Dans la cuisine j'ai tout de suite vu qu'il avait pissé dans l'évier : il n'avait pas fait couler d'eau ensuite et au fond il y avait encore deux soucoupes et des traces jaunes sur le bord de l'une d'entre elles. C'est dégoûtant. Il aurait pu au moins enlever les soucoupes.

Je l'ai regardé sommeiller. Il a levé la main pour chasser quelque chose qui le gênait à l'œil, peut-être une image, un rêve, une absurdité. Mais je n'arrive pas à imaginer qu'il ait encore des rêves. Qu'est-ce qu'il peut bien faire remonter du fond de sa mémoire ? Peut-être quelque chose de lent et de soporifique qui se fondrait dans l'obscurité, une valse lente qui l'entraînerait vers l'oubli. Ou bien encore un secret en technicolor ? Qui sait ? Peut-être que la vie s'en va comme elle est venue, qu'elle s'amenuise jusqu'à n'être plus que l'éclat spéculaire d'un seul atome d'hydrogène, peut-être qu'elle fait implosion en émettant un chant du coyote aux frontières du néant. Voilà vraiment une idée stupide. J'ai bu trop de pintes de Harp. Je n'ai reconnu personne chez O'Leary, absolument personne, peut-être que tout le monde a émigré. Je me suis assis dans un coin et j'ai joué avec des sous-verres posés sur la table. Et pourtant c'est plein de vieillards affublés de dentiers avec sur les mains un début de pigmentation brunâtre.

# VENDREDI

*Mon Dieu, quel talent j'ai !*

Je me suis réveillé tard, un peu nauséeux. C'est à cause de toute cette Harp. C'est un nectar pour les chiens. Il a ri quand il m'a vu, il est allé chercher le whiskey dans le placard.

— Pour ce dont tu souffres, a-t-il dit.

J'en ai avalé une gorgée et j'ai bu quelques verres d'eau. Brusquement il s'est levé de table et il m'a dit qu'il descendait à la rivière pour attraper son fameux poisson. Mais il ne devait plus avoir de bonnes mouches, parce qu'il a sorti de la boëtte qu'il avait mise tout au fond du compartiment congélateur : de vieilles crevettes conservées dans un sachet en plastique. Il a fait bouillir de l'eau dans une casserole et a mis le sachet dans l'eau chaude. Il s'est penché, il a inhalé un peu de vapeur, il m'a dit que c'était bon pour lui dégager la tête, que je devrais essayer moi aussi. De temps en temps, il enfonçait le sachet dans l'eau du bout des doigts jusqu'à ce qu'il soit entièrement recouvert, puis il se léchait les doigts. Ils devaient être brûlés par l'eau chaude, mais ça ne semblait pas du tout le déranger. Il a ressorti le sachet en plastique, il a dit qu'il n'avait pas le temps d'attendre que les crevettes décongèlent et en a mis quelques-unes dans la poche de son manteau. J'ai pensé que des crevettes à moitié pourries n'allaient sûrement pas améliorer l'odeur qui se dégage de lui ; une fois qu'elles se seront décongelées dans sa poche il va puer à plein nez. Et puis, c'est illégal d'utiliser ce genre d'appât, mais il m'a dit qu'il s'en moquait, un poisson c'est un poisson, surtout s'il attrape son fameux saumon.

Je suis allé en ville à bicyclette prendre un petit déjeuner à l'hôtel de Gaffney. Rien n'a changé là-bas : les petits napperons sur les tables commencent à jaunir, il y a toujours sur les murs ces canards en plein vol, la moquette qui se racornit sur les bords, les relents de thé qui infuse, des fermiers qui fument leurs cigarettes dans leurs coins. Je me suis assis à la table la plus proche de la porte et j'ai lu la dernière page du *Connaught Telegraph*. J'ai commandé un petit déjeuner copieux avec des saucisses supplémentaires. La serveuse m'a reconnu. Il m'a fallu un moment pour me souvenir, mais j'ai fini par trouver : Maria, la fille qui allait à l'école religieuse, qui avait des pommettes saillantes et des cheveux qui lui descendaient jusqu'à la taille. Autrefois je lui envoyais de loin des baisers quand elle passait devant le terrain de handball.

Elle n'arrêtait pas de venir à ma table pour m'apporter telle ou telle chose — du beurre, de la marmelade, une cuillère supplémentaire — jusqu'à ce qu'elle me pose enfin la question. Je n'étais pas d'humeur à bavarder, j'ai prétendu qu'elle se trompait de personne, j'ai pris mon accent pointu du Wyoming.

Il n'empêche qu'il n'y a rien de meilleur que quelques saucisses et des tranches de bacon pour vous soigner une gueule de bois, et après ce repas je me suis senti en pleine forme. J'ai laissé une livre de pourboire et elle a couru derrière moi quand je sortais, les cheveux en bataille, pour me dire qu'on n'accepte pas les pourboires dans cette partie du monde. Elle m'a dit qu'elle savait depuis le début que c'était bien moi — la peau mate, je suppose — et elle a souri.

— Tu restes combien de temps ? a-t-elle demandé.

Je lui ai parlé du visa et elle m'a dit que j'avais de la chance, qu'elle se couperait un bras et une jambe pour pouvoir s'envoler loin d'ici elle aussi, qu'elle a un frère en Louisiane qui est écailleur d'huîtres et une sœur dans l'État de Washington, infirmière dans une institution gériatrique. Je passais d'un pied sur l'autre et je n'arrêtais pas de jouer avec les boutons de ma veste de jean. Elle m'a demandé des nouvelles du vieux, elle m'a dit qu'autrefois il venait prendre son petit déjeuner à l'hôtel tous les samedis et qu'elle ne l'a pas vu ici depuis un certain temps.

— Oh ! Il est en pleine forme.

— Eh bien tant mieux, voilà une bonne nouvelle.

Elle faisait sauter des pièces de monnaie dans la poche de son tablier.

— Bon, je vais y aller.

— Bien sûr. Viens prendre ton petit déjeuner ici lundi prochain avant de partir.

— D'accord.

— C'est moi qui t'invite.

Je suis rentré à pied en suivant les berges et en poussant la bicyclette. J'ai dû faire un détour par l'usine où ils ont dressé des fils barbelés encore plus hauts et où le cri des ouvriers se mêlait aux couinements des bêtes, à la merde et à la boue. Je me suis assis dans les hautes herbes à quelques centaines de mètres de l'usine. Brusquement j'ai eu envie d'entrer dans l'eau et de nager malgré l'aspect repoussant de la rivière qui était aussi noire que des mûres et qui s'écoulait lentement au milieu des roseaux. J'ai enlevé mon T-shirt et mon pantalon, je les ai suspendus aux ronces d'un buisson et, en slip, je me suis assis au bord, les pieds dans l'eau. Une vie de semi-émersion. Une acceptation sans faille. J'en ai assez de la maladie du vieux, me suis-je dit. Il est en train de me contaminer jour après jour avec ces tasses de thé et ces hochements de tête. J'ai brusquement pensé à Maria et j'ai été pris d'un violent désir physique et d'un réel besoin de la revoir. Je devrais retourner là-bas, la prendre dans mes bras et la soulever de terre, sortir les pièces de monnaie de la poche de son tablier et les faire rouler dans ma main, pour une fois agir de manière ridiculement romantique, la porter jusqu'à la plage, chevaucher au bord de l'eau sur des palominos, glisser des galets oghamiques dans nos poches, prendre le large.

Penché au-dessus de la rivière, j'ai décidé de me baigner ; je suis entré dans l'eau jusqu'aux genoux, j'ai pris appui sur des pierres posées au fond, je me suis balancé d'avant en arrière, et j'étais sur le point de plonger quand j'ai entendu quelque chose bouger dans les buissons à côté de mes vêtements, peut-être un rat ou un oiseau. Je suis remonté sur la berge, j'ai secoué les pieds pour les sécher, je me suis rhabillé, et quand j'ai repris le chemin de la maison une sirène d'usine a retenti derrière moi. Le vieux était là et vaquait à son train-train quotidien ; alors en le regardant lancer j'ai senti l'amertume m'envahir, un malaise s'installer au creux de mon estomac et me tenailler. Il vit à présent dans une solide et confortable anesthésie.

Si je devais choisir moi aussi un anesthésiant, j'agirais probablement comme Cici ; tant qu'à faire autant avoir des visions. Quand je l'ai rencontrée, elle avait l'air aussi vieille que l'éternité, mais il y avait en elle comme dans ses souvenirs une énergie débordante. Elle vivait près de Castro Street, à l'endroit où venaient mourir tous les gens bien d'Amérique, mais Cici n'était pas en train de mourir, Cici était son propre chant du coyote, Cici continuait de hurler à la naissance de jours nouveaux et d'endroits nouveaux.

Ce fut un été d'incendies que cet été de 1956. Ils léchaient goulûment les arbres. Ils rampaient tels des lézards le long des crêtes de montagnes. Ils bondissaient par-dessus les lits de rivières brunâtres, s'alanguissaient un moment près de fossés nouvellement creusés, et noircissaient les casques de protection qu'on abandonnait sur les branches des arbres, avançaient leurs langues de feu vers les extrémités nord de la forêt, étaient repoussés par Delhart et ses équipiers dont les dents devenaient noires de fumée. Les incendies étaient circonscrits pendant une journée, puis à nouveau attisés par une seule flammèche emportée par le vent. La nuit, le ciel était entièrement éclairé. L'est était tacheté d'orange et la fumée prenait des nuances diverses, rose, jaune et rouge, comme autant de nuances de peau, comme si une aurore boréale avait décidé de s'éterniser, de s'établir quelque temps sur cette partie du monde, adossée aux montagnes et aux rivières en contrebas, dans une débauche d'orange vif.

Dans les forêts, les animaux apeurés cherchaient refuge. On retrouva la carcasse d'un élan des montagnes Rocheuses près d'un coupe-feu, la gueule calcinée et noircie grande ouverte. Un grizzli qui fuyait fut abattu dans la rue principale d'une ville du nord ; affolé, il avançait sur le trottoir de son pas lourd quand il fut encerclé par des hommes armés qui le mirent en joue. Il fallut tirer douze balles avant qu'il ne tombe en poussant un énorme cri déchirant auquel fit écho une folle qui se trouvait à l'angle de la rue près d'un magasin d'alimentation. Elle hurla si fort qu'on raconta qu'elle s'était déchiré le larynx. Mon père traînait du côté du café et la photo qu'il a prise montre la femme, les bras tendus vers le ciel. Son cri a dû retentir dans toutes les églises de la ville à l'heure de la messe dominicale au moment où des « Amen ! » circulaient dans les travées et où les prêtres recherchaient dans l'Apocalypse des passages à propos d'incendies et d'un monde périssant dans le feu et les flammes bleuâtres. Des chants religieux s'échappèrent de toutes ces bouches quand les hélicoptères de l'armée survolèrent la ville avec des cargaisons d'eau destinées à asperger les flammes dans les montagnes.

Les gamins fabriquèrent des bordures de chapeau avec des serpents desséchés — des serpents à sonnette — qu'on avait retrouvés au bord de routes forestières interdites à la circulation. Ils fendirent les serpents de haut en bas avec les canifs de leurs pères, les dépecèrent et les portèrent autour de leurs têtes comme si, par ce rituel, ils voulaient montrer qu'ils entraient ainsi de plain-pied dans l'âge adulte — c'était une autre forme d'embrasement qui couvait là. Les roches se fendirent sous l'effet de la chaleur excessive. Des sapins, il ne restait plus que des souches calcinées. Une boîte de cartouches oubliée explosa à la lisière de la forêt et l'écho assourdi de la détonation précipita les hommes hors de chez eux. La nuit, on se remit à faire des prières au pied du lit, et les épouses embrassèrent tendrement le front de leur mari au moment où ils franchissaient le seuil, leur veste jaune à la main, leur ceinture de cuir gravée à leurs deux initiales autour de la taille qui, épaissie avec l'âge, séparait année après année les deux lettres autrefois côte à côte.

Près du lit du ruisseau, un vieux rancher refusa de quitter sa cabane de bouvier et mourut comme un bouddhiste — le corps fut emporté sur une civière de fortune ; la chair de ses mains s'était fondue dans celle de son ventre à l'endroit où il les avait croisées dans l'attente de la mort. Ses cheveux gris avaient disparu. Les funérailles de cet homme furent retardées de deux jours car chaque matin les sirènes retentissaient pour appeler les hommes vers d'autres incendies. Quand les obsèques eurent enfin lieu, des hommes épuisés, le front appuyé au dossier du banc d'église devant eux, pleurèrent discrètement dans leur mouchoir du dimanche. Pour la veillée mortuaire, on mit des carafes de limonade sur des tables de pique-nique blanches installées sur l'herbe sombre devant l'église, et les enfants s'amusèrent à s'asperger de seaux d'eau. Un linceul pesait sur la ville. Les femmes collaient l'oreille à des transistors pour savoir si les incendies faisaient la une des informations nationales. Des vautours apparurent ici et là au-dessus des montagnes, battant des ailes inlassablement — quelquefois le ciel devenait noir tellement il y avait de ces oiseaux qui descendaient comme autant de prêtres vers une Eucharistie qui se célébrait ici-bas.

Mon père accompagnait partout Delhart et les combattants du feu. Il leur raconta qu'il était envoyé par un magazine de New York — en fait, il avait été mis à la porte avant même d'avoir une chance de commencer. Ils lui dirent au téléphone qu'ils avaient embauché quelqu'un d'autre. « Ah bon, d'accord », répondit-il, la gorge sèche. Ce jour-là il se saoula dans un bar de la ville où il noya à la fois son chagrin et la légère exaltation que lui procurait cette totale liberté.

Le jeune barman aux cheveux jaune citron avait préparé une boisson spéciale pour les combattants du feu, le Bloody Blazer, rehaussé d'une touche de tabasco. Je peux imaginer le vieux, assis au comptoir, buvant ça à grandes lampées, amer à l'idée de rater sa chance parce qu'il se trouvait que sa femme aimait cet endroit et voulait y rester. Je suis sûr que ce qu'il avala ce jour-là lui piqua le fond de la gorge et lui remua l'intérieur. Il se mêla aux autres hommes rassemblés autour du bar qui toussaient dans leurs mouchoirs, des hommes qui avaient creusé des fossés et qui prenaient un après-midi de repos, les doigts pleins d'ampoules à force de manier la pelle. Des hommes durs qui, par esprit d'équité, s'assuraient que chacun payait sa tournée. Ils ont dû tout d'abord considérer mon père comme un étranger : les premières photos qu'il a faites de ces hommes révèlent une raideur un peu cocasse ; on les sent presque serrer les dents, le regard fixé droit sur l'objectif, les traits de leurs visages presque indistincts dans la lumière qui filtre par la fenêtre du bar, les pommettes encrassées de fumée.

Tous les matins le vieux descendait la montagne jusqu'à un sapin où il récupérait une bicyclette pour parcourir les onze kilomètres qui le séparaient de la ville, bardé d'appareils photo. Les gamins aux chapeaux en peau de serpent le suivaient quelquefois et bombaient leurs torses malingres quand il tournait son appareil dans leur direction. Les rangers et les combattants du feu finirent par se détendre devant l'objectif qu'ils fixaient tout à la fois avec désinvolture et affectation. Quand il prenait des clichés individuels, il étalait un drap blanc à leurs pieds et basculait la lampe vers le haut pour que les ombres accentuent les contours du visage ; quant à eux, ils simulaient l'indifférence, la tête baissée, en se frottant les mains noires de cendre. Ils l'appelaient « l'Irlandais » parce que ses origines continuaient de lui sortir par tous les pores — les cheveux crantés vers l'arrière, les yeux verts, les épaules larges sous ses chemises blanches. Il s'abandonna peu à peu à l'atmosphère qui régnait cet été-là, mon père, et finit par se laisser emporter par la violence des événements, saisissant les incendies dans toute leur magnificence et leur brutalité, allant même jusqu'à remercier ma mère pour la clairvoyance qui l'avait fait désirer rester à cet endroit — c'étaient ses meilleurs clichés, il en était sûr, ils allaient le rendre célèbre, il n'en doutait pas.

Delhart fut le seul qui refusa toujours d'être pris en photo. Son visage n'était pas loin de ressembler aux pelles qu'utilisaient ceux qui creusaient les fossés — long, brun, patiné et usé par les ans. Delhart détestait les appareils photo, les détestait depuis l'époque de la Grande Dépression où un photographe avait traversé sa ville. Il était très jeune alors et le photographe lui avait fait enlever sa chemise et montrer son ventre ballonné. La mère de Delhart avait déchiré la photo en mille morceaux quand elle fut publiée dans un album des années plus tard, elle acheta tous les exemplaires qu'elle put trouver et les brûla dans un poêle à bois.

— T'as tes yeux pour voir autour de toi, non ? lui disait Delhart. C'est idiot d'utiliser ce truc-là.

Mon père se contentait de hocher la tête sans dire un mot.

Delhart se déplaçait autour des incendies comme un général en pleine bataille — peut-être que ce déploiement d'activité lui faisait oublier ses problèmes. On murmurait un peu partout qu'il avait mis la jeune Indienne enceinte. Quelqu'un l'avait vu creuser un fossé coupe-feu derrière la maison de cette fille

pour la protéger, mais personne n'épilogua là-dessus ;
c'était un sujet sensible, un ranger acoquiné avec une
jeune Indienne. On savait très peu de chose sur elle
parce qu'elle ne parlait jamais à personne, mais il y
avait des rumeurs, et plus elle se faisait discrète, plus
les rumeurs s'amplifiaient. On attribua son mutisme
au fait qu'elle avait eu la langue coupée dans une
réserve de l'Utah comme punition pour avoir fait
subir un sort identique à une douzaine de pies. A
moins que ce ne soit son père, doué de pouvoirs médi-
caux, qui lui ait par erreur détruit les cordes vocales
en lui faisant avaler une potion. Ou alors elle avait
mangé des os d'écureuils qui s'étaient fichés dans sa
gorge. On disait qu'elle s'appelait Eliza. Elle avait les
yeux noirs et enfoncés, comme ceux de quelqu'un qui
aurait souffert, mais elle avait des gestes d'une grâce
extraordinaire quand elle sarclait la terre derrière sa
cabane. Certains disaient que c'était une prostituée,
mais quand les hommes lui rendaient visite, elle sortait une carabine de derrière la porte et, en silence, les
menaçait de son arme.

Delhart ne parlait ni de Cici ni de la jeune Indienne,
mais le vieux avait vu un exemplaire du livre de Cici
sous le siège du conducteur dans le camion de
Delhart, le dos beige cassé et toutes sortes d'empreintes récentes à la suie sur les pages. Il pensait que
Delhart était toujours amoureux de Cici et que tout
finirait par s'arranger, mais il gardait ses réflexions
pour lui.

Cici chassa Delhart de ses pensées et se mit à avoir
dans le regard une vague lueur de folie. Elle et Mam
gardaient l'oreille collée au poste de radio, marquaient les coordonnées à l'aide de petites épingles
qu'elles enfonçaient dans d'énormes cartes marron,
surveillaient les incendies et les signalaient aux ran-

gers stationnés en contrebas. « Merde, les filles, vous avez de la chance, ici c'est une vie de dingue. » Le poste d'observation et la montagne furent épargnés par les flammes. Des nuages de fumée passaient devant elles. La lourde porte en bois craquait et renâclait. Quand elle faisait bouillir de l'eau sur leur petit réchaud, ma mère jurait qu'elle entendait les bulles se livrer bataille. Ça prenait des heures de faire bouillir de l'eau à cette altitude. Même son haleine lui revenait au visage en légères nébulosités au contour régulier. Pendant que Cici écrivait ses poèmes, Mam partait se promener. Les journées s'étiraient, le temps passait au rythme du silence. Et le silence s'enfonçait en lui-même — un caillou qui retombait sur l'éboulis, une cigale qui, des ailes, frappait son abdomen annelé, un appel à la radio, un cerf arrivant tant bien que mal jusqu'au bloc de sel un peu plus bas près de la lisière d'arbres, un insecte voletant dans les cabinets, tout cela se fondait dans la quiétude des lieux. Même les aiguilles de pin dans la forêt faisaient un bruit infernal quand elles se cassaient sous ses pas. Les cabinets grouillaient d'araignées et, quand on versait de la chaux ou des cendres pour atténuer les odeurs, des mouches remontaient du fond.

Dans la tour, un crâne de cheval d'une propreté immaculée était accroché au mur et dominait un fourneau en fonte, une chaise, une table, un lit, quelques armoires et un assemblage de sacs à dos. Des gardes dans les années précédentes avaient griffonné des graffitis sur les murs. Par boutade on avait surnommé un escalier en spirale « Yeats » en référence au mouvement même de ses poèmes. Cici écrivit toutes les deux marches une lettre de son nom. Ça la faisait rire de dire que tous les matins elle montait Yeats, qu'elle le faisait trembler, le balayait, le descendait, ses jumelles à la main, qu'elle s'asseyait en haut d'une marche et lisait, qu'elle passait la main sur sa rampe ou qu'elle s'arrêtait au milieu du A pour adresser ses déclarations au monde.

Cici et Mam enregistraient l'humidité relative de ce monde, ses températures maximales et minimales, la vitesse du vent, celle des nuages, le temps qu'il fallait à la poussière pour se soulever, la possibilité de prochains incendies et elles transmettaient tout cela par radio au quartier général. L'éloignement d'un orage se mesurait au nombre de secondes entre l'éclair et la perception du coup de tonnerre. Et c'était en haut de cet escalier, entourée de tous ces graffitis, que Cici écrivait ses poèmes et les lisait à voix haute quand elle avait fini. Mam aimait les déclamations passionnées de son amie, les mots qui résonnaient dans toute la tour ; elle posait sa tête sur l'épaule de Cici et écoutait.

Au début ils dormaient tous les trois au même étage, comme une rangée de biscuits colorés dans leurs sacs de couchage. Mais une nuit Cici fut saisie d'une rage folle au sujet de ses poèmes — elle n'avait pas écrit un seul mot en trois jours et elle se mit à arpenter la pièce, déchirant des feuilles de papier en mille morceaux qu'elle jeta un peu partout autour d'elle. « Et puis qu'est-ce que vous foutez ici vous, hein ? Partez ! Sortez d'ici ! » Mes parents emportèrent leurs sacs de couchage dehors et entendirent le faible écho de déclamations hystériques à l'intérieur de la tour. De temps en temps, Mam allait s'assurer qu'on ne connaîtrait pas à nouveau un épisode comme celui de l'abreuvoir. Elle s'attendait toujours plus ou moins à voir Cici pendre au bout d'une corde au-dessus d'une chaise renversée, parce que la lueur de folie laissait augurer le pire.

Le lendemain Cici s'excusa, mais mes parents finirent par trouver agréables ces nuits froides passées à la belle étoile, bercés par le chant de myriades d'insectes. Le vieux installa un campement près de la lisière de la forêt, confectionna une plate-forme surélevée avec des billots de sapin qu'il arrima avec de la corde rouge. Ils ne dormaient à l'intérieur que les jours de fort orage. On accédait par une petite échelle à la plate-forme d'une hauteur d'un mètre cinquante qui craquait quand ils marchaient dessus. Mam redescendait de là-haut tous les matins, écoutait attentivement chaque son, les savourait avec avidité et se laissait caresser par le vent des pieds à la tête. Certaines photos ont été prises au moment où le soleil se lève, ma mère entièrement nue une fois encore ; mais les clichés sont plus pudiques, les contours plus précis que sur les photos faites au Mexique. Il y avait une photo d'elle simplement allongée dans un hamac, le corps pris dans la trame qui marquait sa peau d'une série de losanges, un genou légèrement levé par pudeur, un foulard noué autour des cheveux ; sur une autre photo on la voit enfiler un pantalon de brousse que mon père avait emprunté à Delhart ; elle ne s'attend visiblement pas à être photographiée parce qu'elle n'a pas eu le temps de se couvrir la poitrine et que sa bouche est ronde comme un citron ; et une autre où elle est assise en chemisier et en culotte, le dos appuyé à un arbre, en train de manger un sandwich, de surveiller le temps qu'il fait et de regarder les alentours comme s'il n'y avait pas le moindre incendie à des kilomètres.

Cici me raconta qu'elle observa mon père de loin pendant qu'il prenait certains de ces clichés, et qu'elle envia à ma mère la jouissance d'un tel amour. Quelquefois, malgré elle, Cici pensait encore à Delhart et à ses mains larges comme des bateaux, elle les laissait l'emmener à travers des arbres noircis ou des particules qui crépitaient et s'échappaient de la sève incandescente.

Je me suis remis à penser à Cici aujourd'hui pendant que le vieux essayait d'attraper son poisson là-bas, sur la berge.

A San Francisco, elle s'était nichée dans un appartement près de Castro Street, au troisième étage. J'étais nerveux en montant l'escalier, et mon sac à dos me pesait sur les épaules. Les murs de l'immeuble étaient fraîchement repeints, et un gosse en short, le nez collé dessus, reniflait leur odeur. On entendait les sons étouffés d'un piano. Un cactus en pot avait été retourné dans le hall d'entrée et il y avait des petits bouts de cailloux un peu partout. Je les contournai, frappai à la porte et me présentai. Elle me fit entrer et passer devant une montagne de vieilles lettres qui s'empilaient à ses pieds, comme si elle m'avait toujours connu.

— Comment m'avez-vous trouvée ?

— J'ai téléphoné aux renseignements, dis-je.

— Pourquoi vous n'avez pas appelé ?

— Je ne savais pas si vous voudriez me voir.

— Oh, mon Dieu, bien sûr que si ! dit-elle en riant, puis elle m'invita à entrer dans la pièce principale et me précéda en faisant cliqueter les bracelets d'argent qu'elle portait au poignet.

Je jetai un coup d'œil autour de moi. Un miroir au mur me renvoya sans pitié son image. Ses cheveux étaient gris, avec quelques taches de roux ici et là, il en était de même de son visage. Je déposai mon sac à dos sur le plancher. Je remarquai des griffonnages tout le long des marges d'un journal et une rangée de visages souriants dessinés à l'encre rouge en bas de page. Des macaronis restaient collés à la paroi d'une casserole qui traînait par terre.

— Je vous ai apporté des fleurs.

— Comme vous êtes gentil !

— Vous avez un vase ?

Elle ne répondit pas. Elle regarda au plafond.

— Comment va votre mère ?

— Elle va bien.

— Oh, tant mieux, tant mieux.

— Avez-vous eu de ses nouvelles ? demandai-je.

Elle me regarda d'une étrange façon.

— Non.

Elle ferma les yeux.

— Dites-moi, il est lourd votre sac à dos.

— Je voyage pas mal.

— Hé, pourquoi vous ne resteriez pas tout simplement ici avec moi pour toujours ?

— Pardon ?

— Pour toujours et un jour de plus.

— Ouais, d'accord, dis-je en hochant la tête. Elle ne vous écrit jamais, par hasard ?

— Jamais. J'ai pas eu une carte de Noël depuis... oh... — Sa remarque s'acheva dans un murmure. — Je ne sais vraiment pas depuis combien de temps.

— Je vois.

— Dites-moi, c'est quoi votre nom déjà ?

— Conor.

— Ah oui, comment j'ai pu oublier ça ? Vous lui ressemblez beaucoup, vous savez.

Le poste de télévision était recouvert d'une feuille de papier crêpé blanc — Cici aimait la regarder en baissant le son, une boîte magique qui produisait d'étranges jeux de lumières colorées. On voyait en transparence les fibres du papier qui s'écartait de l'écran sous l'effet électrostatique. Elle avait collé le papier crêpé au-dessus du poste de télévision si bien que, quand elle voulait regarder une émission, il lui suffisait de soulever le papier.

Elle s'approcha du canapé, s'y allongea, puis, la tête en arrière, se mit à rire — un grand rire saccadé qui résonna dans tout l'appartement, sur les étagères décorées de rangées d'amulettes, sur l'étrange pipe à marihuana de trente centimètres posée sur la table, le bord de cheminée encombré de bougies, les quelques peintures au mur, des reproductions d'O'Keefe, un pastiche de Warhol. Elle était en chemise de nuit blanche et ses cheveux lui retombaient sur les épaules. Elle aurait pu tout aussi bien sortir d'une pièce de Tennessee Williams où elle aurait joué une scène. A la voir, on avait l'impression qu'elle s'était éparpillée dans tout le pays pendant des années, pour revenir ensuite à Castro Street où des gens entraient et sortaient sans arrêt de son appartement. Elle les amusait de ses syllogismes. Des femmes entraient en se pavanant, et elle bavardait avec elles de la manière de préserver les gencives, les ongles, la virginité — peut-être les trois en même temps. Elle racontait des histoires d'écrivains de la beat generation qui lui avaient fait perdre les trois. Des hommes aux visages creusés frappaient à la porte, et venaient la voir pour lui parler de la dégradation de leur organisme, de leurs cellules attaquées peu à peu par la maladie. Ils lui apportaient des fleurs — son appartement croulait sous les fleurs. Cici n'arrêtait pas de jacasser à propos de tout : les courants de pensée et la politique, les stases et l'amour, toute cette chierie de romantisme dans les années soixante, les hommes qui étaient partis au Vietnam — « la mort occidentale », comme elle l'appelait. Elle pratiquait le chamanisme en quelque sorte et une violence mystique l'habitait. Elle préfaçait toujours ses nouvelles d'une simple expression : « Dieu, je me souviens. »

Cette première nuit, quand son appartement fut enfin tranquille, Cici fut stupéfaite quand je lui racontai ce qui s'était passé en fait au sujet de Mam.

— Mon Dieu, dit-elle, je n'en savais rien !

Elle roula des yeux tristement et se cura les ongles avec un cure-dents quand je lui posai à nouveau la question.

— Non, non, je n'ai pas eu la moindre nouvelle, vous vous rendez compte ? Elle est partie comme ça ?

— Elle s'est levée et elle est partie, dis-je. Sans laisser le moindre mot.

— Où est-elle allée ?

De la tête je répondis que je l'ignorais.

— Vous avez essayé le Mexique ?

— Bien sûr.

— Rien ?

— Rien.

Elle alla dans la cuisine, revint avec une bouteille de vodka et des glaçons, servit deux verres et fixa le mur.

— Parlez-moi des incendies, Cici.

— Pourquoi ça ?

— Je veux savoir, c'est tout.

— Pourquoi ?

— Elle en parlait souvent. Mon vieux aussi.

— Ah oui, votre père. Comment va votre père ?

— Ça fait un moment que je ne l'ai pas vu. Il est chez nous dans le comté de Mayo.

Elle pinça les lèvres et haussa les épaules.

Je bus une petite gorgée de vodka.

— Alors parlez-moi des incendies.

— Oh, tout le monde ici parle du passé, dit-elle. A longueur de journée, je parle du passé.

Je hochai la tête.

— Je veux dire que c'est la seule chose dont on parle. Comment on vivait il y a vingt, trente, un million d'années.

Elle bougea un peu sur le canapé.

— Vous savez ce que je pense ? dit-elle. Je pense que la mémoire est pour les trois quarts pure imagination.

Je me rassis.

— Et tout le reste n'est que pur mensonge, dit-elle.

— Oui, ouais, je sais ce que vous voulez dire.

Je serrai les paumes de mes mains l'une contre l'autre.

Je savais ce qu'elle voulait dire, et pourtant ses paroles me firent l'effet d'un chant d'allégresse ; elle ne cessait plus de me raconter, des souvenirs d'une lucidité incroyable, des incidents qui lui revenaient par centaines, une mélopée nostalgique et funèbre, sa chemise de nuit gonflée par le souffle d'un ventilateur. Cici avait encore en mémoire ce regard sur le visage de ma mère, dans le miroir brisé — « Mon Dieu, je me souviens » — comme si tout cela ne s'était passé que la veille.

Un sourire flottait en permanence sur ses lèvres. A tout moment je m'attendais à ce qu'on applaudisse son jeu de scène et qu'elle porte la main à sa bouche, qu'elle penche légèrement la tête sur le côté et qu'elle dise, en ricanant, à un public en délire : « Mon Dieu, quel talent j'ai ! » Ensuite elle lèverait peut-être les yeux en demandant : « Vous ne trouvez pas ? »

Ce premier soir, tard dans la nuit, je la vis, une seringue à la main, penchée sur ses jambes. Elle avait des traces de piqûre à l'intérieur des cuisses, une des

154

seules parties cachées de son corps où elle pouvait encore se faire une injection, je suppose. Je bougeai dans le lit qu'elle m'avait installé à même le plancher. Elle rencontra mon regard. L'aiguille trembla un peu.

— Oh, mon Dieu, dit-elle. Est-ce qu'on a mis du sucre dans l'eau des fleurs ?

L'aiguille s'est enfoncée.

— J'oublie toujours le sucre dans l'eau des fleurs, dit-elle.

Elle appuya sur le piston.

— Ça va, mon petit ? me dit-elle.

— Ouais, très bien.

Je m'assis, les jambes ramassées sur le ventre.

— Pourquoi vous faites ça ?

— Ça fait durer les fleurs plus longtemps.

— Non, dis-je. Ça.

— Oh.

Elle regarda la seringue, la tourna et la retourna entre ses doigts.

— C'est juste un petit plaisir.

Elle se laissa tomber sur le canapé, la tête appuyée au dossier, ferma les yeux puis, brusquement, se redressa et me regarda :

— Est-ce que vous saviez que Morphée était le dieu des rêves ?

Elle avait magouillé avec un médecin du coin qui lui fournissait de la drogue à la demande en échange de quatre éditions originales de recueils de poèmes d'écrivains mineurs appartenant à la beat generation. Elle n'était pas droguée, selon elle ; elle en prenait simplement de temps en temps et en petite quantité. Elle s'assit sur le bord du canapé et se pencha vers moi.

— Plus de poèmes stupides, dit-elle. Je n'écris plus de poèmes stupides, la poésie ça ne vaut pas un clou. Je préfère et de loin être assise ici et parler. Il y a un bonheur extrême à ne rien faire, vous ne pensez pas ?

Il y avait un rouleau de papier d'emballage de boucherie dans un coin de son appartement, mais pas là moindre machine à écrire. Quelquefois elle prenait la pipe à marihuana posée sur la table et la faisait tourner entre ses doigts. La pipe était prise dans une griffe d'ours. Cici s'était retrouvée en possession de cet objet après qu'un autre ranger l'eut prise dans une autre tour dans les années soixante. Elle avait cessé de fumer de la marihuana, ne prenant plus que de la morphine, mais elle en avait encore quelques sachets cachés au fond de son tiroir à sous-vêtements. L'herbe était vieille et complètement desséchée, mais j'en fumai un peu malgré tout, sentis la griffe d'ours m'irriter les lèvres, et laissai son monde à elle m'envelopper.

Je restai trois semaines avec Cici. Elle prit l'habitude de m'appeler « mon chou ». A certains moments elle débordait d'énergie, arpentant l'appartement, ouvrant la porte et faisant entrer les gens. Quelquefois elle allait sur le balcon et faisait la conversation à des personnes qui se trouvaient dans la rue, et les mots qu'elle criait retombaient sur le trottoir. Le bruit de la circulation montait jusqu'à nous, des hommes joignaient les mains, lui faisaient signe et se mêlaient les uns aux autres. Une femme était entraînée par un chien-loup en laisse et son fin manteau flottait derrière elle. Des sirènes retentissaient, la rue résonnait de mille cris. L'enseigne du barbier tournait, rouge, blanche et bleue — à l'extérieur une pancarte mentionnait l'utilisation de rasoirs propres pour chaque client. La publicité qu'un homme-sandwich faisait de la rue évoquait la cité de Sodome et Gomorrhe — il ressemblait à Moïse sur ce trottoir, une marée humaine s'ouvrait devant lui, une colonne de sel.

Un soir, alors que Cici dormait, j'enjambai la fenêtre et je m'installai sur l'escalier à incendie. De l'autre côté de la rue, un homme sur son balcon faisait onduler ses hanches épaisses et chantait avec fureur dans une brosse à cheveux. Il me vit, mais ma présence ne le troubla pas et il continua à chanter. Il avait une quarantaine d'années et il portait une cravate mais pas de chemise. Des bribes de chansons du bon vieux Cole Porter parvenaient faiblement jusqu'à moi par-dessus le bruit de la circulation. Il chantait avec une ferveur extraordinaire et la brosse à cheveux oscillait comme un trapèze autour de ses lèvres. Quelquefois il faisait tourner la brosse entre ses doigts et en détachait des paquets de cheveux. Cici vint me rejoindre sur l'escalier à incendie et mit la main sur mon épaule.

— Mon chou, dit-elle.

Elle était debout à côté de moi et se mit à chanter « *You are the Top* » en même temps que l'homme, et leurs voix, désynchronisées, semblaient venir d'ailleurs et flotter au-dessus des bruits de la rue. Elle fit un clin d'œil à l'homme qui mit la brosse à cheveux dans la poche arrière de son pantalon et sourit, puis elle passa son bras autour de ma taille, m'entraîna à l'intérieur et fit chauffer du lait pour nous aider à dormir. Le lendemain matin une peau s'était formée à la surface du lait auquel nous n'avions pas touché. Cici l'enleva avec une petite cuillère. « Tu es le top », dit-elle en riant et en jetant la pellicule de lait dans l'évier.

L'appartement était trépidant et éclectique, et Cici y était en parfaite harmonie, sur cette corniche vivante, au milieu de ces murs partiellement faits de briques blanches et de vieux bois, entourée de ciment décrépi. L'après-midi elle était contente d'avoir quelqu'un près d'elle qui veuille bien préparer à manger. Je fis un sauté de légumes et concoctai un dessert au chocolat qu'elle laissa dans son assiette. « Il est trop beau pour qu'on le mange, dit-elle, tu ne trouves pas, mon chou ? » Avec sa fourchette elle dessina un autre visage souriant dans le gâteau au chocolat. Derrière elle le papier crêpé était inondé de couleurs. Tous les jours elle essayait désespérément de se rappeler mon nom, mais en vain, et pourtant elle se souvenait de choses qui s'étaient passées des années auparavant aussi clairement que si elles venaient d'avoir lieu, avec un désir irrépressible de les vivre une seconde fois, un désespoir à l'idée qu'elle ne le pourrait jamais ; c'était comme un pèlerinage au cœur de ses aspirations. Cici ne me considérait plus comme un invité. Elle laissait ouverte la porte de la salle de bains quand elle allait aux toilettes. Elle remontait sa chemise de nuit quand elle s'asseyait sur le canapé. Je tournais le dos quand elle sortait ses seringues, je remplissais le fourneau de la pipe à la griffe d'ours, je m'évadais dans les volutes de fumée.

Elle disait que Haight avait été pour elle un endroit transitoire, sexuel et magique. Au milieu des années soixante — dix ans après les incendies du Wyoming — elle avait vécu, cheveux au vent, accro au LSD, des colliers autour du cou, des durillons sur la plante de ses pieds toujours nus. Je descendis jusqu'à là-bas pour vérifier ses dires. Planté à l'angle de Haight et de Ashbury je me retrouvai au milieu d'une foule de vieillards barbus faisant la manche et d'une odeur de levure fraîche flottant dans l'air. En voulant recréer une époque on avait rendu ces lieux tristes : des queues-de-cheval, des anneaux dans le nez, des disques compacts, des colliers de perles coûteux, une chemise avec le signe de la paix dessiné à l'intérieur du logo Mercedes-Benz.

Dans le parc une jeune fille jonglait avec des oranges. Elle portait un gilet très court, et de temps en temps se passait la main sur la poitrine pour essuyer la transpiration. Elle remarqua le petit drapeau aux couleurs de l'Irlande que j'avais cousu sur la poche extérieure du sac que je prenais pour mes sorties quotidiennes. « On fait de la pub, dit-elle en plaisantant, tout le monde adore les Irlandais. » Elle était de Galway, mais elle n'avait plus le moindre accent. Nous marchâmes jusqu'à la librairie City Lights où je cherchai les recueils de poèmes de Cici au milieu des rangées de poètes de la beat generation, mais il n'y en avait pas ; alors nous allâmes dans un bar, nous fîmes une partie de billard et elle jongla avec des bouteilles de Guinness. « Je jongle avec la vie », dit-elle, et brusquement l'accent irlandais reprit le dessus. « Allez, un petit bisou. » Elle se pencha sur moi, m'embrassa, et je mis mes bras autour d'elle, mais à ce moment-là elle murmura que je ressemblais à quelqu'un qu'elle avait connu autrefois. Je la quittai et appelai un taxi.

Je m'affalai sur le siège et regardai défiler San Francisco. Le monde entier cherchait quelqu'un qui était parti.

Des oiseaux de nuit volaient au-dessus de Castro et descendaient la rue adjacente, et pendant ce temps-là Cici ne dormait pas.

— J'aime Frisco, lui dis-je, encore un peu ivre.

— Oh, ne l'appelle pas Frisco, mon chou, il n'y a que les touristes qui l'appellent Frisco, appelle-la, laisse-moi voir, appelle-la la ville blancheblanche.

— D'accord. J'ai rencontré quelqu'un ce soir.

— Tant mieux, mais ne tombe pas amoureux.

— Non, j'éviterai.

— Oh vas-y, pour pouvoir gueuler à pleins poumons.

— Vas-y quoi ?

— Tombe amoureux, perds la tête, tombe amoureux d'un million de filles. — Elle se frotta les yeux. — Et laisse-moi te dire quelque chose : toutes en même temps c'est ce qu'il y a de mieux.

— D'accord.

Amoureux en même temps d'un million de femmes de la ville blancheblanche : ça aurait pu être l'épitaphe de Cici.

Un homme vint récupérer deux mois de factures impayées. Il glissa le pied dans la porte pour empêcher Cici de la refermer, nous brandit les factures et menaça de porter plainte. Je payai les factures pour Cici. Elle en fut stupéfaite : « Ne fais pas ça, mon chou, oh mon Dieu, tu n'es pas obligé de faire ça. » Ce n'était pas de la charité, simplement le désir de perdre une partie de moi-même dans cette pièce. C'était pathétique, mais je n'eus aucune autre idée en dehors de l'argent. Un brusque sentiment de culpabilité me saisit : Cici était épuisée, j'avais fait remonter à la surface des choses qu'il aurait peut-être été préférable d'oublier. Chez le traiteur je fis provision de nourriture et de vin. Je préparai un repas de haricots et de galettes garnies, et nous bûmes un peu de vin blanc en portant un toast à ma mère. Cici prononça ces simples mots : « A Juanita. »

Un taxi m'attendait en klaxonnant sous les fenêtres de l'appartement le lendemain matin. Tout juste si je l'entendis dans tout ce vacarme.

— Tu peux vraiment rester si tu veux.

— Je pars tomber amoureux d'un million ·de femmes.

— Quelle bonne idée, emmène-moi avec toi.

— D'accord, allez, viens.

Elle se mit à rire et secoua la tête.

— A bientôt, dis-je.

Je l'embrassai sur la joue.

Elle se recula, fit une drôle de moue, des rides lui creusèrent les joues, elle me montra ses lèvres du doigt, refit la moue. Nous nous sommes mis à rire. La main sur ma nuque, elle m'a pris par les cheveux et m'a caressé le dos pendant que nos lèvres se touchaient. J'ai voulu l'embrasser à nouveau mais je ne l'ai pas fait.

— Et maintenant tu vas où ? a-t-elle demandé, en lâchant mes cheveux.

— J'ai un ticket de bus pour le Wyoming.

— Salue-le pour moi.

— Je peux l'appeler le Wyoming ?

— Tu peux l'appeler comme tu veux, mon chou.

— D'accord.

— Et salue Juanita pour moi quand tu la verras. Dis-lui qu'elle me doit une lettre.

Le taxi m'éloigna de la blanche ville de San Francisco. Le visage de Cici m'accompagnait, tout raviné. Elle m'avait promis qu'elle laisserait tomber la morphine mais juste avant que je parte je la vis se fouiller les cuisses avec une autre petite aiguille et chercher une surface de peau encore intacte. « Encore une et c'est tout », dit-elle en ricanant et déjà l'euphorie la submergeait. « Tu sais, mon petit, faut y aller doucement avec ce genre de choses. »

Un matin, quand les bruissements de l'aube se furent tus, et après que le vieux fut parti pour toute la journée, elle et Mam paressaient toutes les deux près du campement.

Mam portait une robe magenta boutonnée devant. La rangée de boutons blancs descendait jusqu'en bas. Ses jambes brunes étaient découvertes, minces comme des tiges. Elle était allongée dans l'herbe, la main sur les yeux pour se protéger du soleil. Cici était à côté d'elle, la tête appuyée sur un coude. « Un de ces jours il va pleuvoir », dit Cici. Elle bougea légèrement avec une nonchalance feinte. L'ombre qui tombait sur les yeux de ma mère s'allongea de façon infinitésimale. Cici avait un brin d'herbe à la bouche, entre ses dents de devant légèrement écartées. Un insecte se posa sur le ventre de Mam et Cici se pencha pour le chasser. Sa main hésita un instant au-dessus du corps de Mam, descendit lentement et lui toucha le ventre. Rien ne fut dit. L'insecte s'envola. L'ombre persistait. Les doigts de Cici décrivirent de petits cercles autour d'un des boutons de la robe. Suivirent les contours. Seule l'extrémité de ses doigts s'insinua doucement entre les boutons et caressa la peau de Mam. Ce ne fut qu'une minuscule surface de peau que Cici explora du bout des doigts, et peut-être que ma mère bougea sensuellement la tête, peut-être que sa chevelure noire écrasa un peu plus le sol, peut-être qu'elle cambra les reins pour laisser passer l'air sous son corps, peut-être qu'elle attendit que les doigts explorent davantage, peut-être qu'elle se dit que la pluie ne viendrait jamais, en tout cas Cici retira la main et se mit à rire.

Elle se leva et s'en alla en sautillant jusqu'à la tour. Mam la retrouva un peu plus tard, empêtrée sous une pile de cartes et communiquant par radio avec un des rangers. Elles se donnèrent la main quelques secondes pendant qu'une voix crépitait à la radio : « Vous êtes pas encore devenues cinglées toutes les deux là-haut ? »

Elles redescendirent jusqu'à l'abreuvoir, et Mam se laissa glisser dans l'eau, tout habillée, pour voir l'impression qu'on avait. L'eau n'était plus froide et avait été débarrassée de toutes ses larves. Elle frappa des mains la surface de l'eau, plongea la tête jusqu'au fond, remonta, les cheveux emmêlés. Cici s'assit à côté d'elle sur le bord de l'abreuvoir et griffonna quelque chose sur un calepin — des gribouillages illisibles qui plus tard devinrent un poème. Ce fut un moment fabuleux, Mam et Cici ensemble — c'est en tout cas ce que Cici me raconta —, les mouvements du ciel au-dessus d'elles, l'absence de paroles. Ensuite la robe fut suspendue au fil à linge et flotta au vent. Ma mère redescendit au campement et prépara des sandwiches pour le repas du soir de mon père.

Quand le vieux rentra ce soir-là, je suis sûr qu'ils ont grimpé à l'échelle et qu'ils se sont couchés, comme d'habitude, enlacés. Peut-être qu'un hibou a hululé dans les arbres et qu'il a laissé tomber au sol des boules de merde duveteuses, comme en offrande.

L'enfant de Delhart naquit la semaine suivante.

Le ranger et mon père étaient assis dans un bar, leurs vêtements imprégnés de l'odeur de fumée, quand Eliza entra. Elle avait à peine une vingtaine d'années, mais on apercevait déjà quelques fils blancs dans sa chevelure que des nattes retenaient tant bien que mal. On aurait dit que son visage avait été modelé dans de la terre brune. Sa robe était mouillée à l'endroit où les eaux s'étaient écoulées, mais elle se tenait bien droite. Le barman quitta son comptoir pour la chasser comme s'il s'était agi d'une mouche, mais Delhart se leva et s'avança vers Eliza. Elle serra les dents, agita les bras avec violence et lui dit avec hargne : « Je veux que tu voies ce que c'est. » Eliza se courba et crispa les mains sur son ventre. C'étaient les premiers mots qu'on ait jamais entendus de sa bouche. Delhart écarta le barman de son chemin et emmena Eliza dans une arrière-salle où il lui souleva la robe jusqu'à la ceinture.

Le vieux courut chercher le médecin qui, appelé auprès d'un autre patient, était absent : un gamin s'était brûlé la paume de la main dans un champ en flammes en cherchant des serpents.

Quand mon père revint au bar, Eliza mordait à pleines dents dans un épais morceau de carton. Des gouttes de transpiration lui dégoulinaient sur le visage. Il y avait une tache de sang sur le bras de Delhart parce que l'enfant commençait déjà à venir au monde, guidé maintenant par quatre vieilles femmes qui s'activaient et tentaient de la calmer. « Vous autres les hommes vous savez rien ! » Mon père sortit de la pièce et attendit dans la salle où le barman affichait un sourire plus que ravi : la nouvelle de la naissance s'était répandue et des douzaines de personnes s'étaient rassemblées dans le bar, les yeux fixés sur la neige grise qui envahissait l'écran de télévision. Des chuchotements firent le tour des clients, des spéculations quant à savoir si Delhart était vraiment le père. Certaines femmes espéraient que l'enfant lui ressemblerait — elles grommelèrent qu'il y avait déjà trop de gens de couleur en ville.

Quand le petit garçon naquit il avait la peau sombre sous le sang, sombre comme le cou d'Eliza, et quelques rares cheveux noir charbon sur la tête. L'une des femmes demanda à Eliza comment elle voulait l'appeler. « Kutch », répondit-elle en crachant presque ce mot à leurs visages. Ça signifiait « le sombre » dans sa langue. Delhart entra dans le bar, l'enfant enveloppé de serviettes dans les bras, comme s'il s'était agi d'un don de Dieu, mais Eliza cria à Delhart de revenir la voir, lui dit qu'en aucune façon elle ne voulait qu'il s'occupe de l'enfant, qu'elle l'élèverait seule — si jamais Delhart venait jusqu'à sa cabane il finirait comme le grizzli qui s'était aventuré en ville au début de l'été. En fond sonore on entendit quelqu'un dire par radio que la foudre s'était abattue sur l'une des arêtes nord de la montagne et qu'il y aurait peut-être de nouveaux incendies, encore plus féroces, le lendemain. Il n'y eut pas d'autre incendie. Des nuages firent leur apparition, et pendant la semaine suivante la pluie tomba de façon intermittente et les nuages s'installèrent au-dessus des montagnes comme d'étranges chevaux. Mais ils étaient porteurs d'un tel espoir qu'ils prirent peur et préférèrent poursuivre leur route sinueuse vers le nord, vers le Canada. De leur poste d'observation, Cici et Mam regardaient les insectes voltiger autour des rochers, les oiseaux se rassembler sur les arbres, déjà prêts à prendre leur envol vers le sud. Des animaux hurlaient au loin et quelquefois Cici leur répondait en poussant des cris.

Elle entendit parler de l'enfant de Delhart et haussa les épaules comme pour se débarrasser d'une couverture. « Je continue de m'en foutre. » Mais ses poèmes ne parlaient plus que de naissances, de graines expulsées de leurs gousses et s'éparpillant dans le vent du Wyoming, d'un ours noir dans la forêt fou d'amour pour ses petits, de deux aigles royaux descendant lentement en tournoyant et en s'accouplant sur les courants d'air. Des rouleaux de papier s'entassaient sur le sol du refuge. Mam lui préparait des tasses de thé et quelquefois elles allaient se promener, en se tenant par la taille, et chantaient pour maintenir les ours à distance. Cici lui apprit ce qu'elle savait sur les variations climatiques de la région, le nom anglais de certains nuages, le cirrus blanc à filaments, le cumulus aplati à sa base, le cumulonimbus gonflé de pluies qu'il déverserait très bientôt sur elles mettant ainsi fin à leur été. Mam apprit à évaluer les degrés d'humidité. Quelquefois elle bavardait à la radio avec les autres opératrices.

— Ça sera mon dernier été ici, dit Cici au cours d'une de leurs promenades.

— Qu'est-ce que tu vas faire ?

— Je ne sais pas, peut-être retourner à San Fran.

Mon père remonta de la vallée, ivre et hors d'haleine. Il avait pris la décision de publier un album des photos de cet été-là, et annonça qu'il y inclurait peut-être un poème de Cici. Cici ne dit rien. Cette nuit-là il but tout seul une bouteille de vin, et il rêva qu'il était à New York, où il portait un long manteau noir et un béret sur le côté dans une soirée du monde de l'édition où les seules flammes provenaient de chauffe-plats pour les hors-d'œuvre. Il se saoula tard dans la nuit et lut, pour la première fois, les poèmes de Cici. Le vieux ne fit jamais le moindre commentaire sur sa poésie — ils appartenaient à deux mondes différents, lui et Cici. Il se rasa la barbe, se peigna, regarda la vallée en contrebas, se demanda où Mam et lui allaient partir.

Peut-être que les cartes du jeune Miguel lui sont brusquement revenues en mémoire. L'odeur de terre. Toutes ces petites pointes qui matérialisaient les villes.

Ils finirent par attendre la pluie, tous les trois ensemble. Le soir, ils regardaient les lueurs d'incendies à l'est, et le matin, debout et ancrés à leurs ombres, ils observaient les nuages noirs qui traversaient les vallées. Du sommet de la montagne, ils avaient une vue d'ensemble jusqu'à l'Idaho. Mon père prit des clichés de la tour, de la radio, de la toile

d'araignée dans l'angle de la pièce, de la nuée de fau-
cheux qui papillonnaient sur la façade est du bâtiment,
des étranges pulsations rythmées qui les faisaient ressembler à un seul et énorme organisme qui aurait paré
aux attaques de quelque prédateur. Il y avait des photos de l'abreuvoir, des arbres, de leur campement, de
sa bicyclette appuyée contre un tronc. Ma mère rangea tout dans leurs sacs. Ils n'avaient pas vraiment
idée de l'endroit où ils allaient échouer cette fois-ci,
mais il fallait qu'ils aillent ailleurs, dans quelques
mois leur été tout entier serait recouvert de neige. Ils
observèrent les nuages qui s'amoncelaient dans le
ciel, gonflés comme autant de poitrines dilatées. Des
bourrasques de vent soufflaient, annonciatrices
d'averses, de cataractes et de déluges. Quand la pluie
arriva enfin ce fut la pluie la plus forte, la plus pure,
la plus grise et la plus belle à laquelle aucun d'entre
eux ait jamais assisté de sa vie. De violentes trombes
d'eau cinglèrent la région tout entière qui s'avançait
déjà vers l'automne ; les incendies furent pour un
temps en sommeil, des ruisseaux se formèrent et la
pluie s'abattit sur les fruits rouges, dégoulina des
arbres, fit éclore les semences, fondre les blocs de sel,
obscurcit le ciel et transforma en boue le sol aride. Ils
sortirent tous les trois de la tour et laissèrent la pluie
rafraîchissante leur couler sur le visage. Ensuite les
nuages se levèrent et l'air des sommets parut assez
pur pour provoquer des saignements de nez.

Cet après-midi, Mrs McCarthy est venue lui apporter de quoi manger. Des pommes de terre rôties et un
gros morceau de blanc de poulet. Je ne sais pas pourquoi elle éprouve le besoin de temps en temps de four-
nir un repas au vieux — à part elle, tout le monde s'en
fiche en ville. Une espèce de charité chrétienne, je

suppose. Elle a été un peu étonnée de me voir, mais très vite elle s'est détendue et elle m'a demandé si j'irais à la messe ce dimanche. Je lui ai répondu par un vague clin d'œil et je lui ai dit que j'y serais la semaine suivante, qu'il pleuve ou qu'il vente.

Le vieux m'a surpris quand il s'est levé et qu'il a pris l'assiette des mains de Mrs McCarthy en annonçant avec un grand geste : « J'ai tellement faim que je pourrais avaler un bœuf entier ! »

Il s'est assis dans le fauteuil et la sauce lui a dégouliné sur le menton. Un peu plus tard, Mrs McCarthy est revenue, un vague sourire aux lèvres pour m'apporter à moi aussi un repas.

— Que Dieu vous bénisse, m'a-t-elle dit en jetant un coup d'œil circulaire à la cuisine. Je vois que vous lui avez fait un peu de ménage.

Il est allé pêcher jusqu'à la tombée de la nuit, six heures d'une stupidité tenace, pour rien cette fois-ci, même pas une touche. Il faisait froid quand il est rentré et qu'il est monté dans sa chambre. Il m'a dit qu'il ne voulait pas s'endormir dans le fauteuil, que ça lui donne mal au dos, qu'il y a un courant d'air qui passe par la fenêtre. Je lui ai préparé un grog au whiskey avec beaucoup de sucre mais je n'ai pas trouvé de clou de girofle dans le placard. Je lui ai monté son whiskey sur le vieux plateau en argent, j'ai posé sur mon bras une serviette blanche pour rigoler et j'ai ouvert brusquement la porte en criant « Le verre de Monsieur ! » et il était accroupi, près de la table de toilette, nu, penché au-dessus d'un miroir à main, s'examinant le derrière. Ses jambes ressemblaient à deux fuseaux. Il y avait une petite traînée de sang séché entre ses fesses. Il la regardait et, un gant de toilette à la main, il s'apprêtait à essuyer le sang.

— Oh, mon Dieu, désolé, ai-je dit en reculant vers

la porte, et il s'est redressé comme un animal du pléistocène, il a poussé un grognement, s'est précipité vers la porte, s'est arrêté une seconde, étonné de son geste, une main accrochée au chambranle, et son regard a fait le tour de l'encadrement de porte.

— Qu'est-ce que tu veux ?

— Rien, rien.

— Sors d'ici, putain, a-t-il dit en remontant son pantalon qui lui tombait sur les chevilles.

— Je suis désolé.

— Allez, va maintenant, sors d'ici nom de Dieu !

— Tu vas bien ?

— Je vais très bien.

— Je venais juste...

— Y a une porte, t'aurais pu frapper, non, mon vieux ?

— Je voulais te faire la surprise...

— Eh bien, t'as réussi.

Il est retourné au fond de la chambre — c'était presque comique de le voir avancer, le pantalon sur les talons. Il s'est caché le sexe avec les mains bien qu'il eût le dos tourné.

— Pour me surprendre tu m'as surpris, dit-il. Maintenant laisse-moi seul.

— Qu'est-ce qui ne va pas ? T'es malade ?

Il m'a regardé en louchant :

— J'ai un saignement de nez dans le cul, où tu vas chercher que je suis pas bien, bon Dieu ?

— Je ne sais pas.

— Allez, va-t'en, fiston, pour l'amour de Dieu.

J'ai déposé le plateau devant la porte, je suis redescendu, j'ai attrapé ma veste, je me suis assis sous le porche devant la maison et j'ai regardé le ciel agité du comté de Mayo et les nuages qui défilaient devant la lune gibbeuse. La chatte rousse est venue se lover sur mes genoux repliés et je l'ai caressée. Le vent a traversé la cour en bourrasques, la brouette à côté de la grange a oscillé un peu, même la rivière aurait pu se mettre à bouger. Quelques cendres du feu de tourbe ont voltigé. J'ai entendu le vieux farfouiller dans la cuisine, des bruits de vaisselle venant des placards, et au bout d'un moment le sifflement aigu de la bouilloire. J'ai poussé la porte et je suis rentré. Le dernier bouton de sa braguette était encore défait. Il fixait la tache de fumée sur le mur, un grog à la main. Mais il avait oublié la cuillère en métal, le fond du verre s'était fendu et le whiskey lui coulait sur les doigts. Il était planté là, insensible à la brûlure sur sa main.

— J'ai pensé qu'il valait mieux que je te le dise.

— Quoi ?

— C'est seulement les raisins de la colère.

— Quoi ?

— Les raisins de la colère.

— Steinbeck ?

— Des hémorroïdes, a-t-il répondu.

Il continuait de fixer la tache de fumée sur le mur et je ne savais pas si je devais rire ou non.

— Ça doit être la nourriture de Mrs McCarthy, ai-je dit.

Mais il a fait comme s'il ne m'avait pas entendu et, planté là, il s'est léché le doigt pour essayer d'effacer la tache de fumée sur le mur, s'est retourné et m'a mis le bras sur l'épaule et me l'a caressée, très tendrement.

— J'ai envie d'être un peu seul, Conor.

Je l'ai laissé respirer. J'ai longé toute la rivière, j'ai marché jusqu'à l'endroit où les berges s'élargissent et où les méandres forment des bras morts. J'ai suivi les rives encombrées de roseaux jusqu'aux tombes des demoiselles protestantes où j'ai dégagé quelques mauvaises herbes, puis je me suis accroupi, les yeux tournés vers l'embouchure de la rivière, vers l'endroit où elle s'écoule lentement dans la mer. Il y avait des lumières au large, des bateaux secoués par les vagues qu'ils chevauchaient comme des points phosphorescents. Le vide et l'absence, ça suffit, me suis-je dit. Cette semi-émergence, ça suffit. Je suis descendu à quatre pattes jusqu'à la plage, j'ai sautillé en cercles sur le sable pendant quelques minutes, je me suis déshabillé et je me suis avancé jusqu'au bord, j'ai pataugé un peu, de l'eau jusqu'aux cuisses, j'ai plongé, je suis remonté à la surface en riant et en tremblant de froid et j'ai nagé pendant un quart d'heure, jusqu'à ce que l'eau me paraisse agréable ; j'ai flotté dans le courant, je me suis laissé porter par les grosses vagues, j'ai aperçu les lueurs d'un satellite dans l'immensité effrayante de la nuit et je me suis senti étrangement léger dans ce silence religieux tandis que l'eau me léchait le corps. La lumière que j'ai aperçue provenait peut-être d'une étoile qui avait depuis longtemps implosé. De hautes crêtes de vagues salées m'attiraient vers le fond puis me soulevaient, me ballottaient, heureux dans cette obscurité. Il n'y a rien de mal à être romantique, ai-je dit en m'adressant au ciel. Il y en a marre de cet anathème sur la sentimentalité. Je me suis enfin senti vivre et les longues herbes se prosternaient sur la rive, et le vent apportait un air glacial et revigorant et la lune diffusait sa lumière et j'ai cru entendre deux vieilles dames rire en même temps que moi en levant leurs ombrelles vers le ciel pour arrêter les gouttes de pluie, et j'ai eu la vision d'une des femmes, Loyola, apparaissant dans les vagues et me disant : *Ne sois pas aussi dur avec lui, il va bientôt mourir*, et j'ai répondu, non ce n'est pas vrai, non, ce n'est pas vrai, c'est seulement les raisins de la colère, et je me suis mis à rire tout seul, comme un malade, devant le ridicule de tout cela ; j'ai continué à nager, à crier alléluia aux étoiles, j'ai continué à divaguer, j'ai continué à libérer ma fureur, en battant des bras, en hurlant des stupidités à la nuit, en me disant que c'est un vieux con revêche, mon père, qu'il l'a toujours été, qu'il le sera toujours. J'ai plongé sous l'eau une dernière fois, l'eau de mer me piquait les yeux, je suis remonté à la surface en gloussant, j'ai fait le tour de la crique à la nage en me laissant porter par les vagues. Je suis ressorti péniblement de l'eau, j'ai couru le long de la plage pour me réchauffer, la main sur le sexe jusqu'à ce que le vent devienne plus mordant et qu'il se mette à faire tellement froid que j'en avais la vue brouillée et que je commençai à claquer des dents. Je me suis vite rhabillé, en sautillant sur le sable, et j'ai couru le long de la rivière vers la maison, en me frayant un chemin à travers les roseaux qui s'accrochaient à moi ; je les écartais et ils pliaient un peu puis se redressaient. En rentrant, je me suis enveloppé dans une couverture, et j'ai frissonné de froid dans la cuisine. Il m'avait laissé une bouteille de whiskey sur la table, j'ai bu deux verres à sa santé et je me suis dit, en tremblant : il se pourrait même que ce vieux con me manque quand je m'en irai, mais j'en doute.

# SAMEDI

*Un envol de hérons cendrés*

Je suis allé en ville — les cheveux encore imprégnés de l'odeur de sel —, j'ai acheté mon billet de train pour Dublin, et pour lui chez le pharmacien une pommade contre les hémorroïdes. Il a été gêné quand je la lui ai donnée et il est monté dans sa chambre en chantonnant.

— Il faut bien chanter de temps en temps, m'a-t-il dit du haut de l'escalier, c'est la seule façon de faire la nique au destin.

Il a agité le petit tube de crème.

J'ai ri et je suis allé dans la grange où j'ai commencé à fixer avec des clous quelques tôles d'aluminium qui sont sorties de leurs rivets au cours des ans. La grange est dans un état épouvantable, elle ressemble un peu à ma cabane. Elle ne va pas tenir un hiver de plus. J'ai pris l'échelle pour grimper sur le toit. J'y suis resté environ une heure à déplacer des tôles, à tordre les bords coupants pour éviter qu'ils ne blessent quelqu'un, à enfoncer de nouveaux rivets. Certaines poutres étaient un peu friables et vermoulues, les clous pénétraient d'un seul coup de marteau. Le ciel avait la couleur de jeans délavés et je me suis

assis pour observer un vol d'oies en formation pyra-
midale. Elles sont passées au-dessus de la maison et
je les ai suivies des yeux. Appuyé à l'échelle, j'ai
aperçu la camionnette du facteur qui avançait sur le
chemin, et au volant, Jimmy Kiernan, un garçon qui
avait fréquenté la même école que moi autrefois. Il a
garé sa camionnette et a sonné à la porte. Une insup-
portable musique métallique sortait à plein volume
d'un gros transistor posé sur le siège du passager.
J'aurais pu l'appeler en criant pour dominer le bruit
de la musique, mais Kiernan était l'une des dernières
personnes à qui j'aurais voulu parler, et je l'ai donc
laissé s'énerver sur la sonnette.

Kiernan avait un peu de bedaine, sa boucle d'oreille
en argent brillait au soleil et sa peau laiteuse m'a fait
penser au ventre mou d'un hareng. Il s'est mis à frapper à la porte.

Les rideaux à la fenêtre de la chambre du vieux
étaient ouverts et je l'ai vu traverser la pièce en maillot de corps, ouvrir la fenêtre et se pencher.

— Un colis, a dit Kiernan.
— Qu'est-ce que c'est que tout ce boucan ? a hurlé
le vieux.
— Un colis !
— Formidable, pose-le par terre.
— Faut que vous signiez.
— Signe-le toi-même.
— Bon Dieu ! a dit Kiernan en déposant le petit
paquet brun sur le seuil.

Il s'est retourné brusquement et je suis sûr qu'il
m'a vu, mais je me suis plaqué contre l'échelle et j'ai
regardé vers la rivière en riant tout seul de l'entêtement du vieux. Kiernan est resté planté là quelques
secondes, claquant des doigts, puis il est monté dans

sa camionnette verte, il est parti, le bras appuyé à la vitre ouverte, et la musique s'est peu à peu éloignée.

Mon père est sorti, toujours en tricot de corps, une boîte en bois à la main. La chatte s'est approchée et s'est frottée à ses mollets, mais il s'est penché et l'a gentiment repoussée. Il s'est assis sur le seuil, a mis la boîte sur ses genoux et ouvert le paquet. Il y avait quelques babioles à l'intérieur, des sachets en plastique ressemblant à des porte-monnaie, d'autres à des boîtes d'allumettes. Il les a sortis avec précaution et les a posés dans la boîte, il a mis la facture dans sa poche, il a tapé de la main sur la boîte en carton vide et l'a jetée contre la gouttière. Il a sorti un hameçon qu'il a pincé entre ses lèvres — peut-être un souvenir de ses parties de pêche au Mexique avec Gabriel — et il a traversé la cour en direction de la grange, la pointe de l'hameçon lui sortant de la bouche.

J'avais enlevé une des tôles métalliques du toit et je voyais donc ce qu'il y avait au-dessous : une vieille tondeuse à gazon, des pelles, un louchet qui n'a jamais servi, quelques sacs de pommes de terre. Il est entré dans la grange d'un pas pesant et a traîné un siège jusqu'à un établi qu'il a dû fabriquer pendant mon absence. De la poussière est retombée un peu partout dans la grange quand il s'est assis, mais des particules ont continué de flotter dans la pièce et ont accroché la lumière qui filtrait par le toit. Il a posé son chapeau tout au bout de l'établi, il a enlevé l'hameçon de sa bouche, il s'est penché et a caressé le chat. Il a coincé l'hameçon dans un étau placé au bord de l'établi puis, tel un chirurgien, il s'est mis à arranger tout son matériel devant lui.

— Tu fabriques des mouches ? lui ai-je crié de là-haut.

Il a tourné si brusquement la tête que la chaise s'est déplacée.

— Je suis là-haut, ai-je dit en passant la tête par le trou de la toiture.

— Mon Dieu, tu vas finir par me tuer. Au nom du ciel, où t'es ?

J'ai sifflé et il a levé la tête.

— Qui tu crois que t'es : ce putain d'archange Michel ?

— Tu fabriques des mouches ?

— Je monte des mouches, a-t-il corrigé.

— Quand t'as commencé à faire ça ?

— Oh, il y a des années.

— C'est vrai ?

Je ne l'ai jamais vu faire cela auparavant : quand il a commencé à pêcher il achetait toutes ses mouches dans une boutique d'articles de pêche en ville et en revenait avec des douzaines qu'il mettait dans son chapeau. Je l'ai regardé se frotter les bras.

— Tu n'as pas froid ?

— Pas du tout. Je pourrais faire ça au milieu d'une tempête de neige. J'adore bricoler tout ça.

— Tu devrais mettre quelque chose par-dessus ce tricot de corps, ai-je dit.

— Oh, laisse-moi tranquille avec ça.

Il a remis la chaise face à l'établi, il a serré l'étau sur l'hameçon et arrangé méticuleusement tout son matériel devant lui. Il a levé une dernière fois la tête pour me regarder, il a enlevé ses lunettes et s'est mis au travail. Il a sorti du fil floche violet qu'il a roulé entre le pouce et l'index et il a essayé de l'entortiller autour de la hampe de l'hameçon. Mais ses doigts tremblaient — comme des ailes d'oiseaux sur le point de s'envoler — et il n'arrêtait pas de laisser tomber le fil, de le ramasser et de le regarder longuement. Il a posé sa main tremblante bien à plat sur l'établi, lui a lancé un regard furieux en lui disant peut-être de s'arrêter et brusquement il s'est donné un grand coup de poing sur le dos de la main. Le tremblement s'est arrêté et il s'est mis à rire tout bas. Il a fini par enrouler un peu de fil sur l'hameçon et les tremblements de ses mains ont semblé disparaître d'un coup et laisser place à une paisible satisfaction, l'acceptation de la lenteur du temps qui passe et de l'art de fabriquer une mouche si simple qu'aucun poisson ne pourrait y résister, quelque chose de naturellement agressif et réel, quelque chose qui fendrait l'air d'un coup d'aile et peut-être avec trois paires d'yeux, quelque chose qui aspirait de façon incohérente à bouger. Il s'est mis à fredonner et semblait heureux — il faisait la nique au destin à sa manière à lui. J'ai tendu le bras pour atteindre la tôle que j'ai placée sur le trou et fixée avec des clous, puis je suis redescendu du toit par l'échelle, je suis rentré dans la maison pour lui prendre une chemise et son manteau — sinon il aurait gelé là-dedans vu le temps qu'il lui faudrait, je le savais bien, pour fabriquer cette mouche, avec toutes ses couleurs qui, en mouvement, deviendraient de vrais pièges.

Les gares routières sont parmi les endroits les plus tristes d'Amérique. Tout le monde cherche une sortie, on passe furtivement, on recherche des enfants perdus dans la foule, on reste les yeux rivés dans le vague, on attend de la vie un changement.

A San Francisco une jeune fille hurlait des propos concernant Jésus. Elle portait au bras une brochette de montres. Elle disait attendre le Second Avènement du Messie. A côté d'elle, un garçon s'activait à porter valises et sacs de voyage. Il avait autour du cou un insigne : « HIV Positif. » Un homme coiffé d'un chapeau rasta essaya de me vendre une brochure pour les sourds. Il s'adressa à moi en langage des signes, puis, sur une feuille, m'indiqua d'une écriture presque illisible que je pouvais utiliser cette brochure comme pause publicitaire entre deux lectures. Je la lui achetai et il me donna une bourrade amicale sur l'épaule, me dit qu'il n'était absolument pas sourd et s'en alla d'un pas nonchalant. Je mis la brochure au fond de mon sac à dos et je m'aperçus seulement à ce moment-là que Cici avait glissé la pipe à la griffe d'ours dans la poche supérieure de mon sac, sous mes jeans. Je me rendis dans les toilettes de la gare routière et rinçai les dernières traces de résine, au cas où mes bagages seraient fouillés.

Le voyage jusqu'au Wyoming durait deux jours. Dans un bus brinquebalant qui traversait de hauts reliefs désertiques et montagneux, empruntait les autoroutes bordées de gigantesques aires de repos, et s'arrêtait l'après-midi dans des villes plombées de ciels gris. Quand je parvins enfin à Jackson Hole j'étais hébété et je me mis à marcher au hasard jusqu'à ce que j'arrive au Million Dollar Cowboy Bar. Je négociai avec un homme en stetson noir pour avoir un peu de drogue, je descendis jusqu'à la Snake River, je bourrai la pipe à la griffe d'ours et me noyai un peu dans la fumée euphorisante.

Au matin, en me réveillant, je vis deux hérons cendrés s'envoler au-dessus des rives, leurs ailes battant l'air avec une puissance suffisante pour briser le bras d'un homme. Je me lavai le visage dans le courant alimenté par les neiges fondues qui étaient descendues des montagnes à la fin de l'été.

Je retournai au dépôt de la gare routière et regardai autour de moi. Mes parents avaient été à ce même endroit plus de trente-cinq ans auparavant. Cici m'en avait parlé. Je recréai la scène dans ma tête. Mam avait dû se tenir là, nerveuse, les pommettes barbouillées de rouge à joues, les lèvres légèrement maquillées, un foulard pourpre négligemment porté autour du cou. Elle redoutait l'instant où le bus allait cracher sa fumée par le tuyau d'échappement. Cici attendait à ses côtés, une main posée sur l'avant-bras de Mam, et passait un ongle sur la peau duveteuse. Mam posa la tête sur l'épaule de Cici, les yeux tournés vers la route, vers cette ville qui s'étendait devant elle et même au-delà, le regard plongé dans les années cinquante qui s'achevaient, dans un avenir aux perspectives incertaines. Elle ne rajusta pas l'écharpe pourpre qui lui glissait sur les épaules.

Le vieux aussi était là, leur tournant le dos. Il mettait les bagages dans le coffre du bus et était en pleine altercation avec le chauffeur. Il y avait de l'huile dans le compartiment à bagages et il voulait que le chauffeur nettoie. « C'est pas mon boulot, monsieur. » Mon père leva les bras au ciel, ouvrit sa valise et en sortit un caleçon pour essuyer l'huile. Il envisagea de brûler le caleçon, comme un autodafé en souvenir de l'été, mais se ravisa. Il ne voulait pas être expulsé du bus. Le chauffeur renâcla, monta s'installer au volant et klaxonna. On annonça le départ par haut-parleur. Cici prit le visage de Mam dans ses mains et elles s'embrassèrent, très fort, sur la bouche. Mon père s'occupait à rentrer les bagages. « Bonne chance », chuchota Cici à l'oreille de Mam. Elles étaient dans les bras l'une de l'autre. Il y avait du rouge à lèvres sur la bouche de Cici.

Derrière elles, mon vieux se mit à crier : « Si tu te magnes pas le cul, on va rater ce putain de bus, femme ! »

Cici passa les doigts sur le visage de Mam. Elles

s'embrassèrent à nouveau — sur la joue cette fois-ci — et puis ce fut le départ. Le vieux tambourinait sur le siège devant lui, un rythme de jazz. Il ne se retourna pas quand le bus démarra. Il répéta plusieurs fois « ouais » très lentement, sur un air de saxophone. On aurait dit que les clubs de New York lui chatouillaient déjà la gorge. « Ouais, ouais, ouais. » Il continua à tambouriner sans se préoccuper du reste, des larmes qui se mirent à couler sur le visage de Mam quand le chauffeur fit grincer ses vitesses et suivit une autre route, une autre longue route qui les entraînait, qui les menait vers New York.

Je sortis de mon rêve et déambulai dans Jackson Hole. Il y avait abondance de touristes. On jouait la reconstitution d'une attaque à main armée près du marché entouré de petits yeux de caméras vidéo rouges qui clignotaient. Au loin, des arbres semblaient se chevaucher tout le long des versants montagneux. Des oiseaux chantaient à tue-tête, marquant ainsi leur territoire. Je savais que ma recherche de Mam était à présent sans espoir, et, qui plus est, bientôt je n'aurais plus d'argent. Je trouvai une cabane à louer sur la route près de la Snake River. Elle était délabrée et envahie de mauvaises herbes ; quelques chats sauvages avaient élu domicile sur des bouts de ferraille orange dans la cour, des restes d'un vieux moulin à vent, un bloc-moteur sur lequel on avait autrefois coupé du bois. A l'arrière de la cabane je marquai un chemin dans l'herbe jusqu'à la berge. On était tellement haut par rapport au niveau de la mer que l'on apercevait les passages de satellites et de constellations qui clignotaient dans le ciel, et même un soir une éclipse qui donna à la lune une incroyable pénombre.

J'inventai un faux numéro de Sécurité Sociale et

trouvai un emploi comme agent de nettoyage d'une piscine ; de la poudre de diatomite sous les ongles, je débouchais des filtres obstrués par des feuilles, je me servais d'aspirateurs à striures bleues après avoir bombardé les bassins de chlore. En hiver les téléskis qui remontaient les pentes ressemblaient à des chenilles et je vendais des tickets. Je passai plus de trois ans ainsi, à rafistoler ma cabane, à réparer les gouttières, à faire de la randonnée en montagne, de la marche, à descendre des rivières en rafting, à regarder passer les anniversaires, sans jamais oublier Mam.

Il se trouve que Kutch était mon voisin. Des cheveux noirs très courts et un visage de gargouille, criblé de points de suture et de cicatrices — un jour il avait été victime d'un accident lors de la démolition d'un barrage à l'explosif. Lui et Eliza habitaient dans un wagon désaffecté. Pour vivre ils confectionnaient des bancs qu'ils taillaient dans des troncs d'arbres morts et qu'ils vendaient à des magasins en vogue de Cheyenne. Je leur enviais leur intimité à cette mère et son fils si proches l'un de l'autre. Eliza travaillait à ses bancs ; elle ciselait, elle taillait de ses longs doigts bruns effleurant à peine le bois. Kutch s'inspirait des techniques de sa mère, il imitait les lignes qu'elle créait. Parfois ils partaient tous les deux en voiture et lacéraient les affiches publicitaires, hérissaient de pointes les troncs d'arbres, détérioraient des bulldozers sur lesquels ils peignaient des poings serrés rouges. Il y avait une quantité de poings serrés peints en rouge. Même sur la tour d'incendie — que Kutch me montra le premier automne que je passai là — ils avaient peint une fresque. Rouge vif, avec l'ongle du pouce replié et sombre, le poignet un peu en biais prolongé par un bras, un poing dressé au-dessus des arbres et des montagnes, tendu vers les éperviers qui tournoyaient. Au-dessous, d'un seul trait et d'une large écriture penchée ces mots : « Aucun compromis dans la Défense de notre Mère Nourricière, la Terre. »

Il m'arrivait d'emmener Kutch et Eliza dans leurs expéditions quand ils se livraient à leur guérilla écologiste. Je n'y participais jamais moi-même, jamais je ne dessinais le moindre poing serré ou ne déversais du sucre dans le moindre réservoir à essence, paralysé que j'étais par ma propre inertie.

Ils déchirèrent toute une série d'affiches dans l'Utah, une longue enfilade de panneaux publicitaires représentant le dessin ridicule d'un pingouin, des kilomètres et des kilomètres d'inanités effarantes dans ce paysage. J'attendis, assis au volant, garé sur le bas-côté, et nous fûmes poursuivis par une voiture sans immatriculation avec, sur le toit, un gyrophare rouge allumé. Eliza et Kutch bondirent à l'arrière de la camionnette sans prendre le temps d'éteindre la lampe à acétylène et je démarrai sur les chapeaux de roues. Par la vitre coulissante qui nous séparait, Eliza posa sa main brune et ridée sur mon bras qu'elle serra très fort jusqu'à ce que nous ayons échappé à tout danger en disparaissant dans la nuit. A notre retour dans le Wyoming elle m'embrassa sur le front et me dit que si je voulais un jour venir vivre avec eux dans leur wagon de chemin de fer je serais le bienvenu, qu'ils avaient une chambre d'ami. Mais j'aimais ma solitude. J'ai toujours aimé ma solitude.

Eliza m'apprit à travailler le bois pour en faire des bancs, et elle me racontait de vieilles légendes pendant que nous étions à l'ouvrage. Je ciselais des formes compliquées dans des troncs d'arbres abattus et elle me remplissait la tête de ses histoires. Elle préparait du thé et nous écoutions de vieux airs de musique à la flûte — on aurait dit que la cabane se retrouvait en état de lévitation. Il m'arrivait de la regarder travailler pendant un long moment, des colliers de perles autour du cou, le front creusé par la concentration. Elle me regardait à son tour, sans un mot.

J'étais parti marcher dans la neige à la fin de l'hiver quand je découvris les deux coyotes morts suspendus à la palissade. Pendant quelques minutes je ne bougeai pas, puis je rentrai précipitamment et j'allai chercher Eliza et Kutch. Ils enfilèrent leur manteau et descendirent le sentier derrière moi. Eliza décrocha les coyotes et les transporta jusqu'à chez elle. Elle leur arracha les dents et en fit des bracelets — une denture était vieille et élimée, l'autre jeune et acérée. Ensuite, elle et Kutch emportèrent les corps rigides dans la montagne, les posèrent délicatement sur le sol dans la forêt et les abandonnèrent à la lente putréfaction qui les confondraient bientôt avec l'humus de cette terre américaine. Eliza me raconta l'ancienne légende qui parlait de la naissance de l'univers, des gémissements d'enfantement du monde. Je rentrai chez moi d'un pas lourd sous la couverture sombre de la nuit, dans la réverbération de la neige sur le sol, je retournai dans ma cabane, sortis mon album de photos et me mis à le parcourir. C'était devenu une habitude chez moi que de regarder cet album.

Je me levai de ma chaise, j'allai sur le seuil regarder le ciel du Wyoming et écouter battre le cœur de la création, et ensuite je fis un pas de plus jusqu'au bord du porche, et lentement je m'enfonçai dans l'univers de ces vieux clichés.

Le premier d'entre eux est une rue, une rue populaire du Bronx, hermétiquement condamnée à la fin des années cinquante. La rue fait une boucle et se ter-

mine dans un cul-de-sac de briques rouges. Au bout
de la rue on devine une certaine agitation. La photo a
été prise un jour d'été et des gamins en slip de bain
passent et repassent dans un geyser d'eau qui
s'échappe d'une bouche à incendie défoncée. Ils ont
les cheveux très courts, le corps maigre et tout blanc.
Un adolescent, avec sur la poitrine quelques touffes
de poils, est figé au milieu d'un bond gigantesque
pour traverser le jet d'eau, les bras largement écartés,
les doigts ouverts, un hurlement aux lèvres, les sourcils arqués, les côtes saillantes. Les filles n'ont pas le
droit de se mettre en maillot de bain — c'est une rue
catholique — mais certaines traversent le mur d'eau
malgré tout, leurs longues robes collées sur les
cuisses. Sur un côté de la rue un ballon de football en
pleine course se dirige vers une fille qui exprime son
effarement. Une femme dont le visage fait penser à
une truite observe la scène, un peu en retrait du jet
d'eau.

Totalement en arrière-plan un groupe d'hommes et
de femmes sont réunis sur les marches devant une
maison. Il faut pénétrer dans la photographie, franchir
le bord et s'approcher de très près pour pouvoir discerner leurs visages. Ce sont des immigrants irlandais.
On le devine à leurs vêtements et à leurs expressions.
Des chapeaux plats et des pantalons gris maintenus
par des bretelles. Certains se passent une cigarette,
rient, prennent leur harmonica et décollent des bouts
d'étiquettes sur des bouteilles qui sortent à moitié de
la poche de leur veste. Ils cherchent à retrouver Galway et Dublin et Leitrim et Donegal au fond de ces
bouteilles — et ils sont en train de porter un toast, ou
bien ils viennent de le faire. Un toast à de nouveaux
arrivants qui débarquent en serrant sur leur cœur des
valises auxquelles sont arrimées des crosses de hoc-

key en bois de frêne. Un toast à d'étranges panneaux publicitaires qui envoient leurs nouveaux messages lumineux sur tout le Bronx. Un toast à un boxeur qui met au tapis des poids lourds sans envergure comme lui. Un toast à la bouche d'incendie et au garçon bondissant. Et peut-être un toast à la silhouette massive et grise d'Eisenhower, qui très bientôt enverra très haut dans les airs un gros morceau de métal.

Ils n'ont pas de noms quand ils s'avancent à ma rencontre, ces immigrants. Mais je connais leurs métiers — une liste qui, convertie en crachats au bout de la langue, pourrait remplir un tonnelet —, des mécaniciens, des domestiques, des portiers, des serveuses, des aides-cuisiniers, des couvreurs, des plombiers, des éboueurs, des plongeurs, un contremaître de forge, un vendeur de beignets le matin et gardien la nuit, un serveur de pub, un ferrailleur, un employé de la ville chargé de ramasser les chiens errants, un petit brocanteur, un cireur de chaussures, une secrétaire, un policier qui ne verbalise pas ses compatriotes, un pompier avec, dans son casque, un brin de trèfle irlandais en plastique, un paysagiste, un chauffeur de taxi, un colporteur, un téléphoniste. Ils regardent leurs enfants jouer dans l'eau. « C'est un rapide, celui-là. » « Elle est mignonne à croquer, hein ? » « Regarde un peu sa tignasse. » Les hommes se souviennent d'un temps où ils étaient eux aussi des enfants. Ils confectionnaient des ballons de foot avec des vessies de porc, mais la forme des ballons de foot n'est plus la même dans ce pays, ils ne sont plus ronds. Leurs fils rentrent souvent de l'école habillés d'uniformes aux couleurs de leur collège, ils ont de drôles de conversations, ils parlent de quaterbacks et de plaquages. Les hommes se demandent si le ballon sera saisi en plein lancer. Les femmes surveillent leurs filles qui jouent près de la bouche à incendie et s'inquiètent de les voir retrousser leurs jupes aussi haut. Les nouvelles chaussures en cuir pourraient être mouillées et se déformer. Une mère est anxieuse parce que le ballon se dirige vers sa fille, et peut-être qu'une plaisanterie lui vient à l'esprit : sa fille est tellement gauche qu'elle n'a même pas attrapé encore la rougeole, alors comment pourrait-elle attraper quoi que ce soit ?

Mam est coincée entre deux femmes plutôt corpulentes. Son chemisier est blanc et ouvert jusqu'au quatrième bouton si bien qu'un homme est penché à la fenêtre d'un appartement qui la surplombe et essaie de glisser un œil dans l'échancrure. C'est peut-être un peu maigrichon à son goût. Elle a perdu beaucoup de poids dans le Bronx. Elle a tendance à s'asseoir à table le soir et à chipoter dans son assiette en faisant de légers bruits de fourchette. Ses bras sont squelettiques. On lui voit les os du bassin sous la robe. Son cou ressemble à une longue tige de rhubarbe striée. Ses cheveux noirs sont coiffés en arrière et ramassés dans un ruban rouge. Elle est en bas du perron, les mains posées délicatement sur les genoux, l'une sur l'autre. Ce sont des mains qui ont fait de la lessive toute la journée. Elle travaille pour une famille de Tipperary qui n'a pas enlevé l'enseigne « Blanchisserie chinoise » au-dessus de la porte, ce qui inspire des plaisanteries sur les yeux bridés et la peau jaune des culs-terreux irlandais. Mam a les yeux baissés sur ses mains. Longues et crevassées, elles frottent depuis des heures. Il reste de la lessive en poudre blanche sous les ongles. Le bout des doigts est enflé et la peau s'est distendue à force de tremper dans l'eau. C'est étrange ces lignes qu'elle a maintenant sur les mains. Les empreintes des doigts semblent être devenues beaucoup plus marquées, si bien que les cercles au bout de chaque doigt paraissent plus gros à l'œil. Comme des cartes dessinées sur la peau. Très loin, un garçon du nom de Miguel pouvait se mettre de la terre sous les ongles et en faire une œuvre d'art. De la terre mexicaine, la bonne terre.

Un peu plus tôt ce soir-là est passé un démarcheur qui vendait de la crème pour les mains. Elle lui en a acheté un flacon. Il y a constamment des démarcheurs qui frappent chez eux le soir. Ils ont les cheveux très courts, des plis de pantalon impeccables et de fabuleuses inflexions de voix — en vendant des aspirateurs, des affûteurs de couteaux, des transistors, du carrelage de cuisine, des bouilloires, des planches à repasser — et on assiste à bien des transactions. C'est une rue propice à la vente à domicile. Ici les gens parlent beaucoup des nouveaux ustensiles ménagers. L'odeur de citron sur ses mains lui remonte jusqu'aux narines, et elle est contente d'avoir acheté ce produit, bien que l'argent se fasse rare ces temps-ci. L'argent est comme cette nuée d'oiseaux qui est arrivée la nuit dernière juste au moment où une vieille chanson de Hoagy Carmichael jaillissait sur les ondes. Les oiseaux sont arrivés à l'instant du tout premier accord de « Ol' Buttermilk Sky », ils ont survolé la rue en battant des ailes pendant toute la chanson et sont partis à la fin du morceau. Après leur départ il y avait de la fiente d'oiseaux partout sur le sol devant la porte. L'argent est comme cette nuée d'oiseaux. C'est peut-être l'idée que Mam s'en fait. On le remarque quand il n'est pas à portée de main. Mais si on en a suffisamment on peut s'en aller, prendre le large, comme le font beaucoup.

Parfois des camions de déménagement arrivent, et de nombreux regards de convoitise suivent le chargement des meubles qui disparaissent vers une rue huppée de Brooklyn, ou du Queens, ou de Long Island, vers une route bordée d'arbres et de voitures, vers un quartier où il y a peut-être bien également quelques Italiens et quelques Juifs. Ou bien même des gens de son pays à elle.

Mam esquisse un sourire en regardant ses mains. Ce n'est pas un sourire triste, simplement un sourire vague. Peut-être est-elle en train de se demander ce qu'elle fait là. De se demander ce qui l'a menée à cette situation. De se demander si la vie se fabrique à partir d'un sentiment d'appartenance à un lieu, si le bonheur dépend du sol que l'on foule, si c'est par accident qu'une femme naît dans un certain pays, et que le climat qui donne naissance au sol donne également naissance aux insondables complexités de l'âme humaine. De se demander si la tristesse est contagieuse. Ou bien si l'amour est destructeur. Ou bien peut-être que Mam n'a pas du tout ces idées-là en tête. Peut-être qu'elle est en train de s'interroger sur les simples banalités de sa journée, ce qu'elle va préparer pour le repas du soir, le bout de table qu'elle va utiliser pour faire son repassage, le moment libre qu'elle va trouver pour laver la nappe blanche, si elle devrait mettre un peu d'aloès sur les mains de son mari, des mains qui sont pour l'instant en dehors du champ parce qu'elles appuient sur un déclencheur qui ouvrira l'obturateur.

Le vieux fulmine ces temps-ci parce qu'il n'arrive pas à tirer assez d'argent de ses photographies pour les faire vivre. Il déteste ce qu'il fait, mais c'est tout ce qu'il a réussi à trouver. Les clichés du Wyoming reviennent de chez les éditeurs accompagnés d'un message courtois mais qu'on n'a pas pris la peine de signer. Mam n'aime pas le savoir sur un toit. C'est un travail pénible que de transporter des seaux de goudron chaud. Elle n'aime pas davantage celui qui est à la tête de l'entreprise, Mangan, un homme au regard fuyant qui se balade au volant d'une vieille camionnette Ford dans laquelle il transporte des échelles qui débordent à l'arrière du véhicule. L'entreprise s'appelle Entreprise de Toiture Koala-T et sur le côté est peint un koala espiègle tenant un seau. Mangan ne paye pas très bien ses ouvriers et quand mon père rentre du travail, il faut qu'elle gratte les gouttelettes de goudron collées à ses avant-bras. « Koala-T, mon cul ! hurle-t-il. Je veux faire de la photo ! pas ce boulot de merde ! Tu comprends ! » Et il faut qu'elle le calme et quelquefois qu'elle se mette devant l'objectif. Elle est en train de se demander si oui ou non il prendra encore des photos ce soir et si après ça ira. Je me plante devant elle et je lui demande : T'es heureuse, Mam ? Elle ne répond pas. Mais quelque chose en elle me dit : Ma foi, oui, je suis heureuse ici, je suppose que je suis heureuse, mais je serais plus heureuse ailleurs.

Je m'éloigne une nouvelle fois du groupe et j'entends le garçon bondissant qui continue à pousser des cris de joie près de la bouche à incendie.

Il ne se passe pas grand-chose dans la vie de Mam. Parfois, quand elle a un jour de congé, elle va dans New York en métro et elle essaie des chapeaux rouges dans les grands magasins de la Cinquième Avenue et déambule au milieu de mètres et de mètres de parfum, de cosmétiques et de fanfreluches. Les dames derrière les comptoirs se rendent vite compte qu'elle n'est pas cliente et s'en désintéressent. Elle se promène avec grâce dans tous ces magasins, palpe des articles qui, l'espace d'un instant, lui appartiennent, puis qu'elle remet en place, elle sort et marche dans la rue, au milieu de la circulation pour s'asseoir enfin au fond de la cathédrale Saint-Patrick. Dans le silence des lieux elle se réincarne — rien de trop romantique, en choucas peut-être. Elle se pose sur un poteau téléphonique de son village natal et regarde aux alentours. Puis elle descend en piqué et dérobe l'hostie que le prêtre métis tient entre ses doigts. Elle reprend son vol et s'engouffre dans les vents colorés, revisite une maison, longe des rues sèches à tire-d'aile. C'est étrange d'être un oiseau. C'est étrange à quel point on se sent léger.

Et comme c'est curieux qu'elle n'ait pas eu de nouvelles de Cici depuis si longtemps. La dernière fois que Cici lui a écrit, elle se trouvait dans un train en partance pour l'ouest qui filait à travers de vastes plaines. Elle gribouillait ce mot assise dans un compartiment éclairé par les rayons obliques du soleil, et un clochard fou au visage rougeaud partageait des sandwiches au pâté de porc avec elle. C'était une courte lettre et Mam la lisait tellement souvent qu'elle commençait à pouvoir se réciter certains passages comme elle aurait récité une prière : *Tu me manques beaucoup, Juanita, continue de sourire, ça donne une jolie teinte à la vie, je te verrai très bientôt.* Cici a en elle quelque chose qui donne un sens à la vie. Mam pense souvent à elle — non pas tant pour l'embrasser à nouveau que pour la revoir tout simplement, pour avoir la certitude apaisante que Cici a réellement existé, qu'il fut un temps où elle était rayonnante de bonheur, qu'une époque semblable pourrait naître à nouveau.

Sinon la plupart du temps Mam vaque tranquillement aux mêmes tâches quotidiennes dans son appartement : elle fait du ménage, du rangement, elle remet les choses à leur place, avec méticulosité et fierté. Quand elle parle, elle a l'accent le plus étrange qui soit : un mélange de sonorités irlandaises et mexicaines. Les gens paraissent se plaire en sa compagnie. Elle a des histoires de poules et de contrées éloignées à leur raconter. Et aussi des histoires d'un autre monde où il y a des incendies et une tour. Pourtant ce qu'elle garde secret — les photos dans leur chambre — est à l'abri des regards, derrière des rideaux de dentelle au troisième étage, là où les pigeons viennent parfois faire leur nid sur les rebords de fenêtres. Le seul moment où son mari semble véritablement trouver la paix c'est quand il prend ces photos. Elles ne sont pas obscènes, pas le moins du monde. Elles le rendent heureux. C'est pour Mam un bien petit prix à payer, et c'est en quelque sorte une preuve d'attention. Il est toujours amoureux d'elle. Il continue de sacraliser son corps — même si d'un temple on est à présent passé davantage à un minaret.

Elle reste immobile, les yeux fixés sur ses mains, tandis que je traverse la photographie telle une ombre et que j'essaie de m'adresser aux gens qui l'entourent. Ils sont trop préoccupés par leurs bouteilles et leurs rêves d'appareils ménagers, alors je recule peu à peu et je remonte la rue. Jusqu'à la nuit des temps ce garçon continuera de bondir. Et je ne saurai jamais s'il a attrapé le ballon. Et la femme au visage de truite continuera de le regarder, les yeux écarquillés.

Je me dirige vers le cul-de-sac, de la tête je fais signe à mon père au moment où ses doigts appuient sur le déclencheur, mais il ne me rend pas mon salut. Je ressors une fois encore du champ et je me retrouve sur un bord de photo noir avant de pénétrer dans un cliché pris de nuit.

Nous sommes en 1960 et quelques jeunes gens dansent avec ma mère. Il y a un poste de radio posé sous un rebord de fenêtre et une chanson endiablée d'Elvis

Presley s'en échappe. On devine, aux mouvements euphoriques des hanches de ces jeunes gens, qu'une nouvelle décennie vient de commencer. Ils arborent encore timidement la nouvelle coiffure qu'on se doit d'imiter, la mèche relevée sur la tête. Un garçon avec un bec-de-lièvre fait la moue, comme s'il tentait d'embrasser la lune et ma mère danse à quelques pas de lui. Le garçon porte un pantalon étroit, une chemise violette, il a les cheveux gominés et il fait tourner sur son bas-ventre un hula-hoop imaginaire. Mam claque des doigts. Toute la rue est pavoisée pour l'élection d'un homme dont le portrait apparaît absolument sur tous les murs, des rubans vert, blanc et orange pendent sous son menton comme une barbiche bariolée — John F. Kennedy et sa denture parfaite, rivalisant sur les murs avec le pape et le Sacré Cœur de Jésus. Ce doit être une soirée de bonheur pour Mam parce qu'elle a les joues rouges d'avoir trop bu et qu'elle a le visage maquillé, les cils bien recourbés, du mascara soigneusement appliqué. Elle ouvre de grands yeux noirs. Son corps mince est pris en photo en plein milieu d'un twist, si bien qu'elle a une épaule plus basse que l'autre et que sa poitrine se tend sous le chemisier. Je m'avance pour prendre part à la danse. Il fait chaud et humide, une soirée moite dans l'automne finissant. Je remue des hanches moi aussi. Je bouge avec entrain. Elle me dit : Quand vas-tu te débarrasser de cette boucle d'oreille ridicule, Conor ? Je l'enlève et la lui donne, et elle sourit.

Je l'interroge et elle me dit qu'il n'y a pas grand-chose de changé. La blanchisserie s'est agrandie et de nouveaux employés ont été embauchés. D'autres filles se chargent maintenant de la lessive. Mon père est toujours sur les toits, et il n'arrive plus à se débarrasser du goudron qu'il a sous les ongles. Son quarante-deuxième anniversaire s'est passé au-dessus du Bronx — on a fait des plaisanteries à propos de Marilyn Monroe et de ceux qui l'aiment chaud. Cici lui a écrit et n'a cessé de délirer sur la marihuana, mais elle n'est pas encore venue la voir. Cici se plairait ici, surtout la nuit quand les phalènes tournoient sous les lampadaires, que des danseurs se regroupent autour d'un poste de radio et se mettent à remuer des hanches, que les gens bavardent un peu partout dans la rue. C'est le genre d'endroit pour elle — mis à part que Cici se rendrait peut-être compte qu'une nouvelle musique est, une fois de plus, en train de naître et de se déverser sur le continent tout entier, de nouvelles idées, de nouvelles danses. La sueur perle au front de Mam. Peut-être va-t-elle attendre que la transpiration lui coule le long du visage jusqu'à ce qu'elle puisse, d'un coup de langue, s'en débarrasser. Ou peut-être pas. Peut-être va-t-elle l'essuyer d'un rapide geste de la main. Ou peut-être qu'elles resteront là éternellement, ces gouttes de sueur qui pourront dire : j'ai dansé autrefois, quand j'avais trente-deux ans, et j'étais insouciante.

Hors de la photographie, mon père a revêtu ses plus beaux atours : une chemise blanche imprégnée de la fumée des cafés, sa cravate noire défaite dont un pan lui tombe plus bas que la taille. Il a les cheveux clairsemés maintenant et il ramène les quelques mèches qui lui restent sur le côté. Il est content de regarder danser sa femme. Il a peur que la vie ne soit en train de devenir un peu trop rangée, il n'aime pas travailler sur les toits. Certains jours il s'en va chercher d'autres emplois, quelque chose dans le syndicat de l'imprimerie, ou dans un journal, mais le seul travail provisoire qu'il obtient c'est celui de pigiste. Il ne désire rien de plus que de faire des photos, mais les occasions se font rares dans ce domaine. Le monde tourne autour d'un axe de « et si ? ». Leur existence tourne toujours autour de la même question : « Et si ? » Et si nous étions ailleurs ? Et si nous partions tranquillement d'ici pour ne jamais revenir ?

Mais, pour l'instant, il goûte à la musique qui s'échappe du poste de radio. Parfois les ouvriers sur les toits chantent du Presley, surtout « *Heartbreak Hotel* ».

Debout, prêt à prendre ce fameux cliché, il rythme la cadence du pied, mais il est obligé de s'immobiliser pour ne pas faire bouger l'appareil photographique. Un million de cellules lumineuses viennent d'éclater dans un flash. Je les traverse et des myriades de taches claires fourmillent autour de moi, et de l'autre côté de la rue, avant de me ramener dans les années quatre-vingt-dix, à l'endroit où le soleil descend sur les monts Teton. Je ne peux empêcher ce retour en arrière. C'est ma malédiction à moi.

Leur appartement comporte une chambre et une salle de séjour — mais c'est dans cette chambre qu'ils séjournent en permanence. Je me sens nauséeux à l'idée de pénétrer dans ce domaine privé ; c'est de la curiosité malsaine, du voyeurisme. La pièce est peinte en mauve. Elle a été refaite voici deux ans. Mam est vêtue d'une robe d'été blanche et elle est allongée sur une chaise longue qu'ils ont récupérée dans les poubelles. Les pieds de la chaise sont travaillés et galbés, ce qui leur donne une certaine élégance, mais l'ensemble est déchiré, défraîchi et des morceaux de rembourrage apparaissent. Mam est dans la pose d'une reine allongée sur un trône. La robe a été arrangée de manière à découvrir légèrement l'épaule. Elle glisse un peu et dévoile un début de téton brun. Le cliché renferme une sensualité plus forte que la plupart des autres photos — sans doute à cause de la désinvolture dans la pose. En dépit de sa maigreur, elle est belle. Elle a les jambes tendues et on dirait qu'elle contemple ses doigts de pieds. Elle mâchonne un bout de stylo et elle a une feuille de papier en appui sur le ventre. Je suppose qu'elle est en train d'écrire à Cici. Je m'avance pour lire ce qu'elle lui dit : *Les incendies me manquent. Pas à toi ?* La dernière lettre qu'a reçue Mam était très étrange : Cici y glorifiait la marihuana et était dithyrambique au sujet de l'acide. *Quelles sensations te donne la marihuana ?* C'est peut-être ce que Mam écrivait. *J'ai entendu dire que ça rend malade, c'est vrai ?* Le bout du stylo est tellement mâchonné qu'on dirait qu'elle y enfonce ses dents, mais sur cette photo elle est en train de l'embrasser, perdue dans ses pensées ; ses lèvres charnues forment un arrondi et se collent au crayon. Elle ne porte aucun bijou, à part son alliance. Son corps paraît si léger sur cette photo, qu'il semble sur le point de glisser de la chaise longue, emporté par la brise comme cette feuille de papier.

Il aime cette pose, mon père, il savoure cet instant qu'il vient de saisir. Il est dressé sur la pointe des pieds et il crie, Parfait ! Parfait ! Ne bouge plus ! Il vient de prendre une douche et il se sent frais et dispos. Ce sera un de ses meilleurs clichés. Il se passe les doigts sur son crâne dégarni et crie, Ne bouge plus ! Il se dit qu'il va peut-être exposer ses photos dans une galerie avant-gardiste, montrer Mam au reste du monde. Mam sur quinze années : au Mexique, dans le Wyoming, à New York. Cette idée l'excite. Elle n'aboutira jamais mais pour l'instant rien que de l'envisager il se sent heureux.

Ses lèvres embrassent le bout de stylo, et elle est contente que son mari ne soit pas dans un de ses accès de mauvaise humeur et que la lumière grise qui filtre à travers les rideaux et dont les rayons s'incurvent en butant contre le miroir poussiéreux donne de la douceur et de l'intimité à l'instant. Elle se dit qu'elle ne restera pas éternellement dans cet appartement, mais qu'au moins on n'y est pas trop mal. La crème continue à faire son effet sur ses mains. Elle les a rendues plus douces. Il y a un peu d'argent à la banque. Des choses dont elle n'avait jamais rêvé — un grille-pain, un téléviseur — ont peu à peu rempli les vides de l'appartement. Des présentateurs de radio en langue espagnole, originaires de la région proche du désert Atacama au Chili, se sont même installés dans la rue. Elle passe du temps en leur compagnie et garde leur jeune enfant. Il arrive encore certains jours que mon père dise à voix basse qu'il la ramènera au Mexique. Elle est allongée sur la chaise longue, détendue, et elle écrit sa lettre ; et moi je la laisse là, dans cette pièce où règne une sérénité insolite et où mon père hurle, On y va, Juanita ! Ouais ! Ouais !

Je m'éloigne, je sors de la chambre, et je pénètre dans un cliché que m'a donné Cici.

Nous sommes en 1964. Cici devait tenir l'appareil photo à bout de bras quand elle a pris le cliché parce que c'est un gros plan un peu de travers. On n'y voit que leurs visages et le haut de leurs vêtements et elles sont joue contre joue. Cici a traversé tout le pays depuis San Francisco en stop. Elle a l'air tout émoustillée et ses pupilles sont dilatées. Ses traces d'acné sont plus foncées à cause du temps que Cici a passé à déambuler à droite et à gauche — dans des camps de nudistes, dans des bus psychédéliques, dans les manifestations de plus en plus massives contre la guerre, dans la marche vers Washington l'année dernière, dans ses hommages à Martin Luther King.

Le haut d'un T-shirt aux couleurs vives apparaît vaguement en bas de la photo. Mam a les cheveux qui lui retombent sur les épaules. Désincarné, je me glisse auprès d'elles. La cuisine est encombrée de casseroles rutilantes. De l'eau bout sur le fourneau. Le poste de radio diffuse une chanson des Rolling Stones. Une odeur familière monte de la table où Mam et Cici sont assises. Je suis stupéfait de voir un joint en train de se consumer dans le cendrier. Cici vient de fumer. Ma mère aussi, peut-être, mais j'en doute. Elles ont des milliers de choses à se dire — Cici demande à Mam de l'accompagner quelque temps, même pour de courtes vacances ; elle lui raconte qu'elles iront caresser les routes, qu'elles rencontreront peut-être des bohémiennes du Sonora, qu'elles mangeront du peyotl, qu'elles descendront vers le sud et franchiront toutes les deux la frontière.

— Viens avec moi, mon vieux, dit-elle.
— Pourquoi tu m'appelles « mon vieux » ?
— Pourquoi pas ?

L'offre est tentante. Ces légères caresses sur les cheveux, sur les joues, cette nouvelle apparition de Cici dans sa vie.

— Et Michael ?
— Quoi Michael ?

Cici a un joint à la bouche et elle part d'un grand éclat de rire, en faisant des signes de tête en direction du frigo qui, il y a une heure encore, faisait la fierté de Mam. Mais Cici a cité un romancier qui parlait de « cet engin blanc et stupide », et le frigo ne lui paraît plus aussi magique. Cici dit que la drogue lui a donné faim, et elles se mettent à rire à nouveau. Une main se pose sur une autre main et elles regardent l'appareil photo.

Cici dit : « On sourit ! »

Mais il y a un secret derrière tout cela et, plus tard, quand je repousse le cadre de la photo pour les suivre dans la salle de séjour, Mam lui en parle.

— Je vais avoir un bébé, finit-elle par dire en souriant. Michael et moi allons avoir un enfant.

Cici tire nerveusement sur son joint.

— C'est merveilleux, dit-elle, et brusquement un entrelacs de routes lui revient en mémoire, situé très loin d'ici.

Ses mains tremblent un peu. « Je suis très heureuse pour toi. » Elle sort et s'assoit sur les marches. Mam reste dans la salle de séjour. Elle porte cet enfant depuis trois mois. Je l'imagine passant très tendrement ses mains sur son ventre, parlant à l'enfant qui n'a même pas commencé à bouger en elle, attendant le faible et rassurant sursaut de vie contre la paroi de son utérus. Quand Cici revient à l'intérieur, le visage tout rouge, elle trouve Mam dans la cuisine, en train de faire du pain.

— Viens avec moi.

— Michael va bientôt rentrer.

— Il peut venir aussi, mon vieux.

— Je te l'ai dit, je vais avoir un enfant.

— Tu veux que ton enfant grandisse dans cette merde ?

Cici fait un large mouvement des bras vers la fenêtre.

— Non.

— Alors, viens.

— Plus tard je demanderai à Michael.

— Ah, mon vieux.

Mam regarde par la fenêtre le départ de Cici cet après-midi-là, la photo au fond de sa poche. Cici transporte tout ce qu'elle possède dans un sac de toile grise. Mam s'éloigne de la fenêtre, et peut-être allume-t-elle la télévision pour voir une émission de jeu bien connue, ou bien peut-être qu'elle pétrit un peu plus de pâte à pain, ou qu'elle regarde ses cheveux dans la glace, l'œil fixe, en se disant que ça pourrait bien être la dernière fois qu'elle voit Cici.

Le bébé suit l'exemple de Cici — il arrive beaucoup trop tard, et s'en va bien trop tôt. Un soir de forte chaleur, Mam perd son enfant. Le vieux rentre, après sa journée passée sur les toits. Il tient à la main une tarte aux pommes en montant l'escalier de l'appartement, et la bonne odeur lui chatouille les narines. Il est heureux, pour une fois, de sa journée de travail. Quand il ouvre la porte elle est allongée dans une mare de sang sur le sol de la salle de bains. Il laisse tomber la tarte aux pommes. Il glisse dans le sang. Elle a perdu connaissance, la tête affaissée contre le mur. Il la soulève en murmurant, doux Jésus, doux Jésus. Pendant qu'il descend l'escalier, une tache rouge et sombre imbibe peu à peu le devant de sa chemise, à l'endroit où il la tient contre lui. Il l'emmène à l'hôpital, et l'enfant mort-né les propulse dans une année de chagrin intense. Elle rentre de l'hôpital la main crispée sur son ventre. Ils parlent peu. Une léthargie flotte dans l'air. Certaines nuits mon père s'aperçoit qu'elle a disparu de l'appartement et il enfile son pardessus à ceinture pour aller la chercher ; il retrouve ma mère dans le service de maternité de l'hôpital, regardant par la vitre les bébés qui se trouvent à l'intérieur tandis que des infirmières essaient gentiment de l'éloigner. Elle dépense de l'argent à acheter des vêtements d'enfant. Elle a dans sa poche une sucette pour bébé. Quelquefois l'envie la tenaille d'aller retrouver Cici. Mam écrit une lettre à son amie : « Les regrets coûtent cher, quelquefois je regrette de ne pas être partie avec toi. »

Le vieux continue à travailler sur les toits, mais ils savent bien tous les deux qu'ils vont devoir s'en aller. Et ils le font — ils s'en vont vers l'ouest de l'Irlande. Il laisse entendre à Mam que ce sera un endroit propice à sa convalescence, qu'il lui reste peut-être un peu d'argent en banque là-bas, qu'il trouvera facilement un travail, qu'il peut prendre des photos, qu'il y a de la terre qui n'a jamais été vendue. Ils peuvent essayer à nouveau de fonder une famille. Ils auront un enfant, peut-être deux, peut-être trois — tout ce qu'elle veut. Ensuite, dit-il, ils s'installeront définitivement au Mexique.

— Promis ?

— Je te le promets.

— C'est loin l'Irlande.

— Je sais, ma chérie.

— On y sera bien ?

— Bien sûr.

— Et ensuite nous retournerons au Mexique ?

— Bien sûr.

Le jour où ils quittent la rue, le vieux se complaît dans ce départ triomphant. Il avance sur le trottoir d'un pas cadencé, une valise dans chaque main. Il s'est arrangé pour que le taxi les attende au bout de la rue. Cette mise en scène est meilleure aux yeux du vieux : descendre toute la rue à pied.

A l'aéroport, il porte une veste en tweed gris, une rose blanche dans sa poche de poitrine, le chapeau débarrassé à présent de ses pattes de lapin. Mam s'est acheté une robe neuve couleur fraise. Elle est rayonnante dans l'avion où une hôtesse de l'air s'émerveille de son accent. Ils vont de l'avant ou ils repartent en arrière — jusqu'à présent c'était toujours de l'avant, mais pour la première fois ils retournent en arrière — vers un lieu où de vagues souvenirs brumeux et gris de l'époque De Valera persistent, bien que nous soyons dans l'hiver 1966 et que dans tout le pays on soit en train de disperser d'autres courants de pensée tout aussi brumeux. Ils rencontrent des difficultés à Shannon parce que ma mère n'a pas de visa, mais mon père soudoie l'agent d'immigration en lui donnant un billet de vingt dollars. Il est enfin chez lui. Il se remet à marcher avec panache. Il traverse l'aéroport et sort d'une allure bravache, en balançant les bras et en poussant un chariot à bagages du pied. Mam à ses côtés. Ils prennent un bus jusqu'au comté de Mayo. Il reste de l'argent sur son compte en banque, mais pas le moindre lopin de terre, et il leur faut prendre un crédit pour acheter une vieille ferme — des bouteilles de Guinness au milieu des ronces dans le jardin, des fenêtres brisées dans le hangar, une vieille baignoire dans la cour, de la glycine qui a tout envahi au cours des ans. Mam s'installe et donne la même impression que leur nouvelle baignoire : un anachronisme rutilant. Elle est celle qui a la peau mate, celle que les poivrots du parc municipal appellent Senorita, celle qui ne se coupe jamais les cheveux, même quand ils deviennent trop longs et gris acier. Elle porte un foulard sur la tête quand elle se rend à la messe dans l'église de briques rouges. Ses lettres à Cici lui sont renvoyées sans avoir été ouvertes. En Amérique les manifestations de protestation contre la guerre battent leur plein, et Cici parcourt le pays, une fleur sur la joue, des images d'éléphants peintes sur ses espadrilles, des seringues allégrement plantées dans le bras. Mais Mam ne sait rien de tout cela, et elle attend les lettres de Cici.

Mam traîne dans la ferme, le regard tourné vers la tourbière, et les années passent ainsi pour elle, aussi longues que peuvent l'être les dimanches, dans l'attente permanente qu'un enfant bouge dans son ventre. Je devais naître quatre ans plus tard, quand elle eut quarante-deux ans, et, par précaution, les docteurs lui ouvrirent le ventre pour pratiquer une césarienne. Le vieux attend dans les couloirs de l'hôpital, en tapant doucement du talon sur le sol, le chapeau sur le genou, la tête agitée de petits mouvements nerveux.

Un déploiement de matériel de pêche est soigneusement aligné devant lui : du fil argenté, de la peluche violette et dorée, des plumes d'ampélis bleues, des poils de phoque jaunes, une grande plume orange vif, de minuscules plumes de faisan doré, du fil noir, très noir, aussi noir que la rivière. Il m'a désigné du doigt chacun d'entre eux, en passant la main au-dessus de cet alignement. La plupart du matériel était arrivé dans le colis ce matin, en provenance d'un magasin de pêche de Dublin.

Il m'a expliqué que les mouches de couleurs vives sont plus efficaces dans des eaux sombres, que le saumon va remonter en surface à la vue de ces couleurs.

Ce qui est curieux, cependant, c'est qu'il m'a dit que les saumons ne se nourrissent pas quand ils sont en rivière, qu'ils réagissent à l'appât par simple conditionnement : quand on les attrape ils ont le ventre vide. Et quand ils font des bonds hors de l'eau ce n'est pas du tout pour exprimer leur joie mais seulement pour remonter le courant ou pour se débarrasser de larves aquatiques. Mais ces salauds sont malins, selon lui : ils savent reconnaître le vrai du faux, et une mouche mal faite ne vaut pas plus qu'une exhortation à la Sainte Vierge lors d'une attaque aérienne.

J'ai traîné un vieux cageot pour m'asseoir à côté de lui et j'ai senti son odeur persistante et forte.

— Faut pas trop en mettre dessus, a-t-il dit en me

désignant l'hameçon, sinon il se gorge d'eau. Mais une grosse mouche ça veut dire une belle prise, tout est question de juste équilibre.

Un nœud lui posait des problèmes.

— Tu veux que je t'aide ?

— Non, je me débrouille très bien, je pourrais faire ça les yeux fermés.

Il a enroulé dos à dos deux petites plumes d'ampélis.

— Pour mettre en bout de ligne, m'a-t-il expliqué.

J'ai remarqué à quel point ses mains sont plus larges que les miennes. Elles ne tremblaient plus et travaillaient avec précision. Il a retourné l'hameçon dans l'étau et s'est penché tout près, quelquefois avec les lunettes sur le nez, quelquefois sans, un peu énervé. « Putain de merde, a-t-il dit, tiens », et il m'a tendu une fine paire de ciseaux, m'a fait couper le fil qui était en trop. « Approche-toi maintenant, plus près », et j'ai été étonné de voir qu'il n'avait plus fumé.

Il a confectionné le corps de la mouche en enroulant une longue plume allongée, et ensuite il a travaillé sur le cou et les ailes en mettant des plumes de faisan doré de chaque côté. Il a regroupé les poils pour les faire ressembler à des ailes. « Faut rendre ces putains de plumes aussi vivantes que possible », a-t-il dit. Je lui ai tendu les pinces, les ciseaux et l'épiloir. Il m'énumérait chaque nom d'outil pendant que nous progressions dans le travail. Il avait enfoncé dans un bouchon de sherry une grande aiguille à repriser qui lui servait de poinçon. Et en guise de dé à coudre il utilisait un vieux tube de rouge à lèvres qui avait dû appartenir à Mam. Chaque fois que je lui tendais quelque chose il hochait la tête, laissait échapper un souffle asthmatique qui ressemblait plus ou moins à un remerciement. Mais le reste du temps sa respiration était tranquille et régulière, tellement il se concentrait sur la fabrication de cette mouche — elle se mettait un peu à ressembler à une coiffure indienne en miniature avec tous ces fils, ces plumes et ces fanfreluches. J'ai pensé à Kutch et à Eliza, en me disant que je pourrais peut-être leur rapporter une de ces mouches en cadeau.

Quand il a terminé le premier appât il m'a fait signe qu'on marquait une pause. « Ça ira, a-t-il dit, on verra si ce salaud peut résister à ça. » Il a fait le tour de la grange, le manteau sur le dos, en bombant le torse, en reniflant, le nez en l'air et en se frottant les mains.

Il a fredonné une chanson, les lèvres serrées. Parfois il s'arrêtait pour coincer des plumes dans sa bouche, ou bien pour me demander d'enlever des morceaux de colle accrochés à la mouche, ou d'attraper un bout de fil poissé qui passait par une boucle, de ramasser ce qui était tombé par terre, une pince ou de la cire, d'enrouler de la peluche autour de la hampe d'hameçon. Puis il reprenait sa chanson, lèvres serrées à nouveau, et les notes montaient ou descendaient autour de nous tandis qu'il me montrait quelques petits trucs à lui ; comment attacher ensemble deux bouts de fil très fin, comment faire en sorte que les couleurs se fondent les unes dans les autres, comment fabriquer la tête de la mouche avec du fil noir. Le temps passait au rythme d'une aile d'insecte — brusquement je me suis dit qu'une seconde de la vie d'un insecte pouvait correspondre pour nous à une décennie, que le monde entier pouvait se fracasser en prismes subjectifs, devenir un concentré d'existence, se limiter à la force de chaque instant, et le vieux aurait pu être en train de créer à la fois la brièveté et la durée temporelles. Le fredonnement est devenu immuable si bien que je n'y ai plus fait attention et qu'il s'est noyé à son tour dans le silence.

Il faisait nuit quand il s'est enfin levé de sa chaise ; il a accroché la dernière mouche à son chapeau qu'il s'est ensuite mis sur la tête et il m'a dit : « Je crève de faim, jeune homme, allez, viens, allons-y. »

Il a mis les autres mouches dans la boîte et il a refermé le couvercle. Nous nous sommes dirigés vers la maison et il y avait des moucherons qui voletaient à l'extérieur — autrefois il savait maquiller un moucheron en appât, m'a-t-il dit, mais ils sont devenus trop petits et trop difficiles à travailler à son âge.

J'ai préparé des spaghettis à la sauce. « Est-ce que j'ai l'air d'un Italien, nom d'un chien ? » a-t-il dit, mais il a mangé ses pâtes avec visiblement beaucoup de plaisir et il m'a parlé de mouches ; les mots lui venaient, ininterrompus. Il m'a raconté qu'un vieux type du Donegal il y a un siècle était le seul à fabriquer des mouches colorées, de vrais papillons, et qu'en plus il avait fait fortune avec cette activité. Il mettait les plumes dans de la pisse d'âne pour qu'elles ne perdent pas leurs couleurs. Il savait les lier ensemble, en gardant une main derrière le dos. Quelqu'un l'avait même emmené à Londres pour qu'il fasse une conférence sur le sujet. Ça tenait du génie cet art de fabriquer des couleurs pour les jeter ensuite dans une eau noire. Mon père ne cessait plus de bavarder ; il s'arrêtait seulement de temps en temps pour tousser ou pour se moucher, et puis il reprenait son flot de paroles. A un certain moment, quand des pâtes tombèrent de sa fourchette, il pointa le doigt dans ma direction, le regard grave : « Mais j'vais te dire un truc, la seule preuve qu'une mouche est bonne, c'est quand tu attrapes quelque chose. Voilà le fin mot de l'histoire. Tu peux en faire de superbes jusqu'à la nuit tombée, mais si t'attrapes rien, c'est comme si tu pissais dans un violon. »

Après le repas nous avons bu quelques tasses de thé et ses mains se sont remises à trembler un peu. Il est monté dans sa chambre en me disant qu'il attraperait son gros poisson demain.

Quand je l'ai rejoint à l'étage, il essayait de se fabriquer une autre mouche au lit, mais il lui manquait l'étau, alors il a reposé la boîte en bois sur le bord du matelas.

Les draps à fleurs étaient bien tirés autour de lui. Il s'est mis à cracher dans un vieux mouchoir qu'il a replié minutieusement après chaque quinte. Il l'a retourné et a passé la main dessus comme s'il refermait une lettre de la plus haute importance. Des traces de glaire sont apparues à un moment sur le côté du mouchoir qu'il a ouvert puis refermé en entortillant les bords. Il semblait pris au piège dans cette chambre, ses yeux allant d'un mur à l'autre, puis au plafond, puis à nouveau sur les murs qui ont l'air déformés sous le poids de la maison. Je me suis assis près de son lit.

— T'as entendu ça ? a-t-il dit.

— Quoi ?

— On a frappé à la porte.

— Mais non.

— Descends voir qui est le con qui frappe comme ça. Peut-être une fois de plus le facteur.

— A cette heure-ci ?

Je suis allé jusqu'à la fenêtre, je l'ai soulevée et j'ai passé la tête à l'extérieur.

— Y a personne.

— J'aurais juré avoir entendu quelqu'un, a-t-il dit.

— Personne.

— C'est peut-être Mrs McCarthy.

— Non, personne.

— Descends vérifier, nom de Dieu !

Une odeur a envahi la pièce et j'ai su aussitôt pourquoi il avait essayé de me faire descendre. La puanteur emplissait toute la chambre et dominait tout le reste, l'âcreté de son haleine comme les effluves qui se dégageaient de son corps mal lavé. Il avait des allumettes à côté de son lit ; il a roulé sur le côté, en a craqué une et a toussé dessus pour l'éteindre, mais je savais ce qu'il était en train de faire ; même après que l'odeur du soufre se fut dégagée, la puanteur persistait, continuait d'empester l'air et de le narguer de ses relents nauséabonds.

— Laisse-moi seul, a-t-il dit brusquement.

Il s'est rallongé en déployant un effort presque théâtral, mais je lui ai répondu que je voulais tout simplement rester assis là pendant un moment. Il a eu un geste nerveux de la tête comme si, cette fois-ci, il était réellement gêné par un insecte, il a tendu le bras et, visiblement agacé, a mis en marche le poste de radio posé sur sa table de nuit. On diffusait la même bonne dose de guerres et de morts dans le monde. Il a juré et a éteint la radio, puis il s'est penché sur son mouchoir et a expulsé d'autres crachats. Son front se creusait de rides dans cet effort douloureux et il a posé la main sur la mienne en disant : « Conor. »

J'ai répondu : « Ouais, papa ? »

C'est la première fois depuis des années que je l'appelle papa, mais il n'a pas semblé le remarquer.

— On a passé un moment formidable à monter ces mouches.

— Ouais, ai-je dit.

Il a changé de place dans le lit et m'a demandé une cigarette.

— Je pense pas que ce soit raisonnable.

— Écoute, je vais bien, d'accord ? J'en ai pas fumé une de toute la journée. C'est un record.

— Elles sont en train de te tuer.

Il a toussé à nouveau.

— Formidable. Eh bien qu'elles me tuent. Elles sont là-bas sur la table de nuit.

J'ai tendu le bras pour attraper le paquet mais il était vide. Il m'a dit qu'il y en avait en bas, sous l'évier où il cache quelques paquets en cas d'urgence. Il m'a dit de m'assurer que je ne prenais pas un vieux paquet parce que certains étaient là depuis la nuit des temps et que les cigarettes pourraient bien s'effriter quand on y toucherait. Je ne sais pas pourquoi, mais je suis descendu et je lui ai trouvé un paquet, coincé tout au fond du placard. Quand je suis remonté il s'était redressé sur ses oreillers — « Superbe, oh superbe, en voilà une bonne chose » — et j'ai retourné une cigarette dans le paquet, comme il le fait pour se porter chance, puis je la lui ai tendue. Il ne tient jamais sa cigarette avec la main qui porte l'alliance ; il fume toujours de la main droite, la cigarette coincée entre ses doigts.

— Je suis sûr qu'une sèche de temps en temps ne fait de mal à personne.

J'ai attendu qu'il l'ait fumée jusqu'au bout de peur qu'il ne s'endorme et qu'il ne mette le feu à la maison, un autre incendie, l'écho du passé une fois encore. Il s'est cambré, le dos appuyé au montant du lit et je l'ai entendu lâcher des gaz à nouveau, mais j'ai fait comme si de rien n'était.

— Je ferai venir le docteur Moloney demain matin, ai-je dit.

— Tu n'en feras rien.

— Pourquoi pas ?

— Demain c'est dimanche et, en plus, je ne laisserai personne m'enfoncer quoi que ce soit dans le rectum.

Je me suis mis à rire.

— Qu'est-ce qu'il y a de si drôle ? a-t-il demandé.

— Oh, rien en fait.

— J'ai entendu dire qu'ils font ça à San Francisco de nos jours.

J'ai été un peu étonné et j'ai pensé l'espace d'une seconde à Cici dans sa ville blancheblanche.

— Faire quoi ?

— Entuber des trucs bizarres par-derrière.

— Qu'est-ce que tu veux dire ?

— Des bestioles et ce genre de chose.

Il tirait sur sa cigarette.

— Ils l'ont dit à la télé. Un soir, très tard, j'étais pas couché et je la regardais.

— Tu regardes la télévision maintenant ?

Il a pris son temps pour me répondre, a levé la main à sa tempe et s'est gratté à l'endroit dégarni.

— Les temps ont changé.

— Autrefois tu détestais ça.

— De temps en temps l'hiver.

Il a froncé les sourcils.

— Qu'est-ce que tu dirais d'un verre de grog pour t'aider à t'endormir ?

— Non, ça me va très bien, ça, a-t-il répondu sèchement en laissant tomber ses cendres d'abord dans le creux de sa main puis par terre.

J'ai écrasé le bout de sa cigarette pour lui et, juste avant de se rallonger pour dormir, il s'est assis dans son lit et a appuyé sa tête contre mon épaule. Je me suis rapproché et j'ai posé la main sur sa nuque. Quand je me suis reculé il y avait un peu de morve sur mon T-shirt. Je ne voulais pas bouger mais il a aperçu la trace et s'est mis à l'essuyer avec son mou-choir.

— Mon Dieu, a-t-il dit, oh, mon Dieu !

Il a roulé jusqu'à l'autre côté du lit et a fait sem-blant de dormir. J'ai ramassé la boîte dans laquelle il avait posé toutes les mouches et pendant une heure ou deux j'ai tenté d'en fabriquer une tout seul ; j'ai essayé d'enrouler du fil autour d'une hampe d'hame-çon mais je n'ai pas pu trouver le truc et ce fichu machin n'arrêtait pas de me glisser des mains. Ça semblait impossible d'arriver à une telle perfection dans le choix des couleurs et dans la dextérité. J'ai regardé les mouches qu'il avait faites dans la journée. Elles étaient posées là, en attente, prêtes à prendre leur envol, et j'ai pris entre mes doigts deux petites ailes en plumes d'ampélis que j'ai fait battre l'une contre l'autre pendant qu'il dormait plus ou moins.

# DIMANCHE

*Seigneur, je me rappelle*


Il s'est réveillé tôt ce matin et il a farfouillé un peu partout dans sa chambre avant même que le soleil se lève. Je l'ai entendu ouvrir sa fenêtre, cracher dans l'herbe, se rendre dans la salle de bains et pisser dans le lavabo. Je suis descendu après lui et il m'a fait un signe de tête.

— Comment tu te sens ?

— Frais comme un gardon, a-t-il dit. Regarde.

Il avait mis la boîte sur la table de la cuisine et il admirait une des mouches en particulier.

— C'est pas beau, ça ?

Il y avait une musique de jazz à la radio et il s'est approché du poste pour titiller le bouton afin de mieux régler le son. Il rythmait l'air en faisant de brefs mouvements du menton. Ses cheveux étaient redressés à l'endroit où sa tête avait reposé pendant son sommeil. Il a mangé des céréales, une tranche de pain grillé avec de la confiture et m'a dit qu'il se sentait en pleine forme pour aller pêcher aujourd'hui. Il a tendu la main une fois encore vers la mouche qu'il a brandie. « Toi et moi ensemble. » J'ai pensé qu'il me demandait si je voulais aller à la pêche avec lui, mais très vite je me suis rendu compte qu'il ne s'adressait pas du tout à moi, qu'il voulait être seul, seul avec sa mouche, alors je l'ai laissé tranquille.

Il portait un pull-over ras le cou vert tout déformé ainsi qu'une grosse cravate rouge nouée très serré autour du cou et qui lui remontait sur le col. Sa tête paraissait squelettique par rapport à cette cravate.

— Tu t'es fait beau ?

— Ouais.

Il a haussé les épaules.

Avant qu'il s'en aille à la rivière je lui ai demandé — juste pour plaisanter, rien de plus — s'il irait à la messe, que Mrs McCarthy l'attendait peut-être là-bas près de l'église avec son chapelet et son foulard sur les cheveux. Mais il a secoué la tête avec agacement et s'est contenté de dire : « L'Éternel est mon berger, et je ne veux pas de lui. »

Nous étions devant la porte et je lui ai répondu que moi non plus je n'étais pas du genre à fréquenter les églises. Que ça ressemblait un peu trop à un suppositoire spirituel. Il a penché la tête sur le côté en signe d'assentiment, il a ouvert la porte, il s'est retourné pour me faire face, il a regardé les cannes à pêche, il les a agitées une ou deux fois et a palpé la doublure intérieure de sa veste à l'endroit où il avait mis quelques nouvelles mouches. Il a tendu le bras pour me serrer la main mais il l'a retiré avant même que j'aie une chance de répondre à son geste. J'étais sur le point de lui demander pourquoi il voulait faire ça, mais il s'est retourné. Il a pris les cannes à pêche et il est parti, en traversant la cour de son allure lente et traînante.

C'était bizarre cette façon qu'il avait de marcher en s'arrêtant tous les deux ou trois mètres pour reprendre son souffle, en remontant l'arrière de son pantalon gris, en traînant les pieds et en contemplant le ciel comme s'il était sur le point de tendre le bras pour lui serrer la main à lui aussi. Je suis sorti et je me suis assis sur le mur de Mam pour goûter à une journée sans pluie — c'était une superbe matinée ensoleillée.

Seigneur, je me rappelle. Les matins à cette époque-là, dans les années soixante-dix, avant que tout ne s'écroule autour de nous.

Mam construisait le muretin en pierres le long du sentier. Elle portait un imperméable jaune, ses cheveux argentés ramassés en une tresse qui lui tombait jusqu'au bas des reins. Elle s'agenouillait comme en prière devant ce mur à moitié monté, et chantait parfois des bribes d'une chanson mexicaine. Le mur n'était pas très bien construit, mais il rompait superbement la monotonie du paysage. Il était percé de trous pareils à des yeux larmoyants regardant les champs. Il menaçait de s'effondrer — parce qu'elle ratait son coup par moments, soit en le faisant trop haut à certains endroits et trop bas ailleurs, soit en le montant un peu de travers et en lui donnant un peu de gîte. Mais elle adorait ce travail. Elle se mettait à l'ouvrage une fois le petit déjeuner terminé, à peine le soleil levé. Elle venait sur la rive nous regarder, moi et mon père, lutter contre le courant, mais même alors on pouvait deviner que ça la démangeait de commencer à travailler. Elle faisait craquer ses longs doigts maigres. Dès que nous ressortions de l'eau, elle me mettait la main sur les fesses et s'empressait de me faire rentrer à la maison, en courant à mes côtés et en laissant le vieux seul sur la berge. Pendant que je mangeais elle enfilait ses gants de jardinage bleus et, juste avant que mon père n'entre dans la cuisine en soufflant, la tête enveloppée dans une serviette, elle se penchait sur moi et murmurait : « Bon, *m'ijo*, je vais m'y mettre. »

Le mur faisait deux cents mètres de la maison jusqu'à la grand-route. Il avait en gros entre soixante centimètres et un mètre trente de hauteur, il formait des sinuosités et comme une boucle en arrivant sur la route, comme si elle voulait le prolonger toujours plus loin, mais ne parvenait qu'à le replier sur lui-même. Il ressemblait à une rangée de vieilles dents noires. Parfois des oiseaux faisaient leur nid entre les pierres mal jointes. Mam n'arrêtait pas de défaire des tronçons du mur, puis de le reconstruire en remplaçant de grosses pierres par de plus petites qu'elle soulevait ou qu'elle traînait. Des hommes passaient à bicyclette et la saluaient d'un retentissant « Senorita », et elle les corrigeait aussitôt. « *Señora !* » criait-elle. Ils lui lançaient un clin d'œil : « C'est comme vous voulez, m'dame Lyons. » Elle se penchait à nouveau sur son ouvrage, calant un galet plat dans un interstice ou bien taillant un angle vif. Elle se protégeait les yeux de son bras à la peau brune pour éviter que les éclats de pierre ne lui sautent au visage pendant qu'elle travaillait. A l'heure du déjeuner les hommes s'arrêtaient à nouveau et lui donnaient des conseils pour la construction du mur. Elle leur préparait du thé dans de grandes tasses blanches, les écoutait attentivement en hochant la tête et en secouant ses tresses, puis d'un geste leur faisait signe de s'en aller et continuait comme avant, avec entêtement et obstination. C'était son mur. Il n'appartenait qu'à elle. Elle le construisait comme elle l'entendait.

Elle crachait en travaillant ; elle avait gardé cette habitude du temps où elle s'occupait des poules au Mexique et où la poussière s'insinuait dans tous les pores.

Le mur faisait comme un pli dans l'ennuyeuse uniformité de ses journées — sinon elle n'avait pas grand-chose à faire à part la lessive qui battait au vent au-dessus de la tourbière, la vaisselle qui s'accumulait dans l'évier, et les sandwiches au jambon et au fromage qu'elle me préparait pour mon déjeuner à l'école. Elle approchait de la cinquantaine à l'époque. Le monde vieillissait. Le mur l'aidait à grignoter sur le temps qui s'écoulait dans l'attente du jour où elle pourrait retourner au Mexique. Ils se disputaient souvent, elle et le vieux. Plantés au milieu de la cuisine, ils agitaient les bras et pointaient un doigt agressif l'un vers l'autre. Des cris retentissaient dans toute la maison. Quelquefois il frappait du poing contre le buffet — une petite rangée d'entailles apparaissait dans le bois comme des traces de coups de couteau. Il ne voyait pas l'utilité de ce mur — si ce n'est un endroit où s'accroupir pour allumer une cigarette, ou pisser discrètement. Peut-être étaient-ils encore amoureux l'un de l'autre, mais ce n'était plus le même amour qu'au début, je suppose — un amour teinté d'amertume, un amour teinté de violence, qui n'avait plus rien de magique. Quand mon père s'en allait faire des photos pour gagner sa vie, un profond silence lugubre pesait dans toute la maison, et Mam me faisait asseoir et me racontait des histoires. Si elle commençait dans sa langue maternelle — que je ne comprenais pas — elle portait la main à ses cheveux gris qu'elle lissait en arrière, puis reprenait en anglais. Des bouts de récits disparates que je me mettais peu à peu à agencer et à relier les uns aux autres, des histoires racontées à un enfant d'une manière enfantine, et le Mexique devint pour moi un pays aussi proche que le coin de la rue.

Dans la cuisine elle récurait les casseroles et les

marmites en regardant le monde défiler sous ses fenêtres. Des voitures qui passaient en cahotant, des femmes en foulard qui se rendaient chez des voisines pour boire le café de la matinée, la camionnette du facteur qui filait à toute allure sans s'arrêter, des trou-peaux de vaches que l'on faisait avancer à coups de bâton.

Sa seule amie était Mrs O'Leary. Mam fréquentait son pub quelques après-midi par semaine — décoré de photos de bateaux, c'était un pub vieux et rouillé de partout comme les habitués du lieu. Parfois, pendant l'été, elle m'emmenait avec elle. Mrs O'Leary avait des poules derrière son pub, environ une dou-zaine qui picoraient ici et là. Et Mrs O'Leary n'était pas loin de ressembler elle-même à une vieille poule avec son visage rouge vif, son menton pointu comme un bec et le fanon de peau flasque qui lui pendouillait au cou. Elle devait avoir dans les quatre-vingts ans à l'époque ; c'était une femme énorme vêtue de robes aux couleurs jaspées, avec des mamelons imposants, une voix profonde, et qui était constamment sur le point d'éclater de rire. Mais elle perdait peu à peu la vue si bien qu'elle ne reconnaissait presque plus les étiquettes de bouteilles et qu'elle confondait quelque-fois le Jameson et le Paddy, le Bushmills et l'Irish Mist, ce qui provoquait une tempête unanime de pro-testations parmi les hommes qui s'accrochaient à leur whiskey comme des berniques à leur rocher. Elle ne lisait plus l'heure à l'horloge fixée au mur, se cognait aux chambranles des portes, ne pouvait plus lire que les gros titres du *Irish Press*, qui lui était fort utile pour éponger les taches brunes sur le sol en ciment. Ce qui anéantissait surtout Mrs O'Leary c'était qu'elle ne puisse pratiquement plus reconnaître le sexe d'un poussin — un don qui nécessitait une vue

216

perçante, la patience de l'âge mûr et une connaissance des vicissitudes capricieuses de la nature. Un après-midi d'été elle arriva chez nous d'un pas tranquille et dit à ma mère : « Il paraît que vous vous y connaissez dans les parties basses », et, après une courte explication, elles éclatèrent de rire toutes les deux.

Mam répondit : « Bien sûr, je vais jeter un coup d'œil aux volatiles. »

Mam éclaira Mrs O'Leary de ses lumières et examina le ventre des poulets. Elles s'asseyaient sur des tabourets en bois à l'arrière du pub, jambes pendantes, et bavardaient en riant. Leur caquetage parvenait jusqu'à l'intérieur du bar où les hommes frappaient du poing sur la table toutes les demi-heures au rythme du coucou sans tête qui carillonnait au mur : « Un autre verre, Alice, et magne-toi. » Elle vendait ses œufs aux clients qui passaient leur journée avachis au comptoir comme des loques endormies, le regard fixé sur les glaces poussiéreuses, la veste imprégnée d'une odeur de moisi, le mouchoir à moitié sorti de la poche de leur pantalon. Mais la plupart du temps Mam et Mrs O'Leary ne se préoccupaient pas des clients, restaient assises dehors et passaient le temps à s'échanger des bribes de leurs existences : José et ses lèvres cousues, Rolando, Miguel, les incendies dans cette région lointaine, la fameuse Cici, le concert de piaillements qui s'était produit dans la cour de ma grand-mère au Mexique.

Au bout d'un certain temps Mam et Mrs O'Leary se mirent à inventer leur propre roman, et elles se servirent des hommes au comptoir comme personnages.

Ils formaient une drôle d'équipe — des hommes qui avaient peur de la vie, mais encore plus peur de la mort, peur des fantômes qui se réveillaient et commençaient à se manifester dans leur système rénal. L'un d'entre eux arborait une moustache couleur noisette et portait un pantalon gris en tissu brillant et il glissait souvent de son tabouret au bout du comptoir, finissant sa Guinness assis par terre, une frange de mousse crémeuse au-dessus de la lèvre. Il y avait un misanthrope au visage en forme de miche de pain bien gonflée qui sortait des pièces de dix pence de derrière son oreille. Un autre sentait le vinaigre quand il transpirait. Un autre encore s'assoupissait, la tête avachie sur une immonde chemise toute tachée de Smithwick. Ils semblaient pris de quintes de toux au même moment et en chœur et ils se mouchaient dans le creux de la main, parcourant le journal d'un œil glauque, épuisés par tant de whiskey ingurgité. « Au nom du Ciel, qui a volé la page des sports ? » « Allez, sers-nous un autre godet, Alice. » « Tu veux que je te ramène chez toi en voiture ? » « Ben, on a des voitures dans la famille, mais elles sont toutes en Amérique. »

D'après ce que je peux comprendre, au début ils traitèrent Mam plutôt bien — ils la saluaient d'un mouvement de chapeau quand elle entrait, lui lançaient un vague clin d'œil, remuaient la bouche avec un semblant de paillardise bon enfant, la complimentaient avec effusion sur sa nouvelle robe ou sur la teinte de son rouge à lèvres. Mais il y avait aussi des murmures plus insistants et très vite les rumeurs affluèrent telles des tempêtes. Les tempêtes apportaient également d'étranges oiseaux — est-ce qu'un faucon pèlerin n'était pas arrivé un jour de Nouvelle-Écosse ? Elle avait été autrefois la maîtresse de Che Guevara. Elle était la petite amie de Jack Dempsey. C'était une orpheline des bidonvilles d'Amérique centrale. Elle avait fait une carrière ratée à Hollywood. Elle était une des filles de Franco. Elle fuyait une révolution. Elle avait autrefois possédé dans le sud du Mexique une hacienda qu'elle avait perdue au bridge. Ou bien peut-être qu'elle servait de modèle au vieux quand il faisait ses photos, peut-être même qu'elle posait nue pour lui. Cette dernière rumeur — celle qu'ils finirent par retenir — provoqua sans doute une accélération du mouvement de leurs bouches et un tremblement des mains quand ils soulevèrent leur verre de whiskey.

Je venais au pub en fin d'après-midi, après l'école, balançant mon cartable à bout de bras. Le regard de Mam brillait, animé d'un bonheur étrange que je ne lui avais jamais vu à la maison. Quand j'y repense, je m'aperçois qu'elles auraient pu être sœurs, elle et Alice O'Leary. Elles auraient pu être amoureuses l'une de l'autre — parfois assises en se tenant la main, les doigts bruns de Mam sur la peau d'une blancheur de lis de Mrs O'Leary. Mrs O'Leary me caressait le visage. « C'est ton portrait tout craché, Juanita, touche un peu ces cheveux qu'il a. » De temps en temps elles se passaient une gigantesque bouteille de bière brune pendant que les poules picoraient dans le jardin. Mrs O'Leary évaluait mal le bord du verre quand elle portait la bière à ses lèvres et un collier de taches brunes lui retombait sur le haut du tablier. « Ah, doux Jésus, je raterais une porte de grange maintenant, alors qu'il fut un temps où je pouvais faire pipi à travers une alliance, et maintenant je raterais même un seau ! »

L'angélus était toujours pour Mam le signal du départ et indiquait le moment de rentrer préparer le dîner pour mon père. Quand on entendait résonner la cloche dans l'atmosphère enfumée du pub, un comédien à la face de rat se mettait à déclamer : « Sainte Marie, mère de Dieu, priez pour nous pauvres poi-

vrots maintenant et à l'heure de l'angélus, amen. »
Nous prenions les sentiers étroits pour rentrer, Mam
et moi ; des mouettes volaient au-dessus des tourbières, on voyait des arcs-en-ciel et les étoiles
apparaissaient à l'est dans le ciel d'hiver qui s'obscur-
cissait déjà. Elle se demandait toujours ce qu'elle
allait lui faire à manger, et elle s'arrêtait près du mur,
ajustait quelques pierres supplémentaires avant d'aller
dans la cuisine, en grommelant parfois doucement des
paroles qui ne s'adressaient qu'à elle-même.

Le vieux était pigiste pour des magazines agricoles.
Sa vie se résumait à des champs d'orge, à des mois-
sonneuses-batteuses rouge vif, à des vaches à la queue
crottée de paquets de merde, à des comices agricoles,
au lancement de nouveaux produits, au tout nouvel
emballage du bacon, à des photos d'hommes sérieux
en costume gris se serrant la main lors de congrès. La
banalité dans toute sa splendeur. Tout cela n'avait que
peu de sens sinon aucun à ses yeux, ça ne lui permettait pas d'exercer véritablement son art, mais ça lui
permettait de survivre. Il prit le genre de clichés qui
figuraient dans les pages de journaux que personne ne
lit jamais. Ou le genre de photos tellement insigni-
fiantes que son nom imprimé au bas du cliché le mettait mal à l'aise. Le monde se limitait maintenant à
ceci : un père de famille vieillissant qui s'ennuyait
dans une ferme sinistre du comté de Mayo, aussi
impatient de voir arriver le printemps qu'un cheval
dans un jeu de dames. Sa femme construisait des murs
et passait ses après-midi dans un étrange pub. Elle
parlait et rêvait en permanence de son pays natal.
Tous les soirs, il franchissait la porte d'un pas lourd,
sentant le lait rance et la cigarette, l'embrassait sèchement sur la joue et lui demandait combien de bières
brunes elle avait bues chez O'Leary. Il faisait le tour

de la table, posait une main sur ma nuque et m'ébouriffait les cheveux : « Comment va mon jeune gaillard aujourd'hui ? » Je lui racontais que j'avais rentré trois buts successifs dans un match de football après l'école. Il mettait les mains dans les poches de son gilet et me disait : « Bravo, mon petit, bravo » et ensuite penchait la tête sur son assiette en levant les yeux de temps en temps pour me lancer un clin d'œil avant de dire : « Trois buts successifs, hein ? » Dans de pareils moments je l'aimais de tout mon cœur et j'admirais sa force physique, mais Mam, assise en bout de table, ne disait rien, sachant depuis le début que je n'avais pas du tout joué au football après l'école.

Il avait toujours sur lui un carnet dans lequel il notait les comptes. Parfois il nous donnait à voix haute la situation financière à la table du dîner et nous promettait qu'il y aurait bientôt suffisamment d'argent pour que nous fassions notre grand voyage jusqu'au désert de Chihuahua. « Oui, disait-il, encore quelques petits mois et un autre emploi important et vogue la galère. » La bouche de Mam esquissait un léger sourire crispé comme si le Mexique était installé là, au bord de ses lèvres, comme si elle était sur le point de pouvoir y goûter.

Mais c'est une chambre noire qu'il construisit avec l'argent. Il voulait utiliser la vieille étable mais elle laissait passer trop de lumière, alors il construisit son laboratoire à partir de rien. Il loua un bulldozer et creusa les fondations, m'assit sur le siège tournant en plastique et fit semblant de me laisser manœuvrer l'énorme engin jaune. Il draina les excavations avec une pompe industrielle et y posa des canalisations avant de couler lui-même le béton où il me donna la permission d'inscrire mes initiales. Il traita avec deux ou trois hommes pour qu'ils viennent l'aider certains jours. Ils l'appelaient « Patron » sur un ton presque ironique et poussaient des exclamations de joie excessive quand Mam apportait du thé et des tranches de gâteau. « M'dame Lyons, vous faites le meilleur thé du comté. » « Mon Dieu, m'dame Lyons, si je m'en mettais sur la tête de ce gâteau, je me bousillerais les méninges avec la langue à force d'essayer de l'attraper. »

Un jour où mon père était allé en ville chercher du sable j'entendis siffler de façon indécente quand ma mère se pencha pour travailler à son mur de pierre. Elle se redressa, sourit, leur fit un signe de la main et les hommes baissèrent la tête et se remirent à l'ouvrage.

Et mon père, torse nu sous la bruine fraîche de l'été, se pavanait. Sa poitrine avait commencé à perdre un peu de sa fermeté si bien que parfois il se pinçait les tétons pour les durcir. Je me souviens maintenant qu'il rentrait le ventre et qu'il posait les mains sur ses poignées d'amour pour paraître plus mince. Il continuait à se montrer un peu en spectacle. Juché sur le toit, il frappait à grands coups de marteau, un bras replié de manière emphatique pour faire saillir ses muscles. Il maniait la perceuse électrique avec panache en agitant le doigt quand il me montrait son fonctionnement. Il se coiffait à présent sur le côté pour camoufler sa tonsure, mais ses cheveux restaient toujours aussi rebelles. Ils étaient plutôt longs et parfois le vent les faisaient retomber sur ses épaules. Il s'humectait les doigts et les lissait en arrière.

Le bâtiment était cubique et conçu avec sobriété. Les murs, sans aucune fenêtre, étaient en parpaings gris, il y avait deux pièces séparées par un panneau en bois, un toit plat soigneusement étanche, et le tout avait été méticuleusement calculé de telle sorte qu'aucune source de lumière ne puisse filtrer sous les portes. Il enfonça des chevilles dans les murs à la perceuse pour y fixer des placards à rangement et des étagères, amena l'eau et l'électricité et bricola une ligne téléphonique. Il l'appela « Le Goulag », un surnom qui aurait pu sonner comme une prémonition. Il avait installé une ficelle à la poignée de la deuxième porte qu'il gardait toujours fermée si bien que, lorsqu'il tirait dessus, la targette se soulevait et la porte s'ouvrait. A l'heure du dîner je sortais et je lui criais de rentrer à la maison. Il farfouillait un peu partout avant d'ouvrir et j'entendais des bruits de papiers que l'on déplace, des tiroirs qui se fermaient, des couvercles qu'on rabattait. Ensuite il tirait sur la ficelle et je pouvais apercevoir les petites banalités de son univers. Des rangées de photos pendaient sous une enfilade de lampes rouges, les épreuves de clichés de vaches frisonnes ou une publicité pour du fromage. Il s'essuyait les mains dans un morceau de serviette rouge et me demandait : « C'est encore des frites qu'elle nous fait ce soir ? »

C'était devenu une expression familière.

Un matin, de très bonne heure, j'entendis le vieux descendre à toute allure l'escalier. Je le suivis. Un début d'incendie dans la cuisine, la friteuse était en flammes. Mam était plantée au milieu de la pièce, incapable d'en détacher les yeux, le regard illuminé de joie au-dessus de sa robe de chambre jaune vif. Elle ne regarda même pas mon père, fascinée par les flammes qui bondissaient vers le plafond. « Je voulais juste cuire quelque chose, dit-elle, je n'arrivais pas à dormir, tu le vois bien que ces temps-ci je ne peux pas dormir. » Le vieux enroula le pan de sa veste de pyjama en coton autour de la poignée de la friteuse. Il traversa la cuisine en jurant à voix basse, sortit comme un fou dans la cour où il jeta la friteuse dans l'herbe haute pour que la rosée de la nuit la refroidisse. Les dernières flammèches paraissaient spectrales dans l'herbe. Il rentra à nouveau, lécha la brûlure qu'il avait dans la paume de la main et coupa une orange en deux pour apaiser la douleur.

— T'es complètement cinglée ou quoi, femme, pour avoir envie de frites à cette heure de la nuit ?

Elle était à côté du fourneau, toujours immobile devant la bouilloire, et n'était pas loin de ressembler, elle aussi, à une bouilloire, une main en avant et recourbée comme un bec verseur, le visage cendré ; puis elle se mit à bouger lentement sur la pointe des pieds et, lucide maintenant, elle dit d'une voix sifflante : « C'était juste une petite bêtise, Michael, nous faisons tous des bêtises. » Il me regarda, le blanc des yeux injecté de sang, enleva du bout des doigts une croûte qui s'était formée au coin de sa paupière pendant son sommeil, puis se gratta l'intérieur du nombril et eut l'air de faire des efforts pour essayer de se souvenir de quelque chose qui de toute façon n'avait aucune importance. Il se passa la langue sur les lèvres : « Et toi, jeune homme, est-ce qu'il n'est pas l'heure pour les gentils enfants d'être couchés ? »

Il me poussa doucement vers le hall, et m'embrassa sur le front. Je me serrai contre lui et montai l'escalier, profondément perturbé et partagé entre l'amour et la haine. « Ne t'inquiète pas pour ça, fiston, me dit-il, ta maman est seulement un peu fatiguée. »

Cette nuit-là je les entendis se disputer en bas et après cela, quand je l'appelais pour qu'il sorte de sa chambre noire au moment du dîner il me disait invariablement : « C'est encore des frites qu'elle nous fait cc soir ? »

A la télévision il y avait des émissions où des hommes venaient derrière leur femme occupée aux fourneaux, leur passaient les bras autour de la taille et les aidaient même à remuer ce qu'il y avait dans les marmites — et je me demandais pourquoi le vieux n'agissait pas ainsi avec Mam. Enfoncés chacun dans sa solitude, ils n'avaient même pas le geste de se serrer l'un contre l'autre comme le faisaient tous les parents. Le jour de la Saint-Valentin je leur offris deux croix identiques que j'avais fabriquées avec des roseaux et qui me restaient de la fête de Sainte-Brigitte. Ils vinrent me voir dans mon lit séparément et me remercièrent, mon père en me donnant un billet d'une livre, ma mère une tasse de chocolat chaud. Ils évoluaient dans deux mondes différents qu'aucun pont n'aurait pu relier. Je les imaginais allant et venant dans la maison, le haut de pyjama de mon père ouvert mais ne frôlant jamais les pull-overs que Mam portait sur sa chemise de nuit, et les deux croix posées sur deux fenêtres différentes aux deux extrémités de la maison.

Des mauvaises herbes se mirent à pousser un peu partout au pied des murs de sa chambre noire. Je tentai d'y entrer par effraction mais il l'avait solidement fermée à clef et il n'y avait aucune fenêtre par où passer. Un jour où il était parti en voyage pour une semaine j'essayai de creuser un tunnel à l'arrière du bâtiment. Je me pris pour un prisonnier au visage décharné s'introduisant dans son goulag, la poitrine ornée de décorations militaires pendouillant à ma médaille religieuse et utilisant une truelle pour dégager toute la boue qui s'entassait pendant que lui était tout là-haut sur un mirador, un fusil à la main. Je ne réussis qu'à atteindre le mur de fondation. Quand il revint il me posa des questions sur le trou. Je lui racontai que j'avais vu un chien creuser le sol dans le coin. « Tu le chasses avec un gros bâton la prochaine fois que tu le vois, compris, fiston ? » Par la suite j'abandonnai l'idée d'y entrer même s'il m'arrivait de fouiller dans les poches de son pantalon sans jamais parvenir à trouver la clef.

Le vieux devint l'ami d'un gros ponte qui possédait une usine agro-alimentaire à Swinford. O'Shaughnessy était le genre d'homme qui avait dans ses poches de costumes gris anthracite des bouteilles qui s'entrechoquaient. Il avait un nez bulbeux et un ventre énorme, conduisait des voitures haut de gamme qui descendaient notre allée tard le soir et klaxonnaient très fort pour que le vieux sorte boire un verre. Mam détestait O'Shaughnessy et l'évitait quand il venait à la maison — il essayait toujours de lui toucher ses manches de chemisier et de l'embrasser fougueusement sur les joues à la manière des gens du continent. Parfois, quand il nous rendait visite, elle sortait et bricolait un peu sur son mur, même de nuit, dans l'obscurité. Le vieux et O'Shaughnessy rentraient à l'heure de fermeture des pubs et ils s'asseyaient tous les deux dans la salle de séjour où ils s'esclaffaient si bruyamment qu'on les entendait dans toute la maison.

Une fois ou deux Mam rentra dans ma chambre et s'assit près de la fenêtre pendant qu'ils étaient en bas. Elle ne dit rien, elle se contenta de regarder au-dehors et d'observer les couleurs du ciel. Ce qu'elle supportait le moins c'était le froid, cette absence plus ou moins constante de soleil, cette façon qu'elle avait d'être saisie jusqu'à la moelle. Elle portait souvent deux ou trois pull-overs les uns par-dessus les autres. Le matin, pendant qu'elle préparait le feu dans la salle de séjour, elle gardait la bouilloire à côté d'elle et se réchauffait les mains au-dessus de la vapeur ; elle portait même des gants en faisant le petit déjeuner et claquait des dents. Elle continuait d'être stupéfaite quand il neigeait et l'hiver elle regardait mes bonhommes de neige fondre peu à peu jusqu'à ce qu'il n'en reste que la carotte et les galets pour les yeux ; elle se pelotonnait dans un manteau, battait la semelle et observait la condensation de notre haleine. Les rafales de vent la touchaient au plus profond d'elle-même — elle aimait regarder les tempêtes. D'énormes bourrasques cinglantes venues de l'Atlantique et chargées d'embruns obligeaient les arbres bordant la rivière à se prosterner et les papiers gras à s'animer. Une tempête en particulier était pour elle une véritable bénédiction — une tempête de sable venue du Sahara et qui transportait de la poussière, une poussière rouge provenant tout droit d'Afrique du Nord et qui se déposait sur le sol si bien que de minuscules particules recouvraient les pare-brise de voitures, les toitures, les barrières, les murs, les bottes, les feuilles des fleurs devant la maison. Elle ne lavait pas les vitres pendant des semaines, fascinée par le retour passager de la poussière rouge dans sa vie. Elle passait le doigt le long du rebord de fenêtre et me le montrait : « Ça n'est pas joli, *m'ijo* ? Un vent rouge. »

O'Shaughnessy et mon père se mirent à partir en voyage à l'étranger, surtout en Belgique et en France ; ces déplacements étaient en rapport avec les accords signés par la CEE sur la viande bovine. Des photos furent prises d'O'Shaughnessy à des congrès, portant ses énormes cravates voyantes. Ils partaient pour deux semaines consécutives et Mam s'endormait dans une chaise en rotin près de la fenêtre de ma chambre, enveloppée dans trois couvertures.

Et puis un soir le vieux rentra d'un voyage en France avec deux caisses en carton. La journée avait été particulièrement froide, il y avait du givre sur le sol, toutes les fenêtres de la maison étaient hermétiquement fermées et des rouges-gorges se disputaient les miettes de pain dans la cour. O'Shaughnessy déposa mon père devant la maison, envoya de loin un baiser à ma mère qui se tenait devant la fenêtre en pull-overs. Elle lui tourna le dos. Le vieux traîna les caisses et sa valise jusqu'au porche en glissant adroitement sur le verglas. Il resta assis à l'extérieur pendant un moment, les caisses à ses pieds. Mam me demanda d'aller le chercher pour dîner — cette fois-ci il ne dit rien à propos de frites. Il entra d'un air dégagé, enleva son manteau sous lequel il ne portait qu'une chemise blanche, ramena ses cheveux sur le côté, les aplatit avec de la salive et posa sa valise contre la table de la cuisine. Mam était penchée sur une préparation à base d'œufs agrémentée de sauce *salsa* et frottait l'une contre l'autre ses mains gantées.

— Attends-moi deux secondes, dit mon père et il lui caressa tendrement la joue.

Elle leva les yeux, surprise. Il ressortit et souleva les caisses en carton qu'il avait laissées sous le porche. En dépit du froid, il avait deux énormes auréoles de transpiration sous les bras. Il posa les deux caisses sur la table de la cuisine et hocha plusieurs fois la tête, se retourna et me dit qu'il était temps que j'aille prendre un bain dans la rivière. « Il va se geler », dit Mam. Mon père me fit un clin d'œil : « Penses-tu, ça ira, c'est un vrai petit homme maintenant. » Il y avait une lueur étrange dans les yeux du vieux. Je montai chercher les deux caleçons de bain. J'attendis devant la porte qu'il m'accompagne. J'agitai les maillots mais de la main il me fit signe d'y aller tout seul. Il sortit un couteau et se mit à couper la ficelle qui entourait les caisses en carton. J'attendis près de la fenêtre.

— C'est un cadeau pour ta maman, dit-il, descends jusqu'à la rivière et je te rejoindrai plus tard, prends ton manteau et enveloppe-toi bien en sortant de l'eau.

Nous avions déjà souvent nagé quand il faisait froid, mais toujours le matin où, passé les premières secondes de saisissement en entrant dans l'eau, je sentais comme une seconde peau me recouvrir le corps. Je luttais beaucoup mieux qu'avant contre le courant, je n'avais plus à m'accrocher à des racines de peuplier. Je nageai environ dix minutes, me laissai emporter en arrière, puis je rejoignis la mare qui se trouvait près de la berge et arrachai une tige de roseau creuse avant de plonger sous l'eau en me servant de cette tige pour respirer. Je retrouvai là un étrange monde sous-marin, verdâtre, immense, fascinant et visqueux, jusqu'à ce que je sois à une telle profondeur que de l'eau pénétra dans la tige de roseau ; je la lâchai et en même temps le souffle me manqua, des bulles remontèrent à la surface et je me laissai tomber jusqu'au fond avec la sensation de nager à l'aveugle, la poitrine comprimée, les bras écartés. Je m'assis sur des pierres posées dans le lit de la rivière jusqu'à ce que la douleur devienne presque euphorisante et me bloque les poumons ; alors je poussai sur les talons et refis surface.

L'usine à viande venait juste d'être installée et aucun déchet ne flottait encore dans l'eau, bien que j'aie commencé à remarquer comme une odeur nauséabonde. Je m'ébrouai quelques minutes dans la rivière, fis signe à un canard, sortis et m'enveloppai dans mon anorak — la fermeture Éclair était cassée — et je me mis une serviette autour du cou. Quand je remontai de la berge Mam travaillait à son mur vêtue de son gros manteau et de trois pull-overs, et le vieux était invisible. Je m'avançai et me plantai à côté d'elle, mes cheveux dégoulinants, claquant des dents, avec l'intention de lui raconter mon bain, mais elle me dit de rentrer et de me sécher. Elle avait les yeux baissés et regardait un endroit du mur qui avait cédé, comme si une dent était tombée de cette grosse gencive grise. Elle fixa longuement la brèche, le regard dur, s'agenouilla, ramassa une pierre et essaya de la recaler dans le trou ; elle essaya de toutes ses forces mais en vain, se cassa un ongle et dit quelque chose en espagnol que je ne pus comprendre. On aurait dit qu'elle avait de la bouillie dans la bouche. Je crus qu'elle avait froid tout simplement. Elle se mit à trembler de la tête aux pieds, doucement d'abord. « Je pensais que ça tiendrait le coup, dit-elle en parlant toute seule, c'est une chose si facile à faire. » Elle essaya de coincer une autre pierre mais elle ressortait du mur et les doigts de Mam furent pris d'une agitation nerveuse. Du genou elle poussa la pierre qui ne bougea pas. Elle se redressa en frissonnant.

— J'ai toujours pensé que ça serait mieux que ça, *m'ijo*, me dit-elle brusquement. Je me suis toujours dit que ça serait mieux que ça.

Et moi, à dix ans, je crus qu'elle parlait du trou dans le mur et je répondis :

— Ça ira, Mam, on essaiera de le réparer demain matin.

Tout acte a des causes qu'il faut aller chercher dans un lointain passé, dans tous les instants de la vie qui finissent par conduire malheureusement à un moment particulier. Alors que le corps de Mam aurait dû vieillir naturellement et lentement avec la maternité et l'âge, il en fut tout autrement — il fut anéanti d'une étrange manière. Ce ne fut même pas le hasard ou un caprice ou un acte impulsif de la part du vieux — les choses auraient peut-être été plus faciles ainsi. Non, je suppose qu'il y pensait depuis longtemps. Il voulait un mémorial, une épitaphe bien à lui, un afflux de lumière qui émerge et vienne s'imprimer de façon indélébile sur sa vie : *Autrefois je fus quelqu'un, regardez ces superbes photos que j'ai prises, regardez comme elles sont parfaites, regardez comment j'ai vécu autrefois, à quel point j'étais vivant !* Peut-être qu'il travailla très dur sur cet album, peut-être qu'il se pencha des heures sur ses épreuves avec une intensité toute particulière, peut-être qu'il crut sincèrement que cela apporterait un renouveau, ou peut-être qu'il pensa que c'était là un geste d'amour — qu'elle pourrait regarder ces pages et retrouver son passé. Ou une vision de son passé.

Mais ce livre dévoilait autre chose que sa vie, il dévoilait des instantanés de son corps. Son cou, ses seins, son ventre, ses jambes, son dos, ses grains de beauté, ses poils pubiens, ses chevilles, ses yeux et ses cheveux noir corbeau sous les moustiquaires, près des tours à incendies, dans un campement en bois de sapin, dans une chambre obscure du Bronx ; des clichés qui, sortis de leur contexte, étaient criants d'impudeur, et n'avaient pas leur place entre les couvertures minables d'un livre de photos.

Le soir du carnaval à Castlebar. J'avais onze ans. Le vieux avait encore fière allure et belle prestance bien qu'il ait pris un peu de poids. Un soir d'été, une foule d'hommes rassemblés sous une myriade d'ampoules électriques, bavardant, vêtus de chemises blanches, de gilets gris et arborant de gigantesques cravates rouges. Ils se passaient les doigts dans des tignasses en bataille coupées dans le style américain. Certains jetaient des coups d'œil concupiscents à une jeune fille en pull-over jaune, aux lèvres pulpeuses, généreusement maquillées et qui tenait un stand où elle vendait des pommes d'amour. D'autres un peu plus loin jouaient aux fléchettes devant un autre stand et essayaient de viser l'as de cœur, ce qui leur aurait peut-être permis de gagner une mignonnette de Paddy ou un cendrier abondamment décoré de fleurs. Leurs femmes déambulaient en tenant à la main des sacs en plastique remplis de poissons rouges sur le point de manquer d'oxygène. Du haut de la grande roue — qui, rétrospectivement, n'était pas très grande — des garçons de mon âge crachaient sur les badauds qui se trouvaient au-dessous en soufflant des jets de salive à travers leurs dents de devant trop espacées. Je voulais être là-haut avec eux, mais Mam m'avait dit de rester avec elle. Elle et le vieux avaient encore eu une dispute. Il faisait le tour des stands en fulminant sous son chapeau plat et en prenant des photos. Mais au bout d'un moment il vint nous rejoindre, son appareil sur l'épaule, et demanda à Mam si elle voulait faire un tour de grande roue. De la tête elle lui répondit que oui et sourit. Je fus stupéfié par ce sourire. Il y avait longtemps que le silence s'était installé chez nous. Mam ne mangeait plus à table avec lui. Elle dormait dans la chambre d'amis. Quand ils parlaient ensemble, le vieux avait pris le tic de hausser les épaules. Elle passait la plupart de son temps à travailler sur son mur. Les poches qu'elle avait sous les yeux étaient cernées et de plus en plus larges, et je suppose qu'ils se contentaient de donner le change devant moi car plus rien sinon ne les liait l'un à l'autre.

Mam me donna quelques pence pour acheter une pomme d'amour. La fille qui tenait le stand avait les joues aussi blanches que de la mousse de polystyrène. Je regardai mon père redonner de l'élan à ma mère en poussant le siège chaque fois qu'elle passait et qu'elle se penchait à son oreille pour lui dire quelque chose. Pendant un moment elle rit vraiment et j'eus du mal à le croire. Sa jupe se soulevait. Un foulard en mousseline lui flottait dans la nuque et j'apercevais quelques cheveux argentés sous le foulard et l'éclat de ses dents toutes blanches. La grande roue décrivait un cercle et tournait de plus en plus vite autour de son axe. Chaque fois qu'elle passait devant mon père, elle se penchait vers l'extérieur et lui disait quelque chose en souriant. Il gloussait tout en la poussant. Mais brusquement elle cessa de se pencher.

Un groupe d'adolescents s'était formé près d'une des tentes et montrait Mam du doigt. Sa jupe se gonflait et on apercevait ses jambes maigres et sa culotte. Elle devint blême et les poings serrés rabattit sa robe sur ses jambes. Tout en continuant à tourner elle se pencha vers le vieux, à moitié levée sur son siège et il est probable qu'elle lui cracha plus qu'elle ne lui cria : ¡ *Vete al diablo Michael Lyons* ! et le vieux brusquement s'en alla pendant que la grande roue emportait Mam dans les airs vers un ciel noir cuivré puis à nouveau vers un sol de boue grisâtre où des traces de pas tournoyèrent encore et encore jusqu'à ce que ce mouvement de rotation peu à peu perde de la vitesse, elle serrait sa jupe entre ses genoux à présent. Les garçons s'éloignèrent en riant et mon père s'approcha du stand « Essayez votre Force », une cigarette lui pendant presque sur le menton, et ses cheveux longs brillantinés, d'ordinaire ramenés sur le côté, retombant lamentablement.

Mam descendit de la grande roue en passant la main sur l'arrière de sa jupe et en réajustant ses collants au niveau des genoux ; sa voix n'était plus qu'un murmure qui se mêlait aux musiques du carnaval et elle avait repris ses intonations traînantes. « Viens, Conor », me dit-elle. Je fis semblant de ne pas entendre et camouflai ma pomme d'amour sous ma veste pour que les gamins sur la grande roue ne puissent pas cracher dessus. Les phalènes s'agitaient sous les lampions du carnaval et sous le spectacle étoilé et incongru que le ciel nous offrait.

Je vis le vieux marcher vers le stand à larges enjambées et je l'imaginai sortant tout droit d'une publicité pour cigarettes au goût très fort. Il marchait comme à son habitude — même quand je me suis mis à le détester je l'ai toujours aimé à cause de cette allure de géant qu'il avait —, en balançant les épaules, et tout son corps se déplaçait avec grâce. Mam s'en alla dans la direction opposée en naviguant entre les tentes et les bouteilles cassées. Je restai planté là, entre eux deux, près du stand aux pommes d'amour à écouter un homme jouer de l'accordéon. Je me dirigeai vers elle pendant qu'elle traversait cette marée de chemises blanches, de regards excités et de visages luisants d'ébriété et — avant même que j'arrive à sa hauteur — sa main, brune et fine, tendue en arrière, elle chercha la mienne, par réflexe et par habitude. Je pris ses doigts. Les rumeurs du carnaval s'entendaient jusqu'au centre de la ville qu'on avait décorée elle aussi de lampions. Derrière moi le vieux s'était planté à côté de la machine dont le gigantesque marteau était levé, et il était appuyé à la toile de fond d'une tente rouge et blanche. Les flonflons du carnaval perdaient de leur intensité tandis que Mam et moi nous dirigions vers le parking, et je me demandais si c'était mon père qui faisait ainsi résonner la cloche d'« Essayez votre Force » alors que nous marchions dans l'herbe au bord d'un champ, Mam et moi, en tournant en rond en attendant qu'il nous reconduise à la maison. Je voyais les adolescents sous les tentes continuer à nous jeter des coups d'œil furtifs.

A cette époque-là elle était devenue célèbre.

Les livres de photos étaient censurés en Irlande bien entendu — au début on ne put les trouver ailleurs que dans sa chambre noire, bien que O'Shaughnessy en ait eu quelques-uns lui aussi en sa possession. Peut-être est-ce O'Shaughnessy qui les montra autour de lui. Ou bien peut-être que des émigrants les trouvèrent dans d'obscures librairies en Europe et les envoyèrent à leur famille en Irlande en collant sur l'enveloppe des timbres fabuleux, des jeunes gens qui tombèrent par hasard sur ces livres chez un bouquiniste parisien, qui soulevèrent timidement la couverture, qui sentirent leur cœur battre très fort en regardant une épaule mince et finirent par ouvrir carrément la page. Peut-être qu'il y eut des scélérats ivres morts dans les ruelles de Liège qui reconnurent le nom de mon père sur la couverture défraîchie — des hommes dont les poches de pardessus étaient percées afin qu'ils puissent enfoncer les mains jusqu'à leur sexe et calmer leur excitation. Ou bien des artistes aux cheveux bouclés à moitié fous dont la silhouette se dessinait sur les couchers de soleil d'une place romaine, tous habités de souvenirs vivaces et qui n'apprécièrent les photos qu'au premier degré et les expédièrent en Irlande, enveloppées dans du papier brun pour contourner la censure.

J'avais vu un exemplaire de l'album. La porte de la chambre noire était restée ouverte, un jour où le vieux était parti pour la journée, et il y en avait une vingtaine empilés dans un coin. D'abord je ne compris pas qu'il s'agissait d'elle. Je continuai à tourner les pages.

Et puis une immense nausée me saisit. Je me mis à feuilleter très vite le livre une seconde fois, les mains tremblantes. Je me souviens d'avoir senti l'air me manquer, puis éprouvé une envie forte de vomir ; tout se mit à tourner autour de moi et je sortis en claquant la porte, n'osant plus rentrer à la maison. Je fis un rêve cette nuit-là. Le livre se trouvait sur la table du salon et mes professeurs étaient chez nous. Ils prirent le livre et se mirent à sourire en comparant différents clichés et en traçant sur les pages des cercles à la craie, l'un d'entre eux entourant constamment ses seins. Je ne cessai de leur arracher l'album des mains et de le cacher derrière le seau de tourbe près de la cheminée pour qu'ils ne voient pas une jambe apparaître sous la table en verre du salon, ou le bout d'un téton s'avancer sous une assiette de biscuits, ou un nombril pointer sous une tasse à thé. Mais les professeurs n'arrêtaient pas de me rappeler à l'ordre, agacés, et de reprendre l'album, certains même en le brandissant à bout de bras. Le directeur leva sur moi une énorme canne en bambou et je me réveillai, agité, sortis sur le palier où je m'accroupis, le menton sur les genoux, imaginant des façons de tuer mon père : lui faire avaler ses produits chimiques, l'écraser jusqu'à ce qu'il n'en reste plus qu'une bouillie noire et blanche.

Des exemplaires circulèrent en ville, ou en tout cas des rumeurs sur l'album, si bien que tout le monde était en plein délire ; le facteur était devenu de la plus haute importance et l'opératrice du téléphone en perdait la tête. Le Père Herlihy gesticula en chaire et proféra des menaces voilées en disant : « Bénis soient ceux qui ont raison gardé, nous devons chasser hors d'ici toute la pourriture ! La chasser, je vous dis ! » Des hommes qui travaillaient dans les tourbières et qui avaient entendu parler des photos rendirent un hommage vibrant à l'œil héroïque de mon père, la casquette levée au-dessus d'une terre centenaire. Des ouvriers des abattoirs, maculés de sang, maculés de merde, passèrent devant chez nous, les yeux levés vers les fenêtres de la chambre en espérant apercevoir un regard fugace qu'ils ne verraient jamais. Et les femmes à leurs réunions de commères le matin devaient passer leur temps à chuchoter, du rouge à lèvres sur les dents, en savourant mine de rien la nouvelle.

— Écoutez-moi ça, j'ai entendu dire qu'ils ont pris des photos d'elle dans son bain.

— Allons, vous nous racontez des histoires.

— Je le jure devant Dieu.

— Vous me faites marcher.

— Non.

— Eh ben, la facture d'eau doit être drôlement salée.

Il n'y avait plus beaucoup d'argent à la maison — visiblement le vieux avait payé pour que son album soit publié, et jamais plus il ne lut à haute voix les comptes qu'il inscrivait dans son carnet. Le silence pendant les repas devint de plus en plus lourd. La perspective de notre voyage au Mexique s'était évanouie.

Seule Mrs O'Leary continuait à prendre la défense de Mam qui continuait d'aller au pub aussi souvent que possible — elle traversait furtivement la salle, tête baissée, tandis que l'on se déplaçait ou que l'on tournait son tabouret pour la regarder passer, puis elle allait dans le jardin à l'arrière du café où se trouvaient les poules. On faisait sans doute des plaisanteries — « Tiens, voilà Mrs Montre-Sa-Toison », aurait pu dire le comédien rougeaud, « Regardez-moi un peu ce chic qu'elle a ! ». J'imagine très bien qu'il ait dit cela car Mrs O'Leary lui interdit l'entrée de son pub. Penchée sur son comptoir elle lui déclara en faisant un large geste de sa main potelée : « Nom de Dieu, laisse-la tranquille ! Moi aussi j'en ferais autant, je me mettrais bien à poil, seulement on se foutrait de moi et on me sifflerait pour que j'en montre encore plus. »

Je continuais à retrouver Mam au pub après l'école jusqu'à cet après-midi-là où les oiseaux agitaient leurs ailes noires dans le ciel, où le foin était soulevé par le vent et où la pluie dégoulinait des châtaigniers. J'ouvris la lourde porte et en entrant je fus accueilli par des volutes de fumée. L'homme à la moustache noisette glissait peu à peu de son tabouret, ivre mort. Il me regarda comme si mon existence le surprenait et, l'index recourbé dans ma direction, me dit : « Viens ici une seconde, toi, viens ici », avant de se pencher vers moi en me faisant un clin d'œil. Son haleine empestait la cigarette, ses yeux ressemblaient à deux pommes trop acides et décolorées, sa moustache épaisse lui retombait sur les dents. Il se hissa sur le tabouret, eut un regard circulaire, tendit la main devant lui et sortit brusquement de sa gamelle posée sur le comptoir, comme on sort un lapin d'un chapeau, une photo de Mam qu'il brandit et examina quelques secondes. Il lécha la frange de Guinness qui s'était accrochée à sa moustache et fit tourner la photo entre ses doigts. Puis il poussa un soupir, me sourit et dit : « Regarde ça, regarde ça, viens voir ça », et je regardai, et elle était là, son regard couleur sépia fixé sur moi, allongée sur un lit tendu d'une fine moustiquaire blanche, à côté d'une vieille lampe, à côté d'un tableau de fleurs, à côté d'un mur fissuré — le Mexique — et l'homme à la moustache noisette la triturait entre ses doigts, en sifflant doucement au-dessus de sa gamelle, et je ne pouvais détacher mon regard de Mam et de ses seins auréolés de taches de sandwiches à la tomate et à la laitue.

Mrs O'Leary sortit de derrière son comptoir comme une furie, comme un lévrier jaillissant au départ d'une course, et gifla l'homme à la moustache noisette ; elle le gifla deux fois, tellement fort que sa tête bougea comme une poupée de son, de droite à gauche, et que le bruit résonna dans toute la salle. « Fous le camp d'ici nom de Dieu ! » hurla-t-elle, puis, estimant avoir blasphémé, elle se signa et leva les yeux au plafond en disant « Pardonnez-moi, mon Père ». Elle m'attira contre son immense poitrine, me garda ainsi serré contre elle, se tourna vers Mam et lui dit : « Je pense que tu ferais mieux de laisser ce jeune homme à la maison dorénavant. »

Mrs O'Leary m'essuya le visage avec les manches topaze de sa robe ample. En même temps elle tendit le bras pour prendre une bouteille de Guinness et en avala une lampée qui lui dégoulina sur la robe. Mam s'énervait à essayer de refermer mon anorak — elle essayait d'ajuster les deux bords de la fermeture Éclair mais ses mains tremblaient. Mam leva les yeux et dit d'une voix triste : « Oui, Alice, je pense qu'il va falloir que je laisse le petit à la maison, hein ? »

Des oies passaient dans le ciel en direction de la mer, leurs longs cous tendus. Elles faisaient un drôle de bruit en volant au-dessus de moi, le bruit d'une rafale de détonations. Elles déployèrent leurs ailes pour planer et allèrent s'installer très loin d'ici. C'était superbe.

J'ai quitté le mur et je suis retourné à la maison préparer du thé puis je suis descendu à la rivière pour voir s'il allait bien. Avant que j'atteigne la berge une partie du thé s'était répandue sur le plateau et avait imbibé quelques biscuits. J'en ai pris un que j'ai mangé.

En fondant sur ma langue cela m'a rappelé la communion du dimanche. Il dormait dans la chaise longue rouge et blanche et les cannes à pêche étaient tombées à ses pieds. Tous les détritus continuaient de flotter dans l'eau au même endroit, le même bout de plastique que j'avais aperçu la semaine précédente, pris dans les roseaux. Je me suis dit que je devrais peut-être nettoyer la rivière pour lui avant mon départ le lendemain — mais au lieu de me mettre au travail j'ai préféré m'asseoir et regarder les couleurs de l'eau changer tandis que les nuages traversaient le ciel.

Le vieux faisait des bruits avec sa bouche — comme l'avait dit Cici autrefois, peut-être qu'il mangeait ses rêves.

Mais sa respiration était un peu irrégulière et je me suis approché de lui suffisamment près pour sentir son haleine contre ma joue et pour m'assurer qu'il allait bien. Son souffle était bruyant et sortait de ses narines par à-coups. Je me suis avancé de quelques pas pour le réveiller et lui secouer l'épaule puis je me suis ravisé. Je me suis rassis et j'ai bu le thé à petites gorgées, j'ai mangé encore quelques biscuits et j'ai eu une drôle d'idée, totalement ridicule — pourquoi ne pas lui mettre un biscuit humide dans la bouche pendant qu'il dormait ?

Mam se mit à boutonner tous ses vêtements jusqu'au menton, même quand nous allions à la plage, surtout quand nous allions à la plage. Une longue étendue de sable jaune immaculé flanquée de rochers était parsemée pendant les dix jours ensoleillés de l'été de chaises longues, de serviettes de bain et de ballons colorés qui volaient dans les airs. Des hommes au corps irrégulièrement tanné par le travail des champs enfonçaient le bout de leurs allumettes dans le sol en exhalant d'épaisses bouffées de fumée de cigarette vers le ciel. Des adolescents se plantaient sur les dunes, des jumelles à la main, excités à l'idée d'apercevoir un marsouin, un vaisseau fantôme, une noyade ou un bikini un peu osé.

Un gitan entre deux âges et que j'avais déjà vu en ville longeait la mer en tirant un âne derrière lui sur le sable mouillé. A ses côtés, sur une moto, il y avait Jimmy Donnelly, plus âgé que moi et déjà au lycée, qui roulait doucement sans casque sur la tête. Donnelly et le gitan se firent un signe et entrecroisèrent leur route, des marques de sabots traçant un étrange langage au milieu des traces de pneus. Une fillette les observait, de la glace à la vanille lui dégoulinait sur le menton. Les chiens couraient sur la plage sans laisse, furetaient et urinaient près des algues. Une femme aux épaules très bronzées s'enveloppa dans une serviette, se glissa dans un maillot de bain et d'une main remonta ses seins. Mam était assise sur la couverture, un chemisier de coton blanc bien boutonné autour du cou, un cou si maigre et si tendu que lorsqu'elle se servait une tasse de thé de la bouteille Thermos rouge et buvait — des mouches de sable sautant partout sur le bord de la tasse — on aurait dit qu'avaler la faisait souffrir tellement les plis se creusaient jusqu'à sa poitrine squelettique. Elle se passait de la crème sur ses mollets harmonieusement galbés, à l'endroit où sa jupe était relevée, jusqu'aux genoux, jamais plus haut, plus maintenant.

Le vieux marchait le long de la grève en maillot de bain rouge, son ventre lui retombant sur la ceinture, il soulevait une méduse avec un petit bout de bois échoué sur la plage, tournait et retournait le corps en forme de cloche, se penchait pour la regarder de plus près, l'estomac plissé. Mam prit un couteau de cuisine dans le sac en plastique parce que nous n'avions pas trouvé le panier le matin avant de partir — le vieux était sur le pas de la porte et criait, « Vous venez ou quoi ? » et elle, tout en farfouillant, « Bien sûr qu'on arrive », lui, agitant frénétiquement la sonnette, « Oui, mais à cette allure-là on y sera encore à Noël, nom de Dieu ! » —, elle leva le couteau, dévissa le couvercle du pot de miel qu'elle étala très lentement et avec dextérité sur des tranches de pain. Elle lissa le miel jusqu'aux bords comme si tout le reste en dépendait, de ses longues mains agiles, en s'interrompant seulement pour ramener sèchement en arrière les mèches de cheveux qui lui retombaient sur les yeux. Elle essuya ses mains sur le bord de la couverture. La moto klaxonna et Donnelly fit un geste triomphant de la main et entoura l'âne d'un nuage de fumée. Mais la roue resta bloquée dans le sable mou. Il bascula, tête la première et, allongé par terre, leva un regard furieux. Le gitan, juché sur la croupe de l'animal, éclata de rire. Brusquement Donnelly se mit lui aussi à rire et poussa sa moto dans le sable sous les applaudissements de quelques vieilles dames.

Donnelly et le gitan se mirent à hurler si bien que tout le monde leva les yeux et écouta, « Cinq pence pour une balade au petit trot, dix pour un galop, allez, approchez ! »

Je descendis jusqu'au sable mouillé. Le compagnon de Donnelly sentait le feu de camp et le cidre. Il tenait les rênes dans ses doigts bruns, penché sur le dos de l'âne, les yeux verts comme du fourrage pour bétail, il me regarda et dit : « Ça t'intéresse, alors ? Où est ton argent ? » « Je n'ai pas d'argent », dis-je. « Alors, fous le camp d'ici. » Donnelly se mit à chuchoter quelque chose à l'oreille du gitan. L'homme rejeta la tête en arrière en riant aux éclats. « Viens ici, me dit-il, tu veux faire un tour sur mon âne ? » Je répondis que oui. « D'accord, alors dis à ta vieille de descendre jusqu'ici pour qu'elle nous fasse une pipe. » « Quoi ? » « Ta vieille, elle nous fait une pipe et nous on te fait faire un petit trot. » Donnelly se mit à rire. Je m'écartai de l'âne et le gitan se mit à chuchoter quelque chose à l'oreille de l'animal comme pour lui accorder sa bénédiction. Est-ce que c'est ça qu'il veut dire ? pensai-je. J'avais onze ans.

Je remontai la plage en courant jusqu'à l'endroit où Mam, tête baissée, regardait fixement le sol, et où le vieux, debout, les bras tendus, comme Jésus sur sa croix, la houspillait parce qu'il n'y avait pas de beurre sur les sandwiches — « Tu veux que je mange ces putains de trucs sans rien dessus ? » —, alors je m'assis au bord de la couverture et regardai Donnelly et le gitan avancer tous les deux au bord de l'eau. Un sandwich fut posé sur mes genoux.

— Mam, c'est quoi faire une pipe ?

Le vieux se tapa brusquement sur les genoux en hurlant. « Ah, mon Dieu, même moi j'ai oublié ça ! Même moi j'ai oublié ce que c'est ! » Le visage de Mam devint peu à peu livide et elle arracha les pompons qui ornaient le bord de la couverture. « Je ne sais pas, m'ijo, demande-moi ça plus tard. »

A présent Donnelly et le gitan étaient en bas de la plage en compagnie de deux filles juchées sur le dos de l'âne et un homme marchait à côté d'eux, son mouchoir noué sur la tête, un seau en plastique et une pelle à la main. Mon père grommela et descendit jusqu'au bord de l'eau en retirant les peluches qu'il avait dans le nombril. Au bout d'un moment, la plage commença à se vider. C'était l'heure de Mam — je l'avais constaté auparavant —, elle étirait ses jambes sur la couverture et se massait la nuque. Donnelly et le gitan quittèrent les dunes en tirant furtivement sur leurs cigarettes. Sur la plage on avait rangé les couvertures, des sacs de supermarché voletaient sur le sable, une canette de Fanta roulait en direction des dunes, il y avait un mégot de cigarette enfoncé dans une méduse. Le soleil se couchait déjà sur la mer. Bientôt il n'y eut plus personne sur le sable à part le gitan qui tirait son âne par la longe et se dirigeait vers la croix à laquelle on avait accroché la bouée de sauvetage rouge et blanche. La route ressemblait à une corde en lacet qui courait entre des murs de pierre construits pour résister éternellement aux tempêtes ; rien à voir avec son mur à elle. Il ne restait pas une âme à part nous et quelques mouettes rieuses qui s'en donnaient à cœur joie avec des croûtes de pain au-dessus de l'eau.

Elle enleva son chemisier en le déboutonnant lentement ; dessous elle portait son maillot de bain violet qui lui flottait autour du corps comme une anémone de mer. « Tu viens ? » dit-elle. « Évidemment que je viens, Mam. » Les salières creusées sous son cou et striées de veines bleu pâle ; les rides qui s'entrecroisaient sur son visage jusqu'à sa bouche fendue d'un sourire étrange ; consciente de son corps, hésitante, honteuse ; et puis le gitan s'était peut-être retourné pour nous observer ; mais soudain elle se mit à courir à petits pas vers l'océan devant moi ; le vieux était absorbé dans la contemplation d'une méduse pendant que les bras squelettiques de Mam, pareils à des ailes de papillon, battaient vivement la surface de l'eau, tout près du bord, qu'elle m'aspergeait et se penchait vers moi avec des airs de conspirateur en me disant :

« Conor, je t'expliquerai ce mot-là quand tu seras plus vieux. »

Ce soir-là elle resta debout dans la cuisine sous les lumières fluorescentes et tritura ce qu'elle avait dans son assiette du bout de sa fourchette sans y toucher.

Le lendemain, en rentrant de l'école, je la vis à genoux devant le trou où l'on fait le feu dans la cour. Elle portait un tablier acheté à la chapelle de Knock, un cadeau de Mrs O'Leary, orné de l'image de la Madone et dont le nez était recouvert d'un peu de sauce *salsa* maison. Je m'arrêtai à sa hauteur dans l'allée en faisant crisser les freins de ma bicyclette.

— Qu'est-ce que tu fais, Mam ?

Elle se retourna brusquement, un peu surprise.

— Tu rentres de bonne heure, dit-elle en essuyant ses mains dans le visage dessiné sur le tablier.

— Qu'est-ce que tu brûles, Mam ?

— Rien, *m'ijo*, rentre dans la maison avec moi, j'ai quelque chose pour toi.

Elle prit le sac d'école que je portais sur l'épaule pendant que nous marchions vers le porche. Un paquet venu de Dublin était posé sur la table, brun et froissé. Elle me tendit les ciseaux qu'elle tenait dans ses longs doigts fins : « Allez, vas-y, dépêche-toi. » Du paquet je sortis un anorak bleu tout neuf. Je l'étalai sur la table mais elle me dit de l'enfiler. Il faisait encore chaud et je ne voulais pas le porter mais je l'essayai et remontai rapidement la fermeture Éclair. Alors elle fut heureuse et s'activa à préparer sa sauce *salsa* tout en regardant par la fenêtre. Je lui dis que je sortais quelques minutes, j'enlevai l'anorak et le laissai sur la table.

Dehors, elle avait brûlé sa propre existence dans le feu, elle avait dressé un bûcher où se consumait son passé, une énorme caisse en carton pleine d'albums qu'entouraient encore quelques flammes, un feu qui venait lécher les bords de sa vie comme l'avaient fait les incendies en montagne, une langue de feu qui recroquevillait les livres. J'étouffai à coups de bâton les flammes qui s'attaquaient à la reliure, à la moustiquaire qu'aimait tant l'homme à la moustache noisette, aux douzaines de chambres différentes, à cette avalanche de chair nue ; la photo d'une table de toilette était encore intacte, les bords d'un bosquet d'arbres tombaient en cendres, une jambe en gros plan à partir du genou et un drap de lit disparaissaient peu à peu. Soudain je l'entendis me crier quelque chose du porche de la maison, l'anorak à la main.

— Viens ici, viens ici tout de suite !

Je traversai la cour à toute allure.

— Qu'est-ce que tu fais là-bas ? Tu n'aimes pas le manteau ?

— Oh, si, je l'aime bien, si.

— Tu ne le mets pas ?

— Je veux pas le salir, Mam.

Elle acquiesça de la tête et me fit signe d'approcher en agitant une grande fourchette en bois couverte de sauce rouge.

— Viens ici et goûte ma *salsa*, dis-moi si elle est bonne, peut-être qu'il manque des piments.

Mais je m'appuyai à la porte, posai mon pied boueux sur le linoléum blanc et noir et dis :

— Moi aussi je le déteste, Mam. Moi aussi je le déteste, c'est un salaud ! Je le déteste !

J'avais découvert à l'école ce jour-là ce que signifiait le mot — *Hé, les gars, Lyonsy ne sait pas ce que c'est qu'une pipe ! T'es con ou quoi, Lyonsy ? Tout le monde sait ce que c'est qu'une pipe !* — et j'étais rentré à la maison en détestant mon père pour l'énormité de ce qu'il avait fait.

Mais Mam se retourna brusquement, m'emmena jusqu'à la chaise en me tirant par le bras — avec une force surprenante —, m'allongea sur ses genoux et me frappa violemment, six fois, sur l'arrière des jambes avec la fourchette, faisant gicler de la sauce un peu partout dans la pièce. « Ne redis jamais ça, que je ne t'entende jamais redire ça, ne redis jamais ça ! » Je ne la comprenais pas. J'avais les jambes en feu et plus tard, assise à la table de la cuisine, elle dit : « C'est ton père qui devrait te frapper, mais il n'a jamais frappé qui que ce soit dans sa vie, tu devrais lui en être reconnaissant, il n'a même jamais tapé sur une mouche de sa vie ! Ton père n'a jamais touché qui que ce soit ! » Plus tard dans l'après-midi, alors qu'une écharpe de pénombre descendait sur la cour et que l'odeur des abattoirs nous parvenait de l'usine à viande, je la vis retourner vers le feu d'un pas assuré, en balançant les bras. Elle acheva le travail qu'elle avait commencé — elle brûla les livres en les arrosant d'un peu d'essence sur laquelle elle lança une allumette qu'elle eut du mal à enflammer. Elles étaient humides et se cassaient quand elle les craquait. Et Mam n'était plus que l'ombre d'elle-même.

Il s'est réveillé dans la chaise longue sans s'apercevoir que j'étais assis là, et il a fouillé dans sa poche à la recherche de cigarettes. Avant d'en allumer une il s'est raclé la gorge et a craché en direction de la rivière. Le crachat a atterri sur la berge, non loin de l'endroit où j'étais assis. Il était strié de sang.

— Mon Dieu, a-t-il dit en me voyant, j'ai dû m'endormir.

Il m'a vu regarder par terre. Il est resté silencieux quelques secondes puis il a respiré profondément par le nez.

— Trop de confiture de framboise sur mon pain grillé ce matin.

J'ai ressenti une profonde aversion et en même temps de l'amour à son égard.

\*

Nous trois dans la cuisine. Ses cheveux à elle ramenés en arrière en longues mèches couleur tungstène. Elle leva les yeux vers lui quand il sortit de la poche de sa chemise un briquet jetable et un paquet de Major. « Vivre avec toi c'est comme vivre avec un cendrier ! » hurla-t-elle. Il se leva de sa chaise qu'il traîna rapidement à l'autre bout de la pièce, pointa le doigt en direction de ma mère et hurla : « Et t'en connais un rayon sur les putains de cendres, hein, femme ? »

C'était le lendemain matin du jour où les livres avaient été eux-mêmes réduits en cendres, où les parois du trou avaient été calcinées et gardaient encore l'empreinte de toute une vie détruite par le feu. « Toi et tes friteuses et tes livres et tes incendies, dit-il, plus gentiment à présent, est-ce qu'un jour tu sauras te contrôler ? »

Il sortit d'une allure bravache en montrant sa lassitude et mit son sac d'appareils photo sur l'épaule — il partait prendre des photos de vaches nourries à l'orge et destinées à l'usine à viande. Il claqua la portière de la voiture, klaxonna et leva vaguement un doigt, les mains posées sur le volant.

Mam était dans la cuisine, perdue dans ses pensées, à côté du fourneau où elle se remémorait peut-être des incendies tellement spectaculaires par leur ampleur qu'en regardant la friteuse ou le feu dans la cour elle se contenta de hocher la tête. Elle essuya ses mains mouillées par l'eau de vaisselle sur la poche de son tablier à la Madone — « Okay, *m'ijo*, je regarde ça depuis longtemps », me dit-elle, les yeux tournés vers la tache au-dessus du fourneau. « Comment on peut l'enlever du mur ? » La voiture s'éloigna vers la route. Des mouches se posèrent sur le papier collant jaune accroché à l'encadrement de fenêtre. Je grimpai en appui sur le fourneau et je frottai avec un tampon de détergent. Nous nous acharnions sur le mur mais la marque ne partait pas en dépit de nos efforts ; elle possédait son propre stigmate. Mam eut le regard dans le vide quelques secondes, puis elle se pencha et tourna les boutons du poste de radio. Au bout d'un moment je descendis du fourneau et dis : « Mam, il faut que je parte, je vais être encore en retard à l'école. »

Elle fixa la tache l'espace d'un instant. « *Quitate* », dit-elle en souriant. « Je m'en occuperai moi-même. »

Elle essuya une trace noire que j'avais sur le sourcil et m'embrassa tendrement sur la joue. « Ton nouvel anorak est superbe. » Elle mit une barre de chocolat dans ma poche. Je sortis dans l'air chargé d'embruns, passai devant le monticule de cendres dans la cour, sautai sur ma bicyclette et je me mis à pédaler avec rage, de l'eau boueuse éclaboussant l'arrière de mon anorak. A l'usine à viande mon père bavardait avec un homme qui conduisait une demi-douzaine de vaches grasses devant l'appareil photo — ensuite ce serait l'abattoir et les crochets où on les suspendrait. Deux des vaches libéraient en même temps de la bouse qui s'écrasa sur leurs queues. Des corbeaux volaient derrière le troupeau pour se nourrir des insectes affolés qui voletaient dans les traces laissées par les sabots. J'observai quelques instants mon père, puis, la tête penchée sur le guidon, je franchis le pont arqué qui menait à l'école.

Plus tard cette semaine-là le vieux partit une nouvelle fois en Europe, et Mam attendait Mrs O'Leary qu'elle avait invitée à déjeuner. C'était la première fois que Mrs O'Leary venait manger chez nous. Mam avait cueilli des fleurs. Je me dis qu'elle allait même peut-être avaler quelque chose de substantiel ce jour-là, elle avait préparé des tortillas. D'un geste nerveux elle frottait l'un contre l'autre ses longs doigts.

A midi, un taxi descendit lentement l'allée. Mrs O'Leary s'avança vers la porte d'entrée en s'aidant d'une canne. Le chauffeur de taxi apporta des boîtes de peinture, des rouleaux, des vases aux couleurs vives et une brassée de fleurs exotiques — « Un petit cadeau pour toi, Juanita », dit Mrs O'Leary. Le tout fut déposé sur le sol de la salle de séjour. Le chauffeur s'en alla en soulevant légèrement son chapeau plat à l'adresse de Mrs O'Leary.

— Bien, dit Mrs O'Leary, allons-y, mettons-nous à la décoration.

Nous nous mîmes tous les trois à traîner les vieux meubles de la salle de séjour jusqu'à la cour, Mrs O'Leary surveillant les opérations d'un œil critique. La cour me sembla bizarre avec ses tables et ses chaises de guingois sur les pierres mal agencées. A l'intérieur le tapis fut recouvert de sacs en plastique, de journaux et de draps de lit, puis les murs furent repeints en rose très pâle qui faisait penser à la couleur de la chair. On posa les vases sur la cheminée et on choisit avec soin la disposition des fleurs dans la pièce. « Je pense qu'on devrait mettre la plante verte dans le coin au fond, non ? » dit Mam. L'appareil de radio Victrola jouait de la musique à fort volume. Nous nous arrêtâmes en début d'après-midi pour faire une pause et boire du thé et Mrs O'Leary sortit une bouteille de Guinness de son sac à main. Elle demanda à Mam si elle aimait la pièce maintenant qu'elle était refaite, si elle la trouvait suffisamment mexicaine. Mam répondit : « Oui, c'est très près de la réalité », et ensuite elle chuchota, comme en transe, qu'elle n'avait jamais été plus heureuse dans sa vie, mais ses doigts continuaient de se frotter les uns contre les autres et la conversation languissait à table où les tortillas avaient refroidi et où Mrs O'Leary se demandait comment se débrouillait celle qui la remplaçait au bar.

Deux jours plus tard, quand le vieux revint de son voyage en France, il regarda la pièce en hochant longuement la tête et dit : « Pas mal, pas mal du tout. » Il posa une caisse par terre et alluma une cigarette. Dans la cuisine Mam se mordait tellement les joues que ça lui creusait le visage. Il souleva la caisse de livres qu'il apporta dans la chambre noire dont il referma la porte avec un cadenas. « Ceux-ci, tu n'y mettras pas le feu », dit-il. Il ne voulut pas les lui montrer mais des années plus tard je découvris qu'il s'agissait d'un tout autre album de photos, complètement différent, dans lequel il avait utilisé les clichés de ses débuts dans le comté de Mayo, à l'époque où il se servait de Loyola. Il avait dû payer une fortune pour faire faire ce livre. Mam s'en alla très peu de temps après, et mon père se mit en retrait du monde — de moi comme d'à peu près tous les gens —, sa seule occupation dans la vie étant de lancer sa ligne dans les airs. Mrs O'Leary l'évitait, O'Shaughnessy s'en était allé vers d'autres occupations, seuls les pneus de voiture de Mrs McCarthy crissaient sur le gravier quand elle lui apportait le fameux repas de Noël.

Je me suis senti tendu quand est arrivé le soir. Nous étions toujours assis au même endroit. Il somnolait, n'avait pas pêché de toute la journée, même pas avec les nouvelles mouches. J'ai remarqué quelques vieux sacs de chez Spar accrochés dans les roseaux, je me suis levé, je les ai enlevés et je me suis mis à nettoyer la rivière. Je suis d'abord allé jusqu'au pont piétonnier où les planches mal ajustées bougèrent et craquèrent quand je m'y appuyai. J'ai utilisé un bâton pour ramener jusqu'à la berge le morceau de plastique. Des vaguelettes se sont formées et ont décrit des cercles de plus en plus larges. J'ai saisi le plastique avec les doigts et je l'ai mis dans un sac, puis, avec le bâton, j'ai soulevé les sacs pris dans les roseaux. Le soleil était bas sur l'horizon et les oies s'en étaient allées, laissant derrière elles quelques compagnes égarées. J'ai marché le long du bord de l'autre côté de la rive et j'ai ramassé un gros sac, un long bout de corde, du papier.

Il s'est mis à bruiner.

— Qu'est-ce que tu fais ? m'a-t-il demandé quand il s'est réveillé, des gouttes de pluie sur le visage.

— Je ramassais juste quelques bouts de papier.

— Pourquoi ça ?

— Ça m'occupe.

— Oui, après tout.

Il s'est levé pour rentrer. Je l'ai regardé traverser les buissons et enjamber le muret. Il a disparu pendant un long moment et j'ai cru qu'il s'abritait de la pluie, mais il m'a surpris quand il est revenu avec un grand sac de plastique noir à la main.

Il a marché jusqu'au bord de l'eau et s'est arrêté là, ses mèches de cheveux soulevées par le vent, contemplant le ciel. Il bruinait un peu moins maintenant. Il a décollé le haut du gros sac plastique noir, l'a secoué pour lui donner du gonflant et a soufflé dedans pour l'ouvrir

J'ai traversé le pont et nous nous sommes mis à ramasser les papiers qui jonchaient les berges, un sac de chips, un journal détrempé qui pourrissait près des roseaux, une énorme seringue provenant de l'usine à viande, un sac en papier rempli de clous, quelques petites bouteilles de vin enfouies en cercle dans le sol. Il m'a lancé une bouteille pour que je l'attrape, s'est mis à rire, il a continué d'avancer en traînant les pieds, il a enfoncé son bâton dans un morceau de papier qu'il a ramené ensuite vers lui, puis il s'est penché lentement pour le ramasser et a continué à remplir son sac en s'arrêtant de temps en temps pour chantonner, ou pour regarder le ciel ou pour se passer les mains sur la joue.

J'étais à environ vingt mètres de lui et je l'ai vu regarder fixement dans les roseaux. Je me suis approché, curieux. Un préservatif qu'on n'avait pas déroulé flottait dans la petite flaque brune au-delà des roseaux et il le regardait — « C'est des putains de pollueurs, tous sans exception », a-t-il dit en me désignant la ville. « Eux là-bas. »

Il a ramassé au bord de la rivière une branche morte dont l'extrémité formait un V comme une baguette de sourcier. Il a regardé longuement la branche et l'a tournée et retournée entre ses doigts. Il a eu un petit sourire et il a hoché la tête en regardant le préservatif.

Il a sorti un couteau rouge de sa poche, il a dégagé la lame avec l'ongle du pouce et s'est mis d'un geste nerveux à tailler la branche en pointe. « Qu'est-ce que tu fais ? » ai-je demandé. Il a haussé les épaules une fois de plus et son sourire a creusé les rides qu'il a autour des yeux. J'ai entendu une voiture passer sur la route au loin. Des bouts de branche sont tombés sur la berge tandis qu'il taillait lentement l'extrémité avec une parfaite précision.

— Ah, mon Dieu, ai-je dit, laisse ça là.

Il a haussé les épaules et il s'est penché vers les roseaux, le bâton à la main pour se tenir en équilibre. Je l'ai attrapé par le bras pour qu'il ne tombe pas à l'eau. Il s'est penché encore plus, a attrapé le bout du préservatif qui a oscillé quelques secondes avant de retomber.

— Ah, merde !

— Laisse-le, ai-je dit.

Il a dégagé son bras que je tenais toujours fermement, a posé la main sur la berge boueuse, s'est avancé dans l'eau jusqu'à hauteur de ses bottes en caoutchouc. Il a attrapé le préservatif avec une des fourches de son bâton et brusquement s'est mis à rire en le soulevant dans les airs et en le secouant d'une façon absurde.

— Y a un million de putains de poissons là-dedans et je ne me sers même pas de ma canne à pêche.

Il a maintenu le préservatif au bout de la branche, l'a fait tournoyer quelques secondes en gloussant et en toussant en même temps, il a ouvert le sac noir et a secoué la branche pour que le préservatif tombe à l'intérieur au milieu des papiers, puis il a lancé le bâton très loin sur la berge. Je me suis penché pour l'aider à remonter sur la rive. « Il va falloir qu'on sèche ton pantalon. » Il a passé son bras autour de moi et m'a dit qu'il était crevé. Il a suspendu le sac à son poignet et nous sommes rentrés à la maison à l'heure où le soleil du soir clignotait dans les flaques d'eau ; il n'essayait même pas de les contourner et gloussait tout seul en marchant dedans. En arrivant à la maison j'ai mis de l'eau à chauffer. Il s'est assis dans le fauteuil, il a enlevé son pantalon qu'il a suspendu au-dessus de la grille dans la cheminée puis il s'est rassis en caleçon. « Des Goldgrain avec le thé ! » a-t-il crié tout en prenant le chat sur ses genoux et en le caressant. Ça fait longtemps que je n'avais pas vu ses joues aussi rouges

— elles étaient empourprées comme si, enfin, il avait accompli quelque chose de spectaculaire dans sa vie.

— Un million de putains de poissons, fiston, a-t-il répété jusqu'à ce qu'il monte, une tasse de thé brûlant à la main, en faisant craquer doucement l'escalier, toujours en caleçon.

— Papa, ai-je dit du bas des marches. Je peux te dire quelque chose ?

— Sûr que tu peux.

— Ça me gêne un peu.

— Pourquoi ça ?

— Ben, je m'en vais demain après-midi.

— Ouais ?

— Et je pense...

— Tu penses quoi ?

— Je veux dire, le bain.

— C'est quoi ça ?

— T'es un peu crasseux en ce moment.

— Pour l'amour de Dieu, Conor !

— Je pensais que je pouvais peut-être te faire couler un bain.

— Ah, tu me fais chier. Laisse tomber, tu veux ? J'ai pas besoin de bain. La dernière chose dont j'ai besoin c'est d'un putain de bain. Pourquoi j'aurais besoin d'un bain ?

— D'accord.

— Le bain peut attendre.

— Comme tu veux. D'accord, d'accord.

— Ah, bon Dieu ! a-t-il dit.

Il se balançait d'un pied sur l'autre. Il est entré dans sa chambre, a fermé doucement la porte derrière lui, mais il a repassé la tête, m'a regardé, a levé les yeux au ciel et refermé la porte. J'ai eu le sentiment qu'il s'agissait là d'une sorte d'invite. Je l'ai suivi dans sa chambre. Il avait déjà un pied dans la jambe de son pyjama.

— T'es vraiment chiant à toujours entrer ici sans frapper.

— Ouais, peut-être.

— Qu'est-ce qui se passe ?

— Je blaguais à propos du bain, ai-je dit.

— D'accord.

Il a grimpé sur son lit et s'est glissé sous les draps. Il n'a même pas tendu la main vers ses cigarettes ; il s'est contenté de tirer sur le drap pour le remonter jusqu'à la taille. Le thé refroidissait sur la table de chevet.

— Tu te souviens ? a-t-il dit et ensuite plus rien.

— Me souvenir de quoi ?

— Ah, doux Jésus, je ne me souviens absolument plus de rien ces temps-ci.

— Pourquoi ça ?

— On se porte mieux comme ça. En se souvenant de rien.

Il a tendu la main pour prendre la tasse de thé.

— Tu sais ce que quelqu'un m'a dit un jour, papa ?

— Quoi ?

— On dit que la mémoire c'est pour les trois quarts de l'imagination et que tout le reste n'est que mensonge.

— C'est un paquet de conneries oui. C'est de la merde enseignée par des cons. Qui a dit ça ?

— Juste un ami.

— Il parlait avec son cul.

Je me suis assis au bord du lit. Je me suis surpris moi-même quand je me suis armé de courage pour lui dire :

— Écoute, papa, pourquoi t'as fait ça à Mam ?

— Quoi ?

— Tu sais.

— Quoi ?

Il a bougé un peu dans son lit.

— Pourquoi t'as laissé les choses se produire ? Avec les photos.

— Ah, bon Dieu, c'est donc ça toute l'histoire ?

— Je demande, c'est tout. Pourquoi t'as...

— On peut pas oublier, non ?

— Je ne crois pas.

Il est resté silencieux quelques secondes, le regard posé sur sa tasse de thé.

— Et tu sais ce que quelqu'un m'a dit un jour ? a-t-il dit en pointant son index dans ma direction. Je ne sais plus qui c'était, nom de Dieu, mais il avait raison. Il a dit que quand on entre chez un homme riche le seul endroit où il faut cracher c'est à sa gueule.

Il s'est passé les mains sur le visage, attendant une réponse, puis il a ajouté :

— Alors, merde, qu'est-ce qui se passe quand tu entres chez un vieillard, hein ?

— Je ne sais pas.

— Ah, mon cul. Tout ce que je cherche c'est un peu de paix et de tranquillité. Va-t'en. Laisse-moi dormir.

Il a tourné la tête vers son oreiller.

— Tu sais où j'étais, papa ? Pendant les premières années après mon départ ? Tu sais où j'étais ?

— Où ?

— A la recherche de Mam.

Il s'est redressé dans son lit et m'a fixé, un œil clos, et peu à peu le sang s'est retiré de son visage et il est devenu livide.

— Pourquoi tu as fait une chose aussi stupide ? a-t-il demandé.

— Juste parce que.

— Juste parce que quoi ?

— Parce que.

— Ah, bon Dieu.

— J'ai pas pu trouver la moindre piste.

Le silence s'est insinué dans toute la pièce. Il avait bu presque tout son thé mais il essayait d'en extraire encore quelques gouttes en tenant la tasse en l'air et en attendant que quelque chose en sorte, en regardant la traînée brune descendre et en léchant la goutte qui se formait au bord. Puis il a redressé la tasse, a passé ses doigts dans les feuilles de thé et s'est mis à secouer la main pour se débarrasser de celles qui s'étaient collées à son index.

— Pour l'amour de Dieu, Conor.

— Je vis dans le Wyoming maintenant.

— Qu'est-ce que tu fous dans le Wyoming ? Y a que des arbres là-bas.

— Ce n'est pas ce que tu disais autrefois.

— Ah, au diable ce que je disais autrefois !

Je lui ai raconté mon boulot à la piscine, les remonte-pentes en hiver, Kutch et Eliza, le poing dessiné sur la tour, comment je pars de temps en temps à pied à l'aventure. « Je me plais là-bas », lui ai-je dit. Il a hoché la tête et s'est mis à chantonner « *Hit the road, Jack* » — je ne savais pas trop s'il me demandait de quitter la pièce ou s'il était tout simplement perdu dans son petit monde à lui. Il n'a rien ajouté à propos de Mam ; il a seulement continué à chantonner et moi j'étais là, tout seul au bord de son lit, à penser à ces paroles, « *Hit the road Jack don't you come back no more no more no more no more* ». Je voulais qu'il dise quelque chose de plus, n'importe quoi, absolument n'importe quoi, et j'ai fixé intensément son visage comme si je pouvais en extraire une réponse, mais je suppose que ce qu'il me suggérait c'est que l'on ne crache pas d'une autre manière chez un vieillard qu'on ne le fait chez un homme riche, qu'au fond tout cela revient exactement au même.

# LUNDI

*Laisse le bonhomme tranquille*

Quand il m'a réveillé il faisait encore nuit. J'étais recroquevillé au bout de son lit. Pendant la nuit il avait dû me mettre une couverture sur le dos et l'envelopper autour de mes pieds, une bouillotte avait refroidi près de mes orteils. Il avait pris un oreiller qu'il m'avait glissé sous la tête. Le chat roux était lové contre moi, la soucoupe posée sur la table de nuit était pleine de mégots. Il m'a dit qu'il allait me préparer mon petit déjeuner, que j'allais avoir besoin de quelque chose dans le ventre pour mon voyage jusqu'à Dublin. Il s'est gratté la poitrine et il est sorti. J'ai pris la soucoupe, je suis allé dans la salle de bains, j'ai jeté les mégots dans la cuvette, j'ai tiré la chasse d'eau et je me suis rasé — la première fois en une semaine —, j'ai nettoyé le lavabo, j'ai fait une toilette rapide et je suis descendu.

J'ai ri quand j'ai vu les œufs qu'il m'avait préparés : ils étaient frits d'un seul côté.

Il s'est assis en face de moi à table, vêtu d'une chemise blanche parsemée de taches d'œuf. Il continuait à se gratter la poitrine tout en commentant le lever du soleil qu'on apercevait par la fenêtre de la cuisine. Et

259

puis il a ouvert un bouton de sa chemise et ses doigts sont allés fouiller dans son dos. Pendant quelques secondes il les a mis sous ses aisselles, il a refermé ses bras, il a maintenu ses mains ainsi, puis les a enlevées d'un geste qui rappelait presque Napoléon. Il a porté ses doigts à ses narines, les a reniflés, a retroussé le nez et s'est mis à glousser.

— Tu crois vraiment que j'ai besoin d'un bain ?

— Ouais, je suppose que oui.

— Je commence à sentir un peu, non ?

— Un peu.

— Je m'en suis aperçu hier soir, a-t-il dit.

Il a eu une forte quinte de toux, il est allé jusqu'à l'évier de la cuisine et a tendu le bras pour prendre la bouteille de liquide vaisselle.

— C'est pour quoi ça ?

— Y a pas de shampooing dans la salle de bains, a-t-il répondu.

— Bien sûr que si. J'en ai là-haut.

— T'as pas besoin de l'emporter dans tes bagages ?

— Pas vraiment, je peux m'en passer.

— Tes bagages sont prêts ?

— Plus ou moins.

— On a pas eu beaucoup de temps pour parler, hein, tu ne trouves pas ?

— Peut-être pas, non.

— Quelquefois on a trop de temps. Et alors on croit que trop de temps c'est pas de temps du tout. Tu vois ce que je veux dire ?

— Pas vraiment.

— Monte avec moi, alors. Tu peux bavarder avec moi à travers la porte.

Il est sorti de la cuisine derrière moi et je faisais un pas en arrière de temps en temps tout en lui donnant un léger coup sur l'épaule, jusqu'à ce qu'il me dise qu'il allait m'envoyer valser si je n'arrêtais pas, qu'il a encore assez de force pour envoyer un bon coup de poing.

Des phares de voiture descendaient la route étroite qui menait chez nous. Les pompiers avançaient en territoire inconnu — ils étaient venus sur cette route à de nombreuses reprises lors d'entraînements pour l'usine à viande, mais jamais aussi loin, si bien que lorsqu'un des camions essaya de se faufiler dans l'allée, une des roues resta coincée dans le caniveau, le camion dérapa sur le côté et bloqua l'entrée. Les pompiers, tous en chœur, se mirent à lancer des injures.

Mam se balançait d'avant en arrière sous le porche, sa tête enfoncée dans l'encolure de sa robe. Le vieux essayait de fixer le tuyau au robinet devant la maison en criant « Putain de merde ! » les cheveux en bataille, « Nom de Dieu ! ». Le tuyau arrosait le tour du robinet — il y avait un trou minuscule qu'il me disait de boucher en y maintenant mon doigt. Un arc-en-ciel irisait ses couleurs sur la glycine grimpant le long du mur. Le tuyau était à peine assez long. Mon père se martela violemment les tempes — « Putain de saloperie, putain de saloperie ! ». Douze pompiers en uniforme jaune utilisaient un treuil pour sortir le camion de l'ornière, d'autres descendaient l'allée en courant, ce qui faisait tressauter leurs ventres, l'un d'entre eux était encore en pyjama si bien que son pénis sortit par la fente de son pantalon. Tout en courant il enfila le haut de son uniforme jaune, remit son pénis dans son pantalon de pyjama et avança, une main sur le sexe, comme s'il était blessé. Ayant tous dépassé la cinquantaine, ils soufflaient comme des locomotives en arrivant au bout de l'allée et ils restèrent quelques secondes interdits à la vue de la chambre noire basse et trapue qui brûlait.

Des nuages de fumée sortaient par le bas de la porte bleue, des moucherons et des phalènes voletaient dans le ciel au-dessus de la fumée. Les hommes se penchèrent rapidement vers mon père pour lui demander quelque chose. Il attrapa un seau dans la grange, un seau rouge, se retourna brusquement et le fourra dans les mains d'un pompier. « Où est ce putain de camion de pompiers ? » hurla-t-il, en jurant surtout contre cette obscurité luisante. Il s'agitait en tous sens, levait les bras en l'air pour implorer le ciel, puis attrapait une nouvelle fois le seau. Les pompiers tentèrent de le calmer, de l'obliger à s'éloigner des flammes et il y avait de la panique dans leurs voix : « Hé, celle-ci est en train de bouger, les gars, faites gaffe à ce que ces putains de poutres ne s'écroulent pas. » Quelques extincteurs à main envoyaient de maigres jets d'eau contre la muraille de feu. Mon père hurlait que des produits chimiques étoufferaient peut-être les flammes, mais à présent le camion de pompiers était dégagé et descendait l'allée, toutes lumières allumées comme celles qui éclairaient la grande roue au carnaval, rouges contre les murs. Le vieux regardait le camion, agitait les bras, et leur indiquait la direction en pointant le doigt, et en trépignant. Je me retournai et je vis Mam agrippée à sa robe bleue dont elle ne cessait de lisser le tissu, comme si elle essuyait quelque chose qu'elle avait sur les mains.

Un craquement aigu jaillit dans la nuit, un bruit insoutenable qui prit de plus en plus d'ampleur, une poutre bascula au sol en décrivant une trajectoire harmonieuse et ensuite la toiture tout entière s'écroula dans un grand fracas, envoyant des étincelles partout dans la cour et dans la campagne environnante ; spec tacle fascinant et incandescent que ces particules de feu qui voletaient, s'éteignaient en plongeant vers le sol, montaient vers le ciel comme pour l'inviter à se joindre au spectacle, puis retombaient en poussière grise qui allait plus tard fertiliser la terre. L'explosion résonna à des kilomètres à la ronde. Peut-être qu'une colonie de scarabées et d'araignées se mit à s'agiter dans tous les sens là-dedans, une débandade à la file indienne parmi des flots de négatifs, d'épreuves, de lentilles, de diapositives, de papier et de sandwiches à moitié mangés, et une litanie se mêlait à cette explosion : « Putain de salope, putain de salope ! » Le camion de pompiers était à l'œuvre à présent, quatre hommes s'agitaient autour de l'énorme lance à incendie, tous se protégeaient les yeux de cette embrasement sauvage. Mam courbait l'échine comme la grosse branche d'un pommier chargé de fruits, et penchée, fixait le sol ; elle avait cessé de se balancer d'avant en arrière. « Ça va, Mam ? » Elle ne leva même pas les yeux et je remarquai que sa frange était roussie ainsi que le duvet qu'elle avait sur les bras et qui, en brûlant, était réduit à l'état de petites pointes noires. Je m'assis à côté d'elle, follement fier de ma mère, mais elle se contenta de me dire : « C'est l'heure d'aller au lit, *m'ijo.* »

Un peu perdu, je me dirigeai alors vers un petit groupe de personnes qui, serrées les unes contre les autres, attendaient et regardaient. Une flopée de voitures descendaient notre allée et, bouche bée, ils assistaient à un spectacle mille fois meilleur que tout ce qu'ils pouvaient voir à la télévision — « Oh, viens vite, regarde, la chambre noire de Lyons est en flammes ».

Un pompier furieux hurla à la foule de se reculer, de dégager l'allée. Des hommes se mirent à pousser des cris, les visages luisants devant ce qui s'offrait à leurs yeux. Des femmes en robe de chambre, des bigoudis dans les cheveux, restaient figées, leur brosse à dents encore humide à la main. Un homme au visage de hibou que je n'avais encore jamais vu vint s'accroupir devant moi — « Tout va bien, fiston, me dit-il, tout le monde est sain et sauf, il n'y a pas de souci à se faire ». Soudain une armée de bras sortit de la foule, se fraya un passage, fit reculer l'étranger et je me retrouvai au milieu de taches de Guinness et de relents de fumée de cigarette — Mrs O'Leary finit par s'apercevoir que c'était moi et m'agrippa par le devant de mon T-shirt, « Où est ta mère ? ». Une nouvelle clameur retentit dans la cour — « Faites gaffe à ce que les étincelles n'atteignent pas la maison, les gars ! ». La fumée devenait plus épaisse que les flammes et tournoyait autour de nous par à-coups si bien que Mrs O'Leary sortit un mouchoir de sa poche et me dit de le mettre sur ma bouche ; je sentis des effluves de lessive m'envahir.

Le docteur Moloney, jeune et mince comme une crosse de hockey, se fraya un passage dans la foule amassée derrière nous et courut jusqu'aux pompiers en uniforme qui vibrionnaient comme des guêpes autour de la chambre noire et échangeaient quelques paroles en grommelant ; certains d'entre eux regardaient par-dessus leur épaule Mam qui n'avait pas quitté le perron. On emmenait le vieux loin des flammes ; deux hommes le soulevaient par les bras, un de chaque côté, et il agitait les jambes dans tous les sens en criant quelque chose à propos d'un objectif Leica et d'un rouleau de pellicule. Mais on le maintenait fermement à distance du bâtiment qui crachait des volutes de fumée ; on aurait dit qu'il était punaisé au monde, comme un insecte dans une boîte d'entomologiste. Mrs O'Leary se pencha sur Mam et, tout en lui parlant doucement, passa la main plusieurs fois sur ses cheveux retenus en arrière.

« Là là, Juanita, là, là là. »

Elle me dit de courir jusqu'à la cuisine pour y prendre du whiskey. « Vite, fiston, avant qu'elle ne perde complètement la boule ! »

Mais le docteur Moloney fut soudain auprès de Mam et il m'empêcha d'aller jusqu'à la maison en posant une main sur mon épaule — « Ce n'est pas du tout de whiskey qu'elle a besoin ». Ensemble ils prirent Mam chacun par une épaule, la soulevèrent et l'emmenèrent dans la salle de séjour qui, depuis leurs travaux de décoration, présentait un mélange criard de couleurs — des vases, des plantes vertes, des amulettes, des tableaux aux tons agressifs, des chopes à café rouges remplies de fleurs —, ils la firent asseoir dans l'énorme fauteuil et restèrent à ses côtés, attentifs à son état. Il aurait pu s'agir d'un dimanche paisible étant donné le silence qui s'était abattu au-dehors, s'il n'y avait eu cette lumière rouge qui entrait par la fenêtre à l'est et inondait la pièce. Mrs O'Leary mit la bouilloire sur le feu dans la cuisine où la radio continuait de marcher et diffusait un gospel — *Conduis-moi, précieux Seigneur, vers les rayons chauds du soleil, conduis-moi, précieux Seigneur, faut que je boive un verre de lait battu avant la fin de la journée.*

Mrs O'Leary éteignit la radio d'un geste sec. Le docteur Moloney avait posé un gant de toilette blanc sur le front de Mam qui, calmement assise dans le fauteuil, regardait fixement devant elle comme si elle n'avait jamais appris à parler et triturait sa frange roussie. « Ne faites pas le thé trop chaud ! cria le docteur. Et mettez beaucoup de sucre dedans ! »

Mrs O'Leary entra dans la pièce à petits pas précautionneux. Elle soufflait sur le thé pour le refroidir et y versait un peu plus de lait et de sucre quand la porte s'ouvrit brutalement derrière elle. Mon père était planté là, aussi immense qu'un ancien élan exhumé de la tourbe, et il hurlait : « Laissez-moi sentir ses mains ! Laissez-moi sentir ses mains ! » et deux policiers arrivèrent derrière lui et enlevèrent leur casquette en franchissant le seuil. « Laissez-moi sentir ses mains, je vous dis ! » Un des policiers tendit le bras et agrippa mon père par le coude. Le vieux se retourna et le fixa, puis il pivota à nouveau sur lui-même. Et brusquement, avec grâce, comme un cygne, tristement, mon père, en voyant le visage de Mam, se retourna d'un seul coup et passa, hébété entre les policiers avant de disparaître dans la nuit.

Dehors, dans la cour, le monde entier s'était réuni pour regarder ce qui restait de la chambre noire, une coquille vide, dure et cassée, des murs de brique sans toit où des silhouettes allaient et venaient en silence et en hochant la tête devant l'audace de l'incendie. Des rumeurs circulaient à voix basse dans le creux de la main.

— Si c'est pas affreux, quand même.

— Il paraît que c'est elle qui y a mis le feu.

— Elle l'a fait cramer joliment, oui.

— Dis pas ça voyons.

— Ben, ça lui apprendra à lui, je suppose.

Des garçons de mon âge lançaient des pierres sur la carcasse du bâtiment et s'avançaient furtivement plus près, toujours plus près, jusqu'à ce que les adultes, qui eux-mêmes s'avançaient pour mieux voir, les fassent reculer en leur assenant une gifle. C'était la chose la plus spectaculaire qui soit jamais arrivée depuis des années. Je grommelai pour moi seul : jamais de ma vie je ne retournerai à l'école, je n'irai jamais plus nulle part. Et, par la fenêtre de la cuisine, je vis le vieux faire le tour du bâtiment et suivre à pas lents deux pompiers ; ils franchirent la porte défoncée et, quand il ressortit, il se tenait la tête à deux mains. Certains pompiers sortaient les placards de rangement des décombres. Dans la salle de séjour Mrs O'Leary disait : « Tout va bien maintenant, Juanita, je vais rester avec toi cette nuit », et elle passa ses doigts sur les sourcils de Mam en répétant inlassablement « Là là là ».

Mrs O'Leary, visiblement anéantie, me dit : « Toi et ta maman vous venez avec moi, elle a besoin d'un peu de repos, elle est terriblement fatiguée, tu sais. Vous resterez chez moi quelques jours jusqu'à ce qu'elle aille mieux. » Et dehors, mon père, en chemise grise toute tachée, fouillait les cendres de sa chambre noire.

A travers la porte j'entendais la baignoire se remplir et le vieux se battre avec ses vêtements. Il y a eu un grand fracas contre l'une des portes du placard et j'ai actionné la poignée de la porte pour ouvrir. Elle était fermée à double tour. « Tout va bien, a-t-il dit de l'intérieur, j'enlève juste mes chaussures. »

Mrs O'Leary s'avança à pas comptés jusqu'à l'autre bout du comptoir pour servir des bières à la pression aux pompiers. Elle m'avait installé en guise de siège un baril de Guinness vide gris acier dont les bords étaient collants de bière rance. Les hommes au bar avaient formé cercle comme des dolmens et ils bavardaient d'un air sombre et sérieux ; l'un d'entre eux sortit du groupe pour ramasser toutes les pintes de bière. Ils se passèrent la main sur les sourcils en chuchotant : « Bon Dieu, je boirais bien un coup. Ça donnerait soif à un Bédouin une chose pareille. »

Je m'assis sur le baril et je fabriquai un wigwam avec des cure-dents tout en regardant les noms des joueurs de hockey du All-Star sur les affiches au mur.

Mam était à l'étage dans une chambre poussiéreuse ornée d'un crucifix ; c'est Mrs O'Leary qui l'avait menée là-haut et, en montant l'escalier, elle avait sur le visage une étrange expression de défi. De temps en temps Mrs O'Leary allait voir comment elle se portait et murmurait des prières en grimpant l'escalier où je remarquai sur le mur une longue rainure à l'endroit où elle avait appuyé la main chaque fois qu'elle montait. Je me glissai discrètement derrière le comptoir et, les mains tremblantes, je me versai en douce de la bière dans une bouteille de 7-Up ; je vis les hommes qui me jetaient des regards furtifs par-dessus leur épaule et l'un d'entre eux dit : « Tout va bien maintenant, fiston, tout ira superbement bien demain matin. » Je portai la bouteille à mes lèvres — je voulais être pompier, je voulais me sortir de tout ça, ne plus penser qu'à moi, conjurer tous ces murmures de pitié et ces paroles inutiles.

— Il est l'heure d'aller au lit pour toi aussi, jeune homme, dit Mrs O'Leary en descendant, une main sur mon épaule. Mais ne dérange pas ta maman.

— Je ne veux pas aller au lit.

— Allons, allons, tout ira bien pour toi.

Je jetai un coup d'œil à la rangée de bouteilles alignées sur le comptoir, posées là comme des cabestans sur une jetée, et je tendis le bras pour prendre une bouteille de whiskey que je saisis par le goulot et que je dissimulai rapidement derrière mon dos avant de la glisser dans ma ceinture et de rabattre ma chemise par-dessus. La bouteille était froide contre ma peau.

Je fis un pas ou deux pour contourner Mrs O'Leary et elle me dit :

— Ne fais pas ça.

— Quoi ?

— Laisse cette bouteille à sa place.

— Quelle bouteille ?

— Allons, allons, Conor.

— Je n'ai pas de bouteille !

— Ah, écoute, ça suffit.

Les pompiers s'étaient retournés, de la fumée de cigare flottait au-dessus d'eux.

— J'ai pas de bouteille, merde !

— Donne-la-moi.

— C'est seulement du 7-Up.

— Oui, je sais, tu es juste un peu bouleversé. C'était un accident regrettable.

— Ce n'était pas un accident.

— Allons, allons, bien sûr que si.

Je passai devant elle à toute allure et la heurtai de l'épaule ; elle trébucha un peu en arrière, tendit le bras et s'appuya au comptoir. Un pompier s'approcha de moi. Il prit la bouteille que j'avais coincée à l'arrière de mon pantalon, en douceur, et brusquement je devins enragé, battant des bras et lui martelant le bas-ventre à coups de poing ; il se plia en deux et je courais vers la porte quand un autre pompier costaud m'immobilisa les bras dans le dos ; alors des larmes me montèrent aux yeux. Mrs O'Leary traversa la salle et j'entendis cliqueter les perles du chapelet qu'elle portait autour du cou : « La nuit a été longue, on va te mettre sous les plumes. »

Elle pinça les lèvres, leva la tête, dit aux pompiers qu'il était temps qu'ils s'en aillent et garda la main posée sur mon épaule quand elle m'accompagna jusqu'à l'étage. La porte était légèrement entrouverte et je vis Mam assise toute droite dans le lit, comme un fantôme, deux ou trois pulls enfilés par-dessus sa chemise de nuit ; elle se regardait dans un petit miroir et se maquillait le visage ; je n'en croyais pas mes yeux. J'avais pensé qu'elle continuait peut-être à se balancer d'avant en arrière, mais elle avait dans la main un petit tampon circulaire brun avec lequel elle se tapota méticuleusement le visage, comme si la décision qu'elle avait pu prendre en se regardant dans cette glace la charmait. « Dis bonsoir », me dit Mrs O'Leary, et du seuil de la chambre je lui dis bonsoir. Mam leva la tête et me sourit, ajouta qu'elle était désolée de tout ce vacarme, que demain elle se ferait pardonner en m'emmenant peut-être en voyage avec elle. Sa voix était parfaitement posée.

— Bonne nuit, *m'ijo*.

Je ne répondis rien. Mrs O'Leary se pencha sur moi.

— Tu peux dormir dans mon lit.

— Je ne veux pas dormir dans votre lit.

— Allons, viens maintenant, laisse ta maman se reposer.

Sa chambre, fait étrange, était claire et gaie ; il y avait des peintures au mur, sainte Lucia nous fixait du haut de son cadre en bois et à côté se trouvait une tenture murale décorée de paons, les ailes déployées. Mrs O'Leary s'agenouilla et dit ses prières au bord de mon lit — « Mon lit a quatre coins, et quatre anges y sont couchés, l'un à la tête du lit, deux à mes pieds, un sur mon cœur comme gardien de mon âme » — et tout d'un coup je me sentis vide et furieux et je me mis à répéter ces prières après elle, une litanie inutile — même alors, à douze ans, je trouvais ces prières complètement inutiles. Les aiguilles d'une horloge avancèrent et je fis semblant de dormir ; alors elle remonta les couvertures sur moi et me borda. « Sois un gentil petit garçon, maintenant. » Elle se pencha, m'embrassa le dessus de la tête et sortit sur la pointe des pieds. Je ne voulais pas être serré sous les draps. Je tirai dessus pour les dégager du matelas et j'en fis un tas que je repoussai à mes pieds. Plus tard je l'entendis parler en bas dans le pub : « Bon maintenant, messieurs, je pense qu'il est temps, non, j'ai dit qu'il était l'heure un million de fois, ils ont besoin de se reposer, vous n'avez donc pas une maison qui vous attend ? »

Je me levai et regardai par la fenêtre — des voitures s'en allaient, un klaxon fit entendre un cri qui ressemblait à celui d'un courlis malade, les gyrophares du camion de pompiers ne tournaient plus — et brusquement j'entendis des voix sur le palier, et d'un bond je retournai me coucher.

— Tu te sens bien, Juanita ?
— Oui, je vais très bien.
— Si tu veux je reste ici te tenir compagnie.
— Je vais bien, Alice, je vais bien.
— Je vais rester avec le petit.
— Merci, Alice.
— Tu es sûre ?
— Je suis sûre, *gracias*.

Suivit le bruit d'un pas traînant sur le palier, et une poignée de porte qui tournait et Mrs O'Leary s'approcha et se pencha sur moi, puis se dirigea vers une chaise près de la fenêtre, enleva ses chaussures, poussa un profond soupir dans la pièce glaciale, sortit de son armoire un manteau qu'elle enfila, s'avala rapidement une petite gorgée d'alcool et laissa retomber sur la chaise son corps volumineux en poussant une nouvelle fois un profond soupir avant que je m'endorme. Quand je me réveillai le lendemain matin, Mam était partie et il y avait une trousse à maquillage sur le lit à l'endroit où je l'avais vue assise ; tout était silencieux dehors, un petit miroir accrochait la lumière du jour.

La clef a tourné dans la serrure de la salle de bains et il a passé la tête par la porte en disant : « Rentre vite, nom de Dieu, avant que je me gèle les bijoux de famille. »

Il avait encore sa chemise sur lui, mais il avait enlevé ses chaussures, ses chaussettes et son pantalon. Il avait enfilé son costume de bain, le vieux maillot rouge qu'il portait autrefois pour aller nager et pour se pavaner sur la plage. Il a tellement tiré sur la cordelette pour le serrer que le tissu faisait des plis autour de sa taille, mais même ainsi il était dix fois trop grand pour lui. J'ai presque eu peur en l'imaginant en train de se frotter le corps avec une éponge. Peur de le voir tomber en poussière. Peut-être s'effriter entre ses propres doigts. Ses mains tremblaient quand il a essayé de défaire le dernier bouton de sa chemise. C'est bizarre à quel point il était gêné par sa nudité, même avec son maillot de bain sur lui, et il se recouvrait le sexe de sa main libre.

Je me suis approché pour passer mon bras sous son épaule, mais d'un geste sec il m'en a empêché, il s'est avancé lentement vers la baignoire et a vérifié la température de l'eau du bout des orteils. « L'eau est trop chaude, nom de Dieu, a-t-il dit. Je ne me souviens même plus comment on prend un bain ! » Mais j'ai plongé la main dans l'eau avant qu'il n'y entre et elle était tiède sans plus. J'étais sûr qu'il avait perdu un peu de son sens du toucher. Et puis cette façon qu'il avait de trembler de tout son corps. Il a essayé de repêcher le savon qui était tombé sous sa jambe gauche. Je m'apprêtais à plonger la main pour le trouver mais il a secoué la tête.

— Allez, laisse-moi, maintenant, je ne suis pas infirme, merde, je te l'ai dit des centaines de fois.

Il a laissé le savon fondre sous sa jambe.

— Bon, a-t-il dit, le bras pendant hors de la baignoire comme un objet mort, un membre désarticulé. Alors parle-moi un peu de ce voyage. T'as failli me donner une crise cardiaque hier, nom de Dieu !

— Je voulais juste savoir une ou deux choses.

— Comme quoi, par exemple ?

— A propos du passé.

— Dieu, j'aurais pas pu t'expliquer tout ça, Conor ? Est-ce que je ne t'ai pas tout raconté ? Et tu voulais même pas me regarder droit dans les yeux. Ce n'est pas vrai ? Est-ce que je ne t'ai pas tout raconté ?

— Je ne crois pas.

— Eh bien si.

— Peut-être.

— Y a pas de peut-être qui tienne.

— Évitons de nous engueuler.

— Je ne gueule pas. Est-ce que je gueule ? Est-ce que j'ai l'air de gueuler ?

Il a soulevé les bras, les paumes des mains en l'air. Je me suis retourné, j'ai ramassé son pantalon par terre et je l'ai posé sur le radiateur pour qu'il soit bien chaud quand il le remettrait. Elle faisait cela pour moi autrefois quand j'étais très jeune, cinq ou six ans ; elle jacassait et fredonnait une chanson tout en le repliant d'abord méticuleusement sur son bras, ensuite elle glissait une main entre les jambes du pantalon, puis faisait disparaître les plis et le posait sur le radiateur, avec la même méticulosité ; enfin elle sortait du placard des savons parfumés et se penchait au-dessus de la baignoire.

— Je veux dire que tout ça est si loin maintenant.

— Pas vraiment.

— On fait tous des erreurs.

— Tous.

— Ensuite on continue de vivre.

— Oui.

— On finit par apprendre qu'il y a des choses qui ne peuvent pas guérir.

Il a dit cela sans aucun sentimentalisme. Il parlait d'une voix basse et calme. Il a appuyé tranquillement la tête contre le rebord de la baignoire, il a fermé la bouche en faisant claquer ses dents et il a soupiré. Dehors, par la fenêtre embuée de la salle de bains, j'ai cru voir passer des oiseaux. Puis je me suis retourné à nouveau vers la baignoire. J'ai dû le fixer trop longtemps, le regard dur, parce qu'il a détourné la tête et puis il m'a regardé à nouveau.

— Conor, a-t-il dit au bout d'un moment en levant la main pour se gratter le front, tu crois que tu pourrais me mettre un peu de ce shampooing sur les cheveux ?

— Pourquoi ça ?

— J'ai le bras qui me fait mal. J'arrive pas à le lever correctement. Ça me fait comme des élancements ici. — Il s'est frotté l'épaule. — Peut-être que tu pourrais m'aider à les laver, tu sais.

Je me suis levé.

— Qu'est-ce qui ne va pas, Conor ?

— Rien, rien.

— Oh, ça n'a aucune importance, nom de Dieu, a-t-il dit en replongeant les mains dans l'eau.

— Bien sûr, bien sûr que je vais t'aider.

— T'es gentil.

J'ai farfouillé dans le placard pour y trouver le shampooing et mes mains tremblaient. Il a plongé la tête sous l'eau et seules ses côtes saillantes émergeaient. Une fois les cheveux mouillés il a refait surface et s'est passé les doigts dans sa tignasse encore sale et emmêlée.

— Phhhhffff, a-t-il dit en secouant la tête.

— Ça va ?

— Impeccable. Vas-y doucement, il en reste plus beaucoup alors fais gaffe nom de Dieu !

J'ai mis une petite goutte de shampooing dans le creux de ma main, je lui ai dit de se remouiller les cheveux et j'ai frotté mes mains l'une contre l'autre.

— T'as l'air d'un bourreau comme ça, a-t-il dit en ressortant lentement la tête de l'eau. Allez, mets le jus, fiston.

Il a courbé l'échine, les mains agrippées à la barre fixée à la baignoire et j'ai vu ses veines bleues et gonflées. Les poils de son dos lui descendaient jusqu'à la ceinture du maillot de bain rouge.

Le savon moussait sur sa nuque et il a poussé un léger murmure de contentement quand je lui ai massé la tête du bout des doigts.

— Elle n'était pas au Mexique.

— Non, a-t-il dit.

Ce n'était pas une question vu la manière dont il a dit cela.

— J'ai cru qu'elle serait là-bas.

— Oui, ben, on peut jamais être sûr de rien.

Et elle n'était pas avec Cici.

Pourquoi elle y serait ?

— Pourquoi pas ?

Je continuais à lui masser la tête, autour des taches brunes apparues avec l'âge.

— Elle me manque, a-t-il dit.

— Je sais.

— Non, non, tu ne comprends pas, elle me manque vraiment. Elle me manque sincèrement.

— Je sais, ça se voit.

— On peut pas changer le passé. Tu sais, on essaie de changer le passé, mais on y arrive pas.

Il a laissé échapper un long sifflement et il a fermé les yeux ; et mes doigts s'activaient aux endroits sensibles de son crâne et il s'est presque laissé aller entre mes mains et je me suis dit qu'il serait tellement facile de lui faire mal, simplement en lui enfonçant les doigts dans la tête.

— Et Cici, qu'est-ce qu'elle fabrique ? a-t-il dit au bout d'un moment.

— Ça et le reste. Rien de bien précis.

— Comme nous tous. Elle écrit toujours des poèmes ?

— Elle dit que ça vaut pas un clou.

— Elle a bien raison.

— Pourquoi t'as arrêté de faire de la photo, papa ?

— Bon Dieu, ça alors c'est une question stupide. Et frotte pas comme ça, toi, tu m'arraches les cheveux ! Putain !

— Plonge un peu la tête.

Il lui a fallu un long moment avant de trouver la position convenable pour replonger sous l'eau.

— Encore une fois. Encore un coup de shampooing, ai-je dit.

— Bon Dieu, ils sont pas si sales que ça !

— Allez, reste tranquille, ne bouge pas.

— Et toi, je veux dire, tu gagnes bien ta vie ?

— Quelques dollars.

Il a fermé les yeux :

— J'en ai pour des années. J'aurai les cheveux les plus propres qu'on puisse trouver à l'ouest de Waterloo.

J'avais mis trop de shampooing et une partie de la mousse lui a coulé sur le cou. Je l'ai ramassée dans le creux de ma main et je me suis mis à lui laver la nuque. D'abord il a penché la tête en avant, un peu choqué, puis il s'est laissé aller entre mes mains. Je sentais des boules bizarres dans son cou. J'avais l'impression de frotter un morceau de fromage. C'était la même texture, ni dure, ni molle. Il n'a pas bougé pendant que je massais et peut-être que son corps se détendait, peut-être qu'il essayait de retrouver ses souvenirs, parce que je sentais qu'il s'amollissait, pendant que je lui lavais le cou à l'endroit où le soleil lui avait tanné la peau. Le savon lui moussait sur les épaules, alors je l'ai fait couler le long de son dos et des deux mains à présent j'ai massé en mouvements convergents vers la colonne vertébrale — en me disant que si j'étais un peu brusque je pourrais lui briser le système nerveux — et nous avons perdu tous les deux et sans effort la notion du temps qui passait jusqu'à ce qu'il s'écarte un peu et plonge la tête dans l'eau.

— J'avais du savon dans les yeux.

Mais je savais ce que c'était et il a détourné la tête.

— Je me sens drôlement bien. Laisse le bonhomme tranquille maintenant pour qu'il puisse enlever son putain de caleçon de bain.

J'ai pris un air pincé et j'ai hoché la tête.

— Je serai de l'autre côté de la porte si tu as besoin de moi.

Il a tiré sur la cordelette de son maillot pendant que je fermais la porte et il a fait un mouvement comme s'il était sur le point de l'enlever.

— Conor, a-t-il dit.

J'ai glissé un œil par la fente dans la porte.

— Quoi ?

Il avait toujours la main sur la cordelette de son maillot.

— Je n'en ai pas la moindre idée.

— A quel sujet ?

— Au sujet de ta mère.

— Ne t'en fais pas.

— Autant que je sache elle pourrait être à Tombouctou.

— Je ne pense pas que j'irai jusque là-bas.

Il a essayé de rire un peu.

— Elle est juste partie comme ça, a-t-il dit. Je ne savais même pas qu'elle était partie jusqu'à ce que Mrs O'Leary vienne me le dire. J'étais en train d'abattre les restes de la chambre noire à la masse. J'en faisais de la bouillie. Depuis j'arrête pas de repenser à ça. J'ai cru qu'elle reviendrait. Je me suis juré qu'elle allait revenir. Il m'a fallu quelques heures avant que j'y accorde de l'importance. Et puis une journée a passé. Puis deux jours. Trois. Quelquefois je me dis même qu'elle a pu aller jusqu'à la rivière. Elle était terriblement déprimée, tu sais.

— La rivière ?

— Je ne sais pas. Tout est possible, non ?

— Tu veux dire qu'elle est allée se noyer dans la rivière ?

— Peut-être.

— Quand ?

— Peut-être cette nuit-là.

— Tu en es sûr ?

— Oh, on ne peut pas être sûr de quoi que ce soit, si ? On ne peut être sûr de rien. Voilà la seule chose dont on peut être sûr. Rien. Mais elle me manque. Elle me manque plus qu'on ne pense.

Il a pris le gant de toilette sur l'étagère, l'a plongé dans l'eau, a levé les bras et s'est mis à se frotter les aisselles aussi vigoureusement que possible. L'eau avait dû refroidir parce qu'il a frissonné un peu. Des gouttes d'eau lui dégoulinaient des cheveux et retombaient sur ses épaules. Il avait le bord des yeux rouge.

— Je vais chercher le sèche-cheveux, ai-je dit.

— Tu m'y prendras pas à utiliser ce putain d'engin, a-t-il grommelé, ça non, merde alors.

J'ai fermé la porte pour le laisser enlever son maillot de bain et se laver jusqu'en bas. Je me suis assis sur la première marche de l'escalier.

— La rivière, papa ? ai-je dit, mais il n'a pas dû m'entendre à travers la porte parce que la baignoire faisait des bruits d'eau en se vidant.


L'eau est ce dont nous sommes faits. Elle possède sa propre solitude. Une tempête se mit à souffler et les recherches furent interrompues quelques heures. La pluie transforma les fossés en torrents, tambourina sur le toit, forma de petits lacs sur les routes et rendit l'allée impraticable. Le vieux resta dehors et observa les trombes d'eau qui se déversaient du ciel. Le doute s'insinua chez ceux qui faisaient les recherches, et les rumeurs allèrent bon train une fois encore. Elle était partie au Chili où elle était tombée amoureuse d'un dictateur militaire. On l'avait vue à Dublin, des capucines derrière les oreilles. Elle était partie en mer sur un bateau en pleine tempête. Elle était à l'hôpital psychiatrique de Castlebar, derrière les grandes grilles à peine entrouvertes. Mais, dans mon esprit, elle était rentrée chez elle, dans son pays — et une lettre arriverait pour moi un matin.

Une des personnes chargées des recherches, une jeune fille, me tendit une boucle d'oreille en or, me dit que ça me porterait chance et je la crus ; en rentrant chez moi, je la glissai au fond d'une poche de veste.

— Elle a seulement disparu pour quelques jours, me dit mon père.

Cette nuit-là il dormit par terre devant la porte de ma chambre et pendant les dix-huit mois qui suivirent il se raconta tous les soirs des histoires, pareilles à des prières hallucinogènes, à des rêves magnifiques, pendant que moi — beaucoup trop jeune — j'attendais qu'il frappe à ma porte en triturant entre mes doigts une boucle d'oreille en or. Ce ne fut que quelques années plus tard que je rentrai un jour de l'école, la boucle à l'oreille. A l'époque il avait commencé à pêcher, tous les jours il descendait à la rivière.

— Enlève-moi cette merde de l'oreille, me dit-il sur la berge, ou bien je te donne une taloche et tiens-le-toi pour dit.

— Parle à mon cul.

A partir de ce jour ce fut à peu près tout ce que je lui dis.

Après s'être séché les cheveux avec une serviette il a enfilé deux pull-overs et son manteau. Il a même mis des chaussettes en laine propres. Il s'est étiré et a humé l'air. « Doux Jésus, ça fait des années que j'ai pas senti aussi bon. »

Il m'a expliqué que les moucherons du matin et autres insectes sont attirés par les parfums sucrés, que s'il sortait il serait assailli avec la quantité de shampooing que je lui avais mis dans les cheveux. Mais il est quand même sorti dans la rosée du matin et je n'ai pas remarqué davantage d'insectes que d'habitude. Ils virevoltaient en essaim autour des buissons et quelques-uns sont venus voleter autour de nous, comme des éraflures grises dans le ciel. Il s'est mis brusquement à bruiner, puis ça s'est arrêté et ça a recommencé.

— Tu vois, j'avais raison, a-t-il dit en essayant d'écraser quelques moucherons entre ses mains.

Nous avons fait lentement le tour de la cour et il a plaisanté au sujet de la brouette en disant qu'il allait s'asseoir dedans pour que je le pousse. Il a même donné un petit coup de pied dans la roue, mais il l'a ratée. J'ai remarqué qu'un rabat de sa botte en caoutchouc se décollait et je lui ai parlé du vieil homme au Mexique que j'avais vu danser en chemise sans col et en chaussures trouées. « Rien ne vaut un vieillard pour la danse », a-t-il dit en se dirigeant de son allure traînante vers le sentier. Nous sommes sortis de la cour. Il y avait des nuages et des martinets les suivaient. Une brise soufflait. Il était trop tôt pour qu'on sente la puanteur de l'usine. Il a enjambé tant bien que mal le muret et il s'est faufilé dans la brèche au milieu des buissons pour descendre à la rivière. L'eau stagnait, aussi morte que d'habitude.

J'ai glissé ma veste sous mes fesses et je me suis installé au bord de la berge. Il a eu une quinte de toux dans la chaise longue, puis il s'est relevé et s'est mis à ramasser quelques mégots qui nous avaient échappé hier. J'ai commencé à l'aider, j'ai mis deux mégots dans ma poche de veste. J'étais tout près de lui quand il a tendu brusquement les bras.

— Regarde ça ! a-t-il crié. Regarde !

J'ai regardé un peu partout mais il n'y avait rien, pas même une vaguelette.

Mais je sais ce qu'il avait vu. En plein milieu d'une vrille dans les airs, l'éclat d'un ventre étincelant, arqué et lancé dans une triple pirouette savante, tendu au-dessus de la surface si bien que les éclaboussures étaient tout embrasées de lumière autour de lui ; nageoires rentrées, la queue fouettant l'air et faisant gicler des gouttelettes d'eau, donnant à tout son corps un large mouvement en zigzag, un mètre au-dessus de la rivière, la gueule ouverte pour avaler de l'air, les yeux énormes et globuleux, entouré d'une frange d'eau — un espace et un mouvement saisis dans une même seconde, comme dans une des anciennes photos —, tendu vers le ciel, toute la surface de l'eau agitée sous lui, si bien que le flot a commencé à onduler doucement puis s'est libéré de l'emprise des roseaux et s'est écoulé vers la mer ; même l'herbe s'est prosternée devant ce mouvement, jusqu'à ce que son saumon atteigne un zénith et replonge tête la première dans un bruit magique, une symphonie de « flop » aussi soudaine qu'une pluie d'averse, et l'eau qui venait d'apprendre quelque chose sur elle-même est redevenue d'un seul coup silencieuse ; et il y avait de l'allégresse dans tout ça, je l'ai senti ; ça tenait du merveilleux, de l'inébranlable, et il a appuyé son épaule contre moi et m'a dit : « Putain de merde, incroyable, non ? »

Il m'a donné une claque dans le dos et m'a demandé d'aller jusqu'à la maison chercher sa canne à pêche et les mouches, ce que j'ai fait. J'ai ouvert la boîte en bois et je lui ai apporté celle qui avait plein de couleurs, celle qu'il avait fabriquée l'autre jour. Quand je suis redescendu à la rivière, il hochait la tête, debout sur la berge, il claquait des mains, riait et criait devant la magnificence de son poisson.

Je me suis approché de lui, la canne à la main, et je me suis dit, et j'ai dit aux martinets qui tournoyaient dans le ciel, aux moucherons dont ils se nourrissaient et aux nuages qui passaient lentement, j'ai dit : Faites que cette joie-là dure jusqu'à demain.

Il a essayé la mouche. Il murmurait : « Tu l'as vu, fiston ? »

Cet ouvrage a été réalisé par la
SOCIÉTÉ NOUVELLE FIRMIN-DIDOT
Mesnil-sur-l'Estrée
pour le compte des Éditions 10/18
en février 2000

Imprimé en France
Dépôt légal : septembre 1998
N° d'édition : 2913 – N° d'impression : 50293
Nouveau tirage : mars 2000

T